EDUCACIÓN SECUNDARIA

MATEMÁTICAS

J.COLERA, I.GAZTELU

1

ANAYA EN TUS MANOS

Í NDICE

DISTRIBUCIÓN DE CONTENIDOS EN LA ESO

	PRIMER CICLO	
	Primer curso	**Segundo curso**
ARITMÉTICA	• **Números naturales.** Utilidad y propiedades. Potencias y raíces. • **Divisibilidad.** Nociones básicas. Obtención del M.C.D. y del m.c.m. de dos números. • **Números enteros.** Números negativos. Operaciones con enteros. • **Números decimales.** Operaciones aritméticas. Raíz cuadrada. • **Números fraccionarios.** Operaciones sencillas. • **Problemas de proporcionalidad.** • **Sistema métrico decimal.**	• **Divisibilidad.** Repaso y profundización. • **Números enteros.** Repaso y profundización. • **Fracciones.** Equivalencia, operaciones. Relación con los decimales. • **Proporcionalidad.** Regla de tres y método de reducción a la unidad. Proporcionalidad compuesta.
ÁLGEBRA	• **Iniciación al álgebra.** Operaciones muy sencillas con expresiones algebraicas. • **Ecuaciones.** Nociones básicas. Resolución de ecuaciones de primer grado muy sencillas.	• **Expresiones algebraicas.** Operaciones. • **Ecuaciones de primer grado.** Problemas. • **Ecuaciones de segundo grado** muy sencillas. Problemas. • **Sistemas de ecuaciones lineales** sencillas. Problemas.
GEOMETRÍA	• **Elementos básicos** de geometría. Rectas, segmentos, ángulos. Operaciones con medidas angulares. Simetrías. • **Figuras planas.** Triángulos, cuadriláteros, polígonos regulares, circunferencia. Clasificación, regularidades y propiedades. • **Teorema de Pitágoras.** Aplicaciones sencillas. • **Áreas** de figuras planas.	• **Teorema de Pitágoras.** • **Semejanza.** Planos, mapas y maquetas. Teorema de Thales. Semejanza de triángulos. Aplicaciones. • **Figuras poliédricas.** Estudio y clasificación. • **Cuerpos de revolución.** Estudio y clasificación. • **Áreas y volúmenes** de cuerpos geométricos.
FUNCIONES	• **Idea de función.** Diagramas cartesianos. Interpretación de puntos y de gráficas.	• **Funciones.** Nomenclatura básica. Crecimiento y decrecimiento. Funciones de proporcionalidad ($y = mx$). Funciones lineales ($y = mx + n$).
ESTADÍSTICA	• Iniciación a la **Estadística.** Tablas estadísticas. Gráficas estadísticas.	• **Tablas estadísticas.** • **Gráficas estadísticas.** Diagrama de barras, histograma, polígono de frecuencias, diagrama de sectores. • **Parámetros estadísticos.** Moda. Mediana. Media. Desviación media.
PROBABILIDAD		

SEGUNDO CICLO		
Tercer curso	**Cuarto curso. Opción A**	**Cuarto curso. Opción B**

• Distintos tipos de **números.**
• **Números racionales.**
  Operaciones y aplicaciones.
  Potencias de exponente entero.
  Forma decimal.
  Relación decimal-fracción.
• **Números no racionales.**
• **Proporcionalidad.**
  Problemas aritméticos
• **Progresiones.**
  Progresiones aritméticas y geométricas.
  Aplicaciones.
	• **Números reales.**
	  Aproximación decimal. Errores.
	  Notación científica.
	  Números racionales e irracionales. La recta real.
	  Intervalos y semirrectas.
	  Radicales: Operaciones y propiedades.
	
	• **Combinatoria.**
	  Estrategias para contar agrupamientos.
	  Variaciones y permutaciones.
	  Combinaciones.	

		Factoriales y números combinatorios. Binomio de Newton

• **Polinomios.**
  Operaciones.
• **Fracciones algebraicas** sencillas.
  Operaciones.
• **Ecuaciones** de 1° y 2° grado.
  Problemas.
• **Sistemas de ecuaciones lineales.**
  Problemas.
	• **Polinomios.**
	  Operaciones.
	  Regla de Ruffini.
	  Factorización.	

		• **Fracciones algebraicas.** Simplificación y propiedades.
	• **Ecuaciones, inecuaciones y sistemas:** lineales, cuadráticas, racionales...	

• **Figuras planas.**
  Repaso y profundización.
• **Figuras en el espacio.**
  Repaso y profundización.
• **Movimientos en el plano.**
  Traslaciones, giros y simetrías.
  Mosaicos, cenefas y rosetones.
	• **Semejanza.**
	  Repaso y ampliación.
	
	• **Trigonometría.**
	  Introducción a la trigonometría.
	  Resolución de triángulos rectángulos.
	  Aplicaciones
		• **Trigonometría.**
		  Repaso y ampliación de la semejanza.
		  Razones trigonométricas de ángulos
		  cualesquiera.
		  Resolución de triángulos. Aplicaciones.
		  Estrategia de la altura.

	• **Vectores.**
	  Operaciones y aplicaciones.
	  Ecuaciones de la recta.	

		• Ecuación de la **circunferencia.**

• **Funciones.**
  Variación, tendencias, discontinuidades,
  continuidad.
  Estudio de funciones mediante sus gráficas.
• **Funciones lineales.**
  Estudio analítico. Ecuaciones de una recta.
  Pendiente.
	• **Funciones.**
	  Conceptos básicos. Dominio. Continuidad. Crecimiento y decrecimiento. Máximos y mínimos.
	  Simetrías y periodicidad.
	• **Tipos de funciones.**
	  Lineales, cuadráticas, de proporcionalidad inversa, radicales, exponenciales
	  y definidas a trozos.	

• **Tablas y gráficas estadísticas.**
• **Parámetros estadísticos.**
  Media, desviación típica. Obtención a partir
  de tablas de frecuencias.
  Coeficiente de variación.
	• **Estadística.**
	  Repaso y profundización de las nociones básicas.
	  Construcción de tablas de frecuencias por intervalos.
	  Media, desviación típica y coeficiente de variación. Cálculo e interpretación.
	  Medidas de posición. Cálculo e interpretación.	

• **Azar y probabilidad.**
  Sucesos aleatorios. Noción de probabilidad.
  Cálculo de probabilidades mediante
  la ley de Laplace.
  Relación entre frecuencia relativa y
  probabilidad.
	• **El azar y la probabilidad.**
	  Sucesos aleatorios. Operaciones.
	  Ley de los grandes números.
	  Cálculo de probabilidades en experiencias compuestas.
	  Diagrama en árbol.	

CÓMO USAR ESTE LIBRO

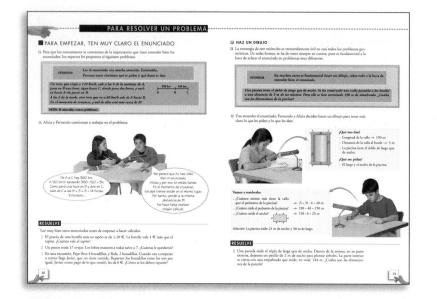

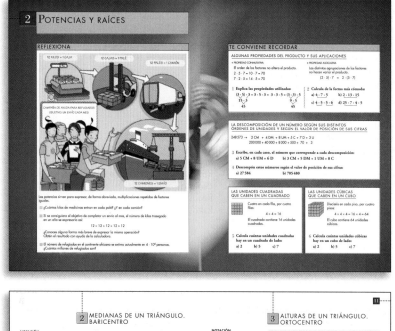

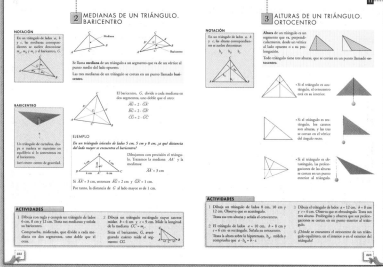

Resolución de problemas

Antes de iniciar los contenidos de las unidades en que está dividido este libro, se proponen unas cuantas páginas en las que se ofrecen pautas que hay que tener en cuenta antes de enfrentarse a la *resolución de un problema*, y estrategias concretas para poder resolverlo.

En todas estas páginas se ofrecen problemas resueltos y, bajo el título *Resuelve*, problemas propuestos para que los alumnos y las alumnas practiquen las estrategias propuestas.

Apertura de la unidad

Cada unidad se inicia con una doble página.

En la página de la izquierda aparece una ilustración motivadora, acompañada de actividades relacionadas con los contenidos de la unidad, que podrán ser resueltas con los conocimientos que los estudiantes poseen.

En la página de la derecha se ofrecen los contenidos que se deben tener presentes para poder abordar los de esta unidad, con actividades propuestas para cada uno de ellos.

Los contenidos de la unidad

Los contenidos de una unidad se dividen en epígrafes y estos, en subepígrafes. En ellos se puede encontrar:

— *Desarrollo de contenidos* (los más importantes están resaltados).

— *Ejemplos.* Son ejercicios resueltos y están convenientemente remarcados.

— *Actividades* propuestas. Son ejercicios de aplicación.

Los ejercicios de la unidad

Los ejercicios de la unidad que se proponen contemplan la aplicación de todos los contenidos que se han ofrecido a lo largo de la exposición teórica.

Están clasificados según su naturaleza, y para cada uno de ellos se especifica su grado de dificultad, de uno a tres.

Entre ellos aparecen, remarcados con una línea roja discontinua, algunos ejercicios y problemas resueltos, los cuales muestran procedimientos que sirven como modelo para resolver otros posteriores.

Problemas de estrategia

Esta sección de problemas, problemas de estrategia, está marcada de forma especial porque en ella se incluyen ejercicios y problemas que, aunque en general se refieren a los contenidos de la unidad, tienen un "sabor distinto". Para resolverlos, los alumnos y las alumnas tienen que pensar con lógica, aplicar alguna estrategia de las vistas en las primeras páginas del libro o, simplemente, tener una idea feliz.

Final de la unidad

En estas dos últimas páginas se ofrece, en la de la izquierda:

- Un breve esquema con los contenidos de la unidad, con la idea de que los alumnos y las alumnas tengan un ejemplo de cómo esquematizar lo aprendido.

- Una autoevaluación, cuyas soluciones figuran en las páginas finales del libro.

En la página de la derecha, *juegos para pensar/construir,* se ofrecen acertijos, problemas para reflexionar, rompecabezas y, en general, juegos matemáticos.

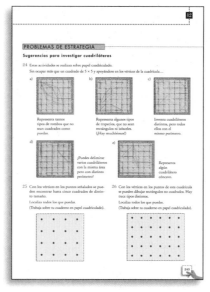

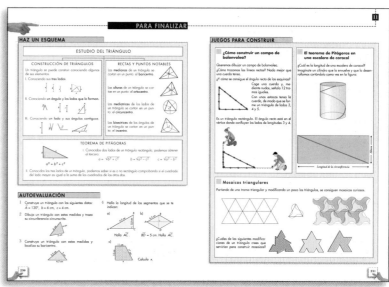

¿QUÉ ES UN PROBLEMA?

En la Casa de la Cultura se ha presentado el gran "Concurso de Resolución de Problemas". Cada lunes, un equipo de expertos presentará en el tablón de anuncios los problemas de la semana, y los concursantes, parejas de chicos de 12 años, tendrán hasta el viernes para presentar sus soluciones.

EJERCICIO	PROBLEMA
Realiza esta operación:	**Completa las casillas que faltan:**
6 4 5 8 × 3 7	☐ 0 ☐ 7 × ☐ 5 ☐ 7 7 6
¿Podrías explicar la diferencia entre ejercicios y problemas?	

NOTA: El miércoles, más pistas.

Alicia y Fernando, grandes aficionados a los problemas y acertijos que han decidido participar en el concurso, comienzan a reflexionar sobre lo planteado ese mismo día:

¿Por qué a uno lo llaman ejercicio y a otro problema?

El ejercicio es una simple multiplicación.

No sé, vamos a verlo.

Sí, pero me parece que para resolver el problema tendremos que reflexionar bastante más.

Ah, por eso lo llaman problema. Es un **auténtico problema**.

En este concurso se va a tratar, fundamentalmente, de **auténticos problemas**. Aprenderemos algunas estrategias para enfocarlos e iremos adquiriendo paciencia y ánimo para buscar soluciones. Y lo que es mejor aún, ¡nos aficionaremos a ellos!

□ Los expertos, una vez conseguido el efecto que pretendían, colgaron del tablón las siguientes pistas:

Pistas para el problema

• *Escribe la multiplicación así:*

$$
\begin{array}{r}
\boxed{a}\;\;0\;\;\boxed{b}\;\;7 \\
\times\;\;\boxed{c} \\
\hline
5\;\boxed{d}\;\;7\;\;7\;\;6
\end{array}
$$

• *Piensa: ¿Qué número multiplicado por 7 da un resultado que termina en 6?*

• *Según esto, observa que el resultado de la segunda multiplicación es 72: c · b = 72*

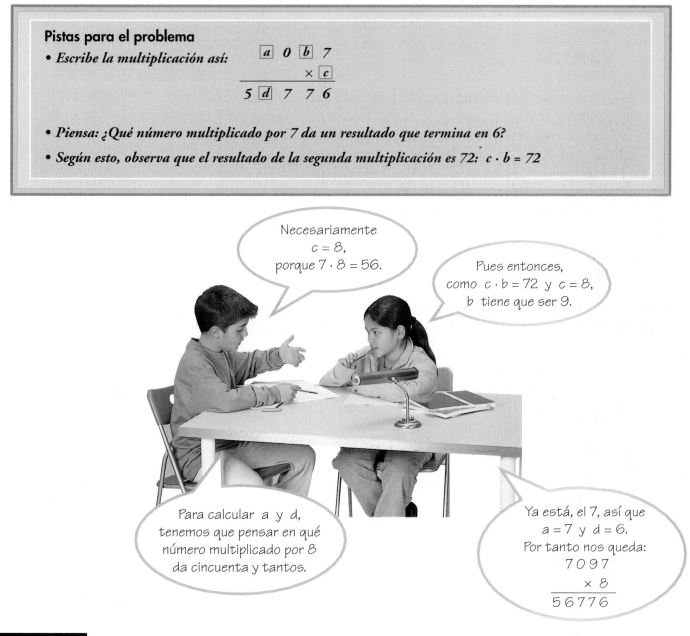

Necesariamente
c = 8,
porque 7 · 8 = 56.

Pues entonces,
como c · b = 72 y c = 8,
b tiene que ser 9.

Para calcular a y d,
tenemos que pensar en qué
número multiplicado por 8
da cincuenta y tantos.

Ya está, el 7, así que
a = 7 y d = 6.
Por tanto nos queda:
$$
\begin{array}{r}
7\;0\;9\;7 \\
\times\;\;8 \\
\hline
5\;6\;7\;7\;6
\end{array}
$$

RESUELVE

De los siguientes enunciados, ¿cuál crees que es un auténtico problema? Resuelve ambos.

1. En una sala hay 10 taburetes de tres patas y 6 sillas de 4 patas. En todos ellos hay sentadas personas con dos piernas. ¿Cuántas piernas y patas hay en total?

2. En una habitación hay taburetes de tres patas y sillas de cuatro patas. Cuando hay una persona sentada en cada uno de ellos, el número total de patas y piernas es 27. ¿Cuántos asientos hay?

■ *Cada silla ocupada* → *6 patas y piernas* ⎱ *¿Cuántos* ⑥ *y cuántos* ⑤ *hemos de juntar*
Cada taburete → *5 patas y piernas* ⎰ *para conseguir 27?*

PARA EMPEZAR, TEN MUY CLARO EL ENUNCIADO

☐ Para que los concursantes se convenzan de la importancia que tiene entender bien los enunciados, los expertos les proponen el siguiente problema:

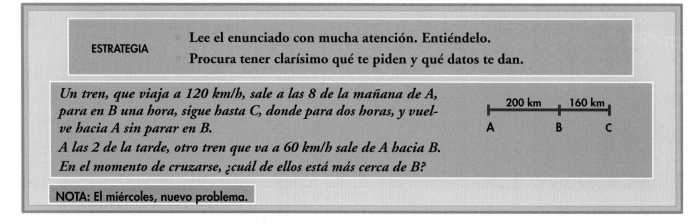

ESTRATEGIA

Lee el enunciado con mucha atención. Entiéndelo.
Procura tener clarísimo qué te piden y qué datos te dan.

Un tren, que viaja a 120 km/h, sale a las 8 de la mañana de A, para en B una hora, sigue hasta C, donde para dos horas, y vuelve hacia A sin parar en B.
A las 2 de la tarde, otro tren que va a 60 km/h sale de A hacia B. En el momento de cruzarse, ¿cuál de ellos está más cerca de B?

200 km 160 km

A B C

NOTA: El miércoles, nuevo problema.

☐ Alicia y Fernando comienzan a trabajar en el problema:

De A a C hay 360 km.
A 120 km/h tardarán 360 : 120 = 3h.
Como paró una hora en B y dos en C,
sale de C a las 8 + 3 + 3 = 14 horas.
Entonces...

Me parece que no has leído
bien el enunciado,
Alicia, y por eso te estás liando.
En el momento de cruzarse,
los dos trenes están en el mismo lugar.
Por tanto, ¡están a la misma
distancia de B!
No hace falta realizar
ningún cálculo.

RESUELVE

Lee muy bien estos enunciados antes de empezar a hacer cálculos:

1 El precio de una botella más su tapón es de 1,10 €. La botella vale 1 € más que el tapón. ¿Cuánto vale el tapón?

2 Un pastor tenía 17 ovejas. Los lobos mataron a todas salvo a 7. ¿Cuántas le quedaron?

3 En una excursión, Pepe lleva 4 bocadillos, y Rafa, 2 bocadillos. Cuando van a empezar a comer llega Javier, que no tiene comida. Reparten los bocadillos entre los tres por igual. Javier, como pago de lo que comió, les da 6 €. ¿Cómo se los deben repartir?

☐ HAZ UN DIBUJO

☐ La estrategia de este miércoles es tremendamente útil en casi todos los problemas geométricos. De todas formas, se ha de tener siempre en cuenta, pues es fundamental a la hora de aclarar el enunciado en problemas muy diferentes.

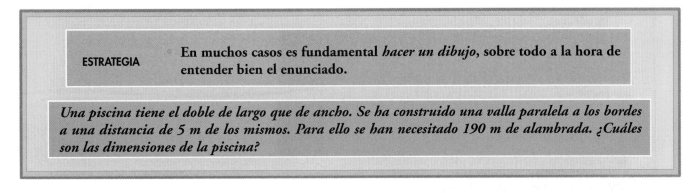

ESTRATEGIA • **En muchos casos es fundamental *hacer un dibujo*, sobre todo a la hora de entender bien el enunciado.**

Una piscina tiene el doble de largo que de ancho. Se ha construido una valla paralela a los bordes a una distancia de 5 m de los mismos. Para ello se han necesitado 190 m de alambrada. ¿Cuáles son las dimensiones de la piscina?

☐ Tras entender el enunciado, Fernando y Alicia deciden hacer un dibujo para tener más claro lo que les piden y lo que les dan:

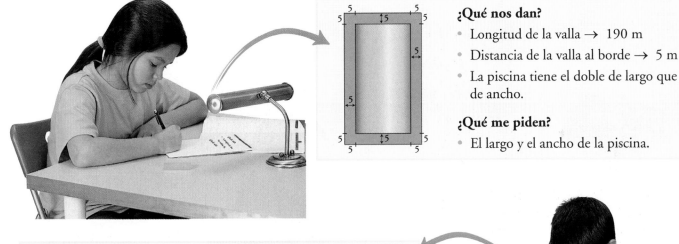

¿Qué nos dan?

• Longitud de la valla → 190 m

• Distancia de la valla al borde → 5 m

• La piscina tiene el doble de largo que de ancho.

¿Qué me piden?

• El largo y el ancho de la piscina.

Vamos a resolverlo:

• ¿Cuántos metros más tiene la valla que el perímetro de la piscina? → $(5 + 5) \cdot 4 = 40$ m

• ¿Cuánto mide el perímetro de la piscina? → $190 - 40 = 150$ m

• ¿Cuánto mide el ancho? → $150 : 6 = 25$ m

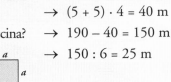

Solución: La piscina mide 25 m de ancho y 50 m de largo.

RESUELVE

1 Una parcela mide el triple de larga que de ancha. Dentro de la misma, en su parte externa, dejamos un pasillo de 2 m de ancho para plantar árboles. La parte interior se cierra con una empalizada que mide, en total, 144 m. ¿Cuáles son las dimensiones de la parcela?

HAZ UNA BUENA PLANIFICACIÓN

☐ Esta semana los expertos quieren que los concursantes sistematicen las rutinas aprendidas hasta ahora.

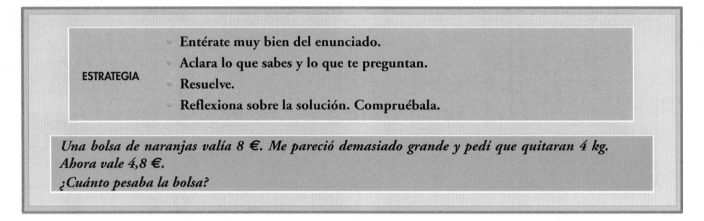

ESTRATEGIA

- Entérate muy bien del enunciado.
- Aclara lo que sabes y lo que te preguntan.
- Resuelve.
- Reflexiona sobre la solución. Compruébala.

Una bolsa de naranjas valía 8 €. Me pareció demasiado grande y pedí que quitaran 4 kg. Ahora vale 4,8 €.
¿Cuánto pesaba la bolsa?

☐ Tras leer y comprender perfectamente el enunciado, Fernando y Alicia comienzan su investigación:

¿Qué sé?

¿Qué me preguntan?

Cuesta 8 €

Si le quito 4 kg:

Cuesta 4,8 €

Por tanto:
4 kg cuestan 8 − 4,8 = 3,2 €

¿Cuánto pesa?

☐ Una vez que tienen claro lo que saben y lo que les preguntan, continúan con el proceso de planificación. El siguiente paso es resolver el problema. Fíjate en cómo lo hace Fernando…

☐ **HAZ UNA BUENA PLANIFICACIÓN**

Si 4 kg cuestan 3,2 €, entonces 1 kg cuesta:
3,2 : 4 = 0,8 €
Puesto que la bolsa cuesta 8 €, su peso es:
8 : 0,8 = 10 kg

Solución: → Pesa 10 kg

Parece razonable que una bolsa de
10 kg de naranjas cueste 8 €.

Vamos a comprobarlo:
Si se le quitan 4 kg quedan 6 kg. A 0,8 €
cada kilogramo, costarían: 6 · 0,8 = 4,8 €,
que es el dato que nos daba el problema.

RESUELVE ....

1 En una granja se han vendido 1 782 huevos. Si dos docenas y media cuestan 4,5 €, ¿cuál ha sido la recaudación correspondiente a la venta de huevos?

2 Un empresario abre un negocio con una inversión inicial de 800 000 €. Durante el primer año pierde a razón de 60 000 € mensuales. A partir de ahí gana 40 000 € cada mes. ¿Cuánto tiempo transcurre desde que inicia el negocio hasta que amortiza el gasto?

■ REPRESENTA LOS DATOS ESQUEMÁTICAMENTE

ESTRATEGIA
- **Representa esquemáticamente los datos.**
- **Realiza diagramas, esquemas, representaciones gráficas…**

Samuel, que es muy goloso, compra un tubo de chocolatinas. El primer día se come la mitad. El segundo día se come un tercio de lo que quedaba. El tercer día se come un cuarto del resto. El cuarto día se come 3 chocolatinas y se le termina el tubo. ¿Cuántas chocolatinas había?

☐ A Fernando y Alicia, utilizando todas las estrategias que ya conocen, se les ha ocurrido la siguiente resolución del primer problema. Ayúdales a terminarla añadiendo los datos que faltan.

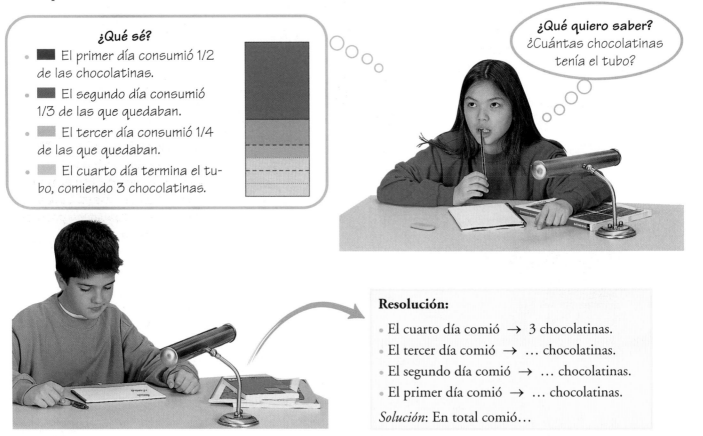

¿Qué sé?
- ■ El primer día consumió 1/2 de las chocolatinas.
- ■ El segundo día consumió 1/3 de las que quedaban.
- ■ El tercer día consumió 1/4 de las que quedaban.
- ■ El cuarto día termina el tubo, comiendo 3 chocolatinas.

¿Qué quiero saber?
¿Cuántas chocolatinas tenía el tubo?

Resolución:
- El cuarto día comió → 3 chocolatinas.
- El tercer día comió → … chocolatinas.
- El segundo día comió → … chocolatinas.
- El primer día comió → … chocolatinas.

Solución: En total comió…

RESUELVE

1. En una garrafa hay doble cantidad de agua que en otra. Sacando 5 *l* de cada una, la primera quedaría con el triple de agua que la segunda. ¿Cuántos litros hay en cada garrafa?

    ■ *Representa esquemáticamente la situación final y, después, añade 5 l y llega a la situación inicial.*

2. Camila tiene una caja de caramelos. El primer día se come un cuarto. El segundo día se come un tercio de lo que le quedaba. El tercer día se come la mitad del resto. El cuarto día se come cuatro caramelos y se le termina la caja. ¿Cuántos caramelos había en la caja?

■ PROCEDE SISTEMÁTICAMENTE

ESTRATEGIA	**Cuando se trate de contar, buscar… sé ordenado y sistemático.**

¿Cuántos cuadrados hay en una cuadrícula de 4 × 4 como la del dibujo?

☐ Ayudándose de representaciones gráficas y siendo muy ordenados, Alicia y Fernando consiguen resolver el problema. Fíjate atentamente en cómo lo han hecho.

> Evidentemente, hay 16 cuadraditos pequeños y uno grande de 4 × 4. Pero también hay cuadrados de 2 × 2 y de 3 × 3. Vamos a contarlos de forma sistemática.

> Mira, Fernando; si se fija el vértice superior izquierdo, el cuadrado queda colocado. ¡Basta, pues, con contar las situaciones posibles de dicho vértice!

→ 9 cuadrados

→ 4 cuadrados

Solución: 16 + 9 + 4 + 1 = 30 cuadrados

RESUELVE

1 ¿Cuántos cuadrados hay en una cuadrícula de 5 × 5? ¿Y en una cuadrícula de 6 × 6?

2 ¿Cuántos rectángulos no cuadrados hay en esta cuadrícula?

3 ¿Cuántos tipos de cuadrados se pueden dibujar con sus vértices en los puntos que ves a la derecha?

■ TANTEA

ESTRATEGIA
- Tantea de forma inteligente y bien organizada.
- Desecha posibilidades de manera razonada.

Completa la siguiente multiplicación:

$$
\begin{array}{r}
\square\ 0\ \square\ \square \\
\times\ 6 \\
\hline
\square\ 4\ 4\ 0\ 8
\end{array}
$$

☐ Fernando y Alicia comienzan a hacer pruebas y a tantear de manera razonada.

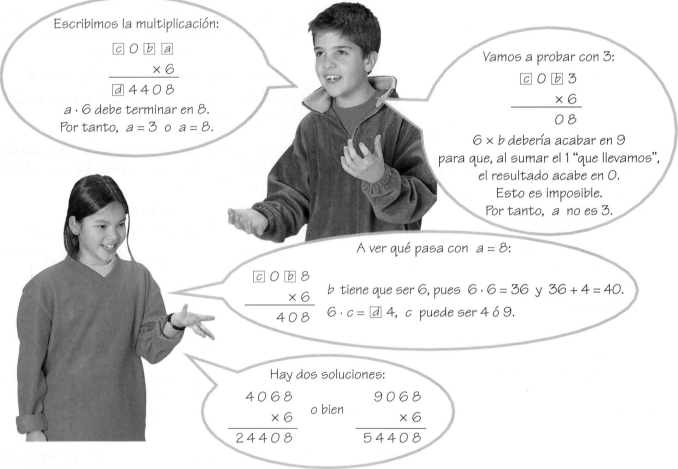

Escribimos la multiplicación:

$$
\begin{array}{r}
\boxed{c}\ 0\ \boxed{b}\ \boxed{a} \\
\times\ 6 \\
\hline
\boxed{d}\ 4\ 4\ 0\ 8
\end{array}
$$

$a \cdot 6$ debe terminar en 8.
Por tanto, $a = 3$ o $a = 8$.

Vamos a probar con 3:

$$
\begin{array}{r}
\boxed{c}\ 0\ \boxed{b}\ 3 \\
\times\ 6 \\
\hline
0\ 8
\end{array}
$$

$6 \times b$ debería acabar en 9
para que, al sumar el 1 "que llevamos",
el resultado acabe en 0.
Esto es imposible.
Por tanto, a no es 3.

A ver qué pasa con $a = 8$:

$$
\begin{array}{r}
\boxed{c}\ 0\ \boxed{b}\ 8 \\
\times\ 6 \\
\hline
4\ 0\ 8
\end{array}
$$

b tiene que ser 6, pues $6 \cdot 6 = 36$ y $36 + 4 = 40$.
$6 \cdot c = \boxed{d}\ 4$, c puede ser 4 ó 9.

Hay dos soluciones:

$$
\begin{array}{r}
4\ 0\ 6\ 8 \\
\times\ 6 \\
\hline
2\ 4\ 4\ 0\ 8
\end{array}
\qquad \text{o bien} \qquad
\begin{array}{r}
9\ 0\ 6\ 8 \\
\times\ 6 \\
\hline
5\ 4\ 4\ 0\ 8
\end{array}
$$

RESUELVE

1 Divide esta figura en cuatro partes de igual forma y tamaño:

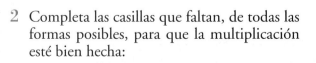

■ *Piensa primero cuántos cuadraditos debe tener cada parte.*

2 Completa las casillas que faltan, de todas las formas posibles, para que la multiplicación esté bien hecha:

$$
\begin{array}{r}
\square\ \square\ 8 \\
\times\ \square \\
\hline
\square\ 2\ 7\ 6
\end{array}
$$

A continuación se te propone una buena colección de problemas. Con ellos podrás aguzar tu ingenio y aplicar los consejos que te hemos dado en las páginas anteriores:

- Siempre has de entender perfectamente el enunciado y realizar una buena planificación.

- En unos casos convendrá que hagas un dibujo o una representación esquemática, otros problemas los resolverás mediante una búsqueda, un proceso sistemático, tanteando…

- Pero, seguramente, en la mayor parte de los casos seguirás estrategias de pensamiento propias, personales. ¡Esas son las mejores!

1 Para construir esta fila de 4 cuadrados se han necesitado 13 palillos.

¿Cuántos palillos se necesitan para construir una fila de 50 cuadrados?

2 Un galgo persigue a una liebre. La liebre da saltos de 3 m, y el galgo da saltos de 4 m. Si en un momento determinado las huellas del galgo coinciden con las de la liebre, ¿cuántas veces vuelve a ocurrir lo mismo en los siguientes 200 m?

3 Entre Javier y Lorenzo tienen 16 canicas. Entre Javier y David tienen 13 canicas. Entre David y Lorenzo tienen 17 canicas. ¿Cuántas canicas tiene cada uno de los tres?

■ *Si sumas 16 + 13 + 17 = 46, ¿qué significado tiene esta cantidad?*
¿Y la mitad de esta cantidad?

4 El perímetro de esta figura es de 160 mm. Calcula su área.

5 El área de esta finca es de 600 m². ¿Cuál es la longitud de la valla que la rodea?

6 Un transportista carga en su motocarro 4 televisores y 3 minicadenas musicales.
Si cada televisor pesa como 3 minicadenas, y en total ha cargado 75 kg, ¿cuánto pesa cada televisor?

7 En un colegio hay dos clases de primero de ESO: A y B. Si en el grupo A se hacen equipos de 5 para jugar a baloncesto, sobran 3 personas.
Si se hace lo mismo en el grupo B, sobran 4.
¿Cuántos sobrarán si se hacen los equipos después de juntar ambos grupos?

8 De los 150 alumnos y alumnas de un colegio, 120 estudian inglés; 100, informática, y solo 20 ni lo uno ni lo otro.
¿Cuántos estudian ambas materias?

■ *Representa los datos en un diagrama como este:*

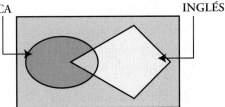

9 En un examen de 20 preguntas, por cada pregunta acertada dan 3 puntos y por cada pregunta fallada (equivocada o no contestada) quitan 2.
¿Cuántas preguntas ha acertado y cuántas ha fallado un alumno que ha obtenido un resultado de 15 puntos?

10 Un chico le dice a otro: "Tengo igual número de hermanos que de hermanas".
Sin embargo, su hermana puede decir lo siguiente sin faltar a la verdad: "Tengo doble número de hermanos que de hermanas".
¿Cuántos son en total entre unas y otros?

11 Un grupo de amigos entra en una cafetería. Todos piden un café, y la quinta parte de ellos pide, además, un bollo.

Un café cuesta 0,85 €, y un bollo, 1,10 €.

Para pagar le entregan 11 € al camarero.

¿Han dejado propina? Si es así, ¿cuánto?

12 Marta tenía, hace 16 años, 2/3 de su edad actual. ¿Cuántos años tiene ahora?

13 Usando 10 palillos, se ha construido una casa con la fachada mirando hacia la izquierda, como muestra la figura.

Cambiando de posición dos palillos, ¿podrías conseguir que la casa quedara con la fachada mirando a la derecha?

14 ¿Cuántos números entre 100 y 400 contienen el dígito 2?

15 Encuentra tres números naturales consecutivos cuya suma sea 264.

16 Se ha cercado un corral cuadrado con cinco filas de alambre sostenidas por postes colocados a dos metros de distancia.

Se han necesitado 60 postes.

Si el metro de alambre está a 0,45 € y cada poste sale por 2 €, ¿cuál ha sido el coste de los materiales empleados?

17 Aurora, entre las moscas y las arañas de su colección de bichos, ha contado 11 cabezas y 76 patas.

¿Cuántas arañas y cuántas moscas tiene?

18 Una hoja de papel con forma de rectángulo tiene un perímetro de 80 cm. Si la pliego en cuatro a lo largo y luego en seis a lo ancho, obtengo un cuadrado.

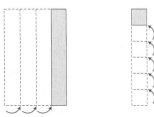

¿Cuáles son las dimensiones del papel?

19 Todos los chicos y chicas de la clase de Romualdo se van de excursión al campo.

Entre otras cosas, encargan 14 tortillas.

Al mediodía, se reparten una tortilla para cada tres personas, y en la merienda, una para cada cuatro.

¿Cuántas personas fueron de excursión?

20 Hemos construido un pez con 8 palillos.

a) Moviendo solo tres palillos, consigue que el pez vaya en la dirección contraria.

b) Si movemos solo dos palillos, podemos conseguir un pez que mire en otra dirección. Compruébalo.

21 ¿Cuántas veces utilizarás la cifra 5 si escribes todos los capicúas de tres cifras?

22 Si escribes todos los números impares entre el 55 y el 555, ¿cuántas veces habrás usado la cifra 6?

23 ¿Cuántos números capicúas de dos cifras hay? ¿Y de tres cifras?

24 ¿Cuántos números de tres cifras se pueden formar utilizando solamente las cifras 1, 2 y 3?

25 Expresa el número 10 utilizando cinco nueves y las operaciones que necesites.

Busca varias soluciones.

26 Halla el número más pequeño que se pueda obtener multiplicando tres números enteros positivos cuya suma sea 12.

27 ¿Cuántas fichas es necesario mover para transformar una figura en la otra?

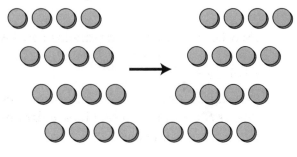

28 Susana y Miguel conciertan una cita a las ocho de la tarde. El reloj de Susana está atrasado 10 minutos, pero ella cree que está 5 minutos adelantado.

El reloj de Miguel está adelantado 5 minutos, pero él cree que está atrasado 10.

¿Quién llegará antes a la cita?

29 Tengo en el bolsillo 25 monedas.

Todas son de 0,50 € y de 0,20 €.

En total tengo 8 €.

¿Cuántas monedas tengo de cada clase?

30 Estás junto a una fuente y dispones de una jarra de 5 litros y de otra de 3 litros. ¿Cómo te las arreglarías para medir un litro de agua?

31 Un repartidor lleva en su camión siete cajas de refrescos llenas, siete medio llenas y siete vacías.

Si desea repartir su mercancía en tres supermercados, dejando en cada uno el mismo número de refrescos y el mismo número de cajas, ¿cómo debe hacer el reparto?

Supón que tiene mucha prisa y no quiere andar cambiando botellas de unas cajas a otras. ¿Cómo se las arreglará?

32 En el mercado del trueque se cambia:
- Una sandía y un melón por un queso.
- Un queso por tres panes.
- Dos melones por tres panes.

¿Cuántas sandías te darán por un queso?

33 Dando dos cortes a un cuadrado se pueden obtener con facilidad 4 cuadrados:

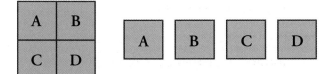

- ¿Sabrías construir dos cuadrados con los trozos obtenidos al dar dos cortes rectos a un cuadrado?

- ¡Más difícil todavía! ¿Sabrías construir tres cuadrados con los trozos obtenidos al dar dos cortes rectos a un cuadrado?

34 ¿Cuántos tipos de rectángulos no cuadrados se pueden dibujar con sus vértices en los puntos que aparecen debajo?

35 Coloca los números del 1 al 9, cada uno en una casilla, de modo que los de la misma línea (horizontal o vertical) sumen lo mismo.

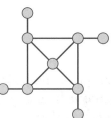

36 ¿Cuántos cuadrados de perímetro mayor que 10 hay en esta cuadrícula?

¿Y cuántos rectángulos de perímetro mayor que 15?

37 Tengo tres cajas idénticas.

Una contiene caramelos de naranja; la otra, caramelos de limón, y la tercera, mezcla de caramelos de naranja y de limón.

Están etiquetadas con las referencias NN, LL y NL, pero ninguna caja lleva la etiqueta que le corresponde.

Raquel dice que si me da una caja y yo saco un caramelo y se lo enseño, puede adivinar el contenido de todas las cajas.

Si crees que es cierto lo que dice Raquel, explica cómo lo consigue.

38 Divide esta figura en seis partes de igual forma y tamaño.

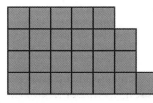

1 LOS NÚMEROS NATURALES

REFLEXIONA

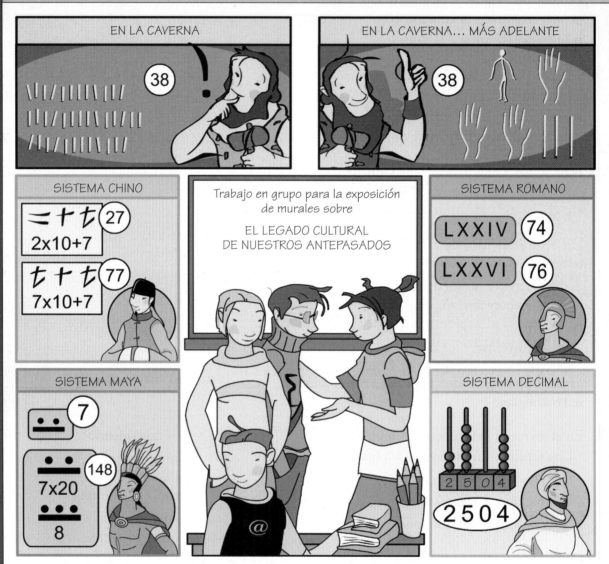

Para conservar los resultados de los recuentos, es decir, para expresar los números, cada cultura ha inventado distintos códigos que se han ido simplificando y perfeccionando a lo largo de la historia.

■ ¿Cómo escribiría un hombre primitivo el número 12?

■ Sabiendo que el símbolo chino 八 significa 8, ¿podrías decir cuáles son estos números?

■ En estas tablitas se han escrito los números 28, 53 y 129 en el código de los mayas.
¿Sabrías cuál está en cada una?
Explica tu respuesta.

■ ¿Por qué crees que usamos el sistema de numeración decimal en vez de algún otro de los muchos inventados en el pasado?

TE CONVIENE RECORDAR

LOS ÓRDENES DE UNIDADES DEL SISTEMA DE NUMERACIÓN DECIMAL

UM	C	D	U
		1	0
	1	0	0
1	0	0	0

1 D = 10 U
1 C = 10 D = 100 U
1 UM = 10 C = 100 D = 1 000 U

1 a) ¿Cuántas decenas hay en una decena de millar?
   b) ¿Cuántas centenas hay en 30 decenas?

CÓMO ESCRIBIR Y LEER CANTIDADES

208 005 ⟶ Doscientos ocho mil cinco

3 054 600 ⟶ Tres millones cincuenta y cuatro mil seiscientos

2 a) Escribe con palabras:
   1 101 001

b) Escribe con números:
   cinco millones cincuenta mil cincuenta.

CÓMO DESCOMPONER UN NÚMERO SEGÚN SUS DISTINTOS ÓRDENES DE UNIDADES

35 247 ⟶ 3 DM 5 UM 2 C 4 D 7 U

3 Descompón los siguientes números en sus diferentes órdenes de unidades:

a) 8 020   b) 57 040   c) 5 111

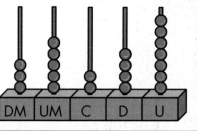

| DM | UM | C | D | U |

CÓMO OPERAR CON SUMAS Y RESTAS

En un depósito que contenía 3 507 litros de gasóleo se ha añadido un bidón con 256 litros.
Después se han extraído 2 936 l. ¿Cuánto gasóleo queda en el depósito?

```
  3 5 0 7          3 7 6 3
+   2 5 6        - 2 9 3 6
  3 7 6 3          0 8 2 7
```

3 507 + 256 − 2 936 = 827

Solución: Quedan 827 litros.

4 Calcula: a) 1 585 + 648 − 937   b) 5 742 − 1 570 − 625

CÓMO MULTIPLICAR, DIVIDIR Y RELACIONAR AMBAS OPERACIONES

Un comerciante compra 35 televisores a 247 € cada uno. ¿Cuánto le cuestan en total?

Un comerciante compra 35 televisores por 8 645 €. ¿A cuánto sale cada uno?

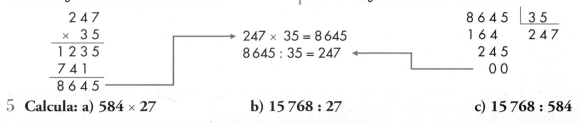

```
    2 4 7
  ×  3 5
  1 2 3 5
    7 4 1
  8 6 4 5
```

247 × 35 = 8 645

8 645 : 35 = 247

```
8 6 4 5 | 3 5
1 6 4     2 4 7
  2 4 5
    0 0
```

5 Calcula: a) 584 × 27   b) 15 768 : 27   c) 15 768 : 584

1 ORIGEN Y EVOLUCIÓN DE LOS NÚMEROS

Los números surgen de la necesidad de contar cosas.

Podemos imaginar al hombre primitivo contando las cabras de su rebaño y anotándolo, mediante muescas, en un hueso o en la corteza de un árbol. De esta forma se pueden controlar cantidades pequeñas.

Cuando la sociedad evoluciona (intercambios, comercio…) se hace necesario expresar números más grandes. Y así se inventaron los símbolos.

Por ejemplo, ⏚ significa 5 y 👤 significa 20 (los 20 dedos de una persona).

Con el paso del tiempo, los símbolos evolucionan. Se llega así a los sistemas de numeración.

◼ SISTEMAS ADITIVOS

Los **egipcios** tenían los siguientes símbolos:

| UNO | DIEZ | CIEN | MIL |

Es un **sistema aditivo** porque la cantidad total se consigue añadiendo los valores de los signos que intervienen. Por tanto, como puedes apreciar, no se necesita el cero.

El **sistema romano** ya lo conoces. Usa estos signos:

I	V	X	L	C	D	M
UNO	CINCO	DIEZ	CINCUENTA	CIEN	QUINIENTOS	MIL

Los números se escriben de forma aditiva, salvo 4, 9, 40, 90, … (en estos se resta el signo menor colocado a la izquierda).

Por ejemplo: M C C C L X X → 1 370

   C M X L I X   → 949

2057

ACTIVIDADES

1 En un sistema de numeración aditivo, los signos son | (uno), ⏚ (cinco), 👤 (veinte).

Escribe los números 13, 40 y 46.

2 Escribe en el sistema egipcio los números:

a) 639   b) 3 527

c) 2 002   d) 2 200

3 Escribe en el sistema romano los números:

a) 630   b) 638

c) 639   d) 640

e) 2 425   f) 2 525

g) 3 001   h) 3 520

4 Intenta explicar por qué nuestro sistema de numeración no es aditivo.

CALCULADORA

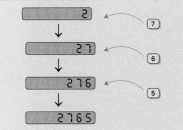

Observa que al escribir un número en la calculadora, cada vez que introduces una cifra, las que ya tienes en pantalla se desplazan un lugar a la izquierda, es decir, se multiplican por 10.

DM	UM	C	D	U
2	0	0	0	0
	7	0	0	0
		2	0	0
			5	0
				8
2	7	2	5	8

■ SISTEMA DE NUMERACIÓN DE TIPO POSICIONAL

Nosotros usamos el sistema de numeración decimal, que nació en la India en el siglo VII y llegó a Europa a través de los árabes.

Como sabes, utiliza solo diez símbolos:

0 1 2 3 4 5 6 7 8 9

Cada símbolo adquiere distinto valor según la posición que ocupa. Por eso decimos que es un **sistema posicional**.

Los distintos lugares que puede ocupar un símbolo (cifra) son los distintos **órdenes** o categorías de **unidades**.

En este sistema, diez unidades de un orden cualquiera hacen una unidad del orden inmediato superior. Por eso, una cifra no tiene siempre el mismo valor.

Vale 20 000 unidades — Vale 200 unidades

ACTIVIDADES

5 Observa, piensa y contesta:

$\overline{M}$	CM	DM	UM	C	D	U
		5	0	0	0	0
			3	0	0	
			1	0		
3	0	0	0			
2	5					

a) ¿Cuántas unidades hay en cinco decenas de millar?

b) ¿Cuántos millares son 300 decenas?

c) ¿Cuántas decenas hay en un millar?

d) ¿Cuántos millares hay en tres millones?

e) ¿Cuántas centenas de millar hay en dos millones y medio?

6 Escribe todos los números de cuatro cifras que tengan dos cincos y dos ceros.

7 Escribe un número capicúa de cinco cifras en el que:

• La suma de todas las cifras es 6.

• La cifra de las decenas es una unidad mayor que la de las unidades.

• La cifra de las centenas es cero.

8 Escribe el número novecientos noventa y nueve en el sistema decimal y en el sistema egipcio.

Explica alguna de las ventajas que ofrece el sistema decimal respecto a otros sistemas de numeración.

2 ¿QUÉ HACEMOS CON LOS NÚMEROS?

Con los números naturales realizamos distintas tareas: contar, ordenar, expresar códigos, calcular… Veamos, con algunos ejemplos, estas utilidades.

◻ CONTAR

Podemos decir que los números naturales se han inventado para poder contar los elementos de un conjunto, los casos posibles de una situación, el número de veces que ocurre un hecho…

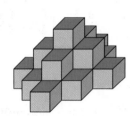

EJEMPLO

¿Por cuántos cubos está formada la construcción que ves a la izquierda?

PRIMER PISO	SEGUNDO PISO	TERCER PISO

 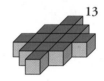 

Solución: En total son 19 cubos.

◻ ESTIMAR (CONTAR APROXIMADAMENTE)

A veces no podemos o no nos interesa contar con precisión, pero queremos hacernos una idea aproximada y rápida de una cantidad o de la solución de un problema. A esta tarea la llamamos **estimar**.

EJEMPLO

¿Cuántas personas asisten a una manifestación en una calle o plaza pública?

DATOS ESTIMADOS	ESTIMACIÓN DEL NÚMERO DE PERSONAS
• En un metro cuadrado hay 3 personas.	• En 1 m² → 3
• La manifestación ocupa una superficie de 2 500 m².	• En 2 500 m² → 2 500 · 3 = 7 500

Solución: Estimamos que a la manifestación asisten unas 7 500 personas.

ACTIVIDADES

1 Cuenta: ¿Cuántos cuadrados ves en esta figura?

(¡Ojo! Hay más de los que parece).

2 Estima el número de latidos que ha dado tu corazón desde el día de tu nacimiento.

3 Estima el número de granos de arroz que hay en 20 kilos.

ORDENAR

Al asociar un número natural a cada uno de los elementos de un conjunto, este queda ordenado. Estos son los nombres que reciben los números cuando expresan orden (**ordinales**):

ORDEN EN LOS NÚMEROS NATURALES

```
0    10    20    30    40
|++++|++++|++++|++++|++++|
```

Los números naturales se representan ordenados en la recta numérica.

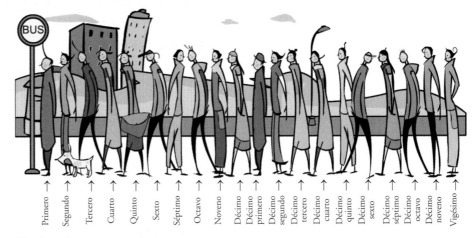

Primero → Segundo → Tercero → Cuarto → Quinto → Sexto → Séptimo → Octavo → Noveno → Décimo → Décimo primero → Décimo segundo → Décimo tercero → Décimo cuarto → Décimo quinto → Décimo sexto → Décimo séptimo → Décimo octavo → Décimo noveno → Vigésimo →

Y además:

21 → vigesimoprimero, … 29 → vigesimonoveno

30 → trigésimo, … 40 → cuadragésimo, … 50 → quincuagésimo …

CÓDIGOS

PROVINCIA	CÓDIGO
ÁLAVA	01
....	.....
SEVILLA	41
....	.....
ZARAGOZA	50

POBLACIONES SEVILLANAS

LOCALIDAD	CÓDIGO POSTAL
CARMONA	41410
ÉCIJA	41400
ESTEPA	41560
OSUNA	41640
....	....

EXPRESAR CÓDIGOS

A veces, los números naturales se utilizan para identificar personas, objetos, lugares, entidades, archivos, cuentas bancarias..., es decir, como símbolos de un código con el que catalogar y diferenciar los distintos elementos de un conjunto.

Para comprender un código, es necesario conocer las **claves de identificación**.

En las tablas de la izquierda tienes los códigos asignados por el Servicio de Correos y Telégrafos a algunas provincias y localidades de España.

Las dos primeras cifras de un código postal identifican la provincia.

ACTIVIDADES

4 Si estás en una cola en el lugar trigesimosexto, ¿cuántas personas tienes delante? ¿Qué lugar ocupa quien tiene a otros 32 delante?

5 Cierto coche lleva la siguiente placa de matrícula:

2830-BCB

¿Cuántos coches llevan una matrícula más antigua con las letras BCB?

¿Cuántos coches se matricularán aún con las mismas letras?

6 Ordena las palabras ELEFANTE, SOL, MESA, LIBRO, CABELLO, MALETA de tres formas:

a) Alfabéticamente.

b) Según su número de letras.

c) Según el peso de aquello que expresan.

7 La fecha de nacimiento de la madre de Carlos viene dada por el número 16-08-57.

¿Cuál es el día de su cumpleaños? ¿Cuántos años tiene en la actualidad?

LOS NÚMEROS GRANDES: MILLONES, MILLARDOS, BILLONES

La sucesión de números naturales crece indefinidamente, sin límite, y nuestro sistema de numeración permite representar cantidades tan grandes como sea necesario.

Para expresar esas grandes cantidades se utilizan órdenes de unidades superiores a los empleados habitualmente:

	BILLONES			**MILLARDOS**			**MILLONES**			**MILLARES**		
	○			○			○			Ⓜ	C	D	U
Nº DE SEGUNDOS QUE HAY EN UN AÑO						3	1	5	3	6	0	0	0
Nº DE HABITANTES DE LA TIERRA				5	0	0	0	0	0	0	0	0	0
Nº DE KILÓMETROS EN UN AÑO LUZ	9	4	6	0	8	0	0	0	0	0	0	0	0

- Un año tiene treinta y un millones y medio de segundos.
- La Tierra tiene cinco mil millones (5 millardos) de habitantes.
- Un año luz equivale a nueve billones y medio de kilómetros.

NO LO OLVIDES

MILLÓN $\longrightarrow$ 1 000 000

MILLARDO $\rightarrow$ 1 000 000 000

BILLÓN $\longrightarrow$ 1 000 000 000 000

— Mil millares hacen un **millón**.

— Mil millones hacen un **millardo**.

— Mil millardos hacen un **billón**.

ACTIVIDADES

1 Observa la tabla y contesta:

U̿M̿	C̄M̄M̄	D̄M̄M̄	Ū̄M̄M̄	C̄M̄	D̄M̄	Ū̄M̄	CM	DM	UM	C	D	U
1	0	0	0	0	0	0	0	0	0	0	0	0

¿Cuántos millones tiene un billón?
¿Y cuántos millares?

2 Escribe con cifras:

a) Cinco millones ochocientos mil.

b) Tres millardos.

c) Dos billones y medio.

d) Novecientos noventa y nueve mil millones.

e) Un millón cien mil uno.

3 Escribe cómo se leen:

a) 7 300 000   b) 99 999 991

c) 100 100 100   d) 6 800 000 000

4 Expresa en billones, millardos, millones y millares esta cantidad:

2 500 000 000 000

APROXIMACIÓN DE UN NÚMERO A UN DETERMINADO ORDEN DE UNIDADES

Cuando un número tiene muchas cifras, es difícil de recordar y de operar. Por eso solemos sustituirlo por otro más manejable de valor aproximado.

Por ejemplo, si leemos en el censo municipal que una población tiene 127 491 habitantes, al manejar ese dato seguramente diremos que tiene:

TRUNCANDO $\longrightarrow$ 120 000 habitantes

REDONDEANDO $\rightarrow$ 130 000 habitantes

En ambos casos hemos aproximado valorando solamente las decenas de millar y despreciando los órdenes de unidades inferiores.

APROXIMACIONES
A LAS DECENAS DE MILLAR

CM	DM	UM	C	D	U
1	2	0	0	0	0
1	2	7	4	9	1
1	3	0	0	0	0

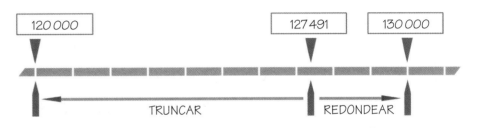

Observa que, de las dos aproximaciones, es más exacto el redondeo, pues el número está más cerca de trece que de doce decenas de millar.

> **TRUNCAR:** es sustituir las cifras por ceros hasta un determinado orden de unidades.
>
> **REDONDEAR:** es sustituir el número por la cantidad de unidades de un determinado orden que quede más próxima.

EJEMPLO

Aproximar a las centenas, por truncamiento y por redondeo, los siguientes números:

a) 27 640

    TRUNCAMIENTO $\rightarrow$ 27 600

    REDONDEO $\longrightarrow$ 27 600

b) 3 850

    TRUNCAMIENTO $\rightarrow$ 3 800

    REDONDEO $\longrightarrow$ 3 900

NO LO OLVIDES

Cuando redondeamos un número y la primera cifra que despreciamos es un cinco, siempre redondearemos al alza.

ACTIVIDADES

5 Aproxima a los millares, por truncamiento y por redondeo, los siguientes números:

a) 13 980   b) 6 293

c) 65 800   d) 39 400

e) 9 802   f) 9 750

g) 25 090   h) 31 585

6 Redondea a los millones los siguientes números:

a) 37 224 000   b) 42 907 600

c) 325 742 231   d) 508 427 000

7 El valor de una finca es de 239 650 €.

Si te preguntaran por el precio de la finca, y no te acordaras del valor exacto, ¿qué respuesta darías?

4 OPERACIONES CON NÚMEROS NATURALES

Aunque ya sabes operar con números naturales, conviene que hagamos un rápido repaso de conceptos y propiedades.

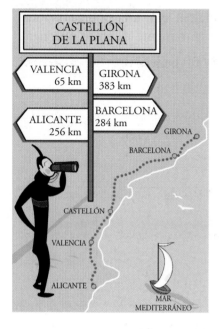

◻ LA SUMA

Recuerda: **sumar** es unir, juntar, añadir.

Con los datos del indicador podemos, por ejemplo, calcular la distancia de Valencia a Girona.

Distancia de Valencia a Girona: 65 + 383 = 448 km

◻ LA RESTA

Recuerda: **restar** es quitar o suprimir, es decir, calcular la diferencia.

Con los datos del indicador podemos, por ejemplo, calcular la distancia de Barcelona a Girona.

Distancia de Barcelona a Girona: 383 − 284 = 99 km

◻ ALGUNAS PROPIEDADES DE LA SUMA

Propiedad conmutativa: La suma no varía al cambiar el orden de los sumandos.

$$a + b = b + a$$

Propiedad asociativa: El resultado de la suma es independiente de la forma en que se agrupen los sumandos.

$$(a + b) + c = a + (b + c)$$

EJEMPLOS

Propiedad conmutativa

$$12 + 13 = 13 + 12$$
$$\downarrow \qquad \downarrow$$
$$25 \qquad 25$$

Propiedad asociativa

$$(5 + 4) + 2 = 5 + (4 + 2)$$
$$\downarrow \qquad \downarrow$$
$$11 = 9 + 2 \qquad 5 + 6 = 11$$

ACTIVIDADES

1 Con los datos del indicador de la ilustración, calcula las siguientes distancias:

   a) Alicante - Girona   b) Valencia - Barcelona

   c) Valencia - Alicante   d) Barcelona - Alicante

2 Calcula:

   a) 250 + 75 + 130   b) 524 − 215 − 132

   c) 420 + 175 − 368   d) 350 − 107 − 58

3 Compara y responde:

$$20 - (15 - 5) = 10 \qquad (20 - 15) - 5 = 0$$
$$20 - 10 \qquad\qquad 5 - 5$$
$$10 \qquad\qquad\qquad 0$$

A la vista de los resultados, ¿cumple la resta la propiedad asociativa?

☐ USO DEL PARÉNTESIS

En las expresiones con operaciones combinadas, los paréntesis empaquetan resultados parciales y modifican el orden en que han de realizarse las operaciones.

Observa la expresión matemática de estos enunciados y compara sus resultados:

• *Aurora tiene 8 €, efectúa un pago de 2 € y recibe un ingreso de 4 €. ¿Cuánto tiene ahora?*

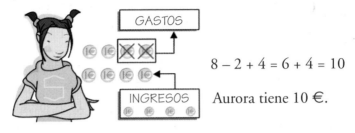

$8 - 2 + 4 = 6 + 4 = 10$

Aurora tiene 10 €.

• *Enrique tiene 8 €, efectúa dos pagos, uno de 2 € y otro de 4 €. ¿Cuánto le queda?*

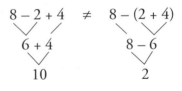

$8 - (2 + 4) = 8 - 6 = 2$

A Enrique le quedan 2 €.

Como ves, el paréntesis modifica el resultado de la expresión y hace que cambie de valor:

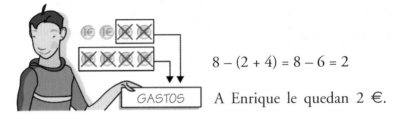

ACTIVIDADES

4 Asocia cada enunciado con dos de las expresiones de abajo:

① Rosa tiene 13 € y compra un libro de 8 €, pero le hacen una rebaja de 3 €.

② Andrés tiene 13 € y compra un tebeo de 8 € y un cuaderno de 3 €.

③ Marta tenía 13 €, le dan 8 € y devuelve a su hermana 3 € que le debía.

a) $13 - 8 - 3$ b) $13 - 8 + 3$

c) $13 - (8 + 3)$ d) $13 - (8 - 3)$

e) $13 + (8 - 3)$ f) $13 + 8 - 3$

5 Calcula y compara los dos resultados obtenidos en cada caso:

a) $15 - 10 + 2$ $15 - (10 + 2)$

b) $12 - 6 + 5$ $12 - (6 + 5)$

c) $20 - 12 + 8$ $20 - (12 + 8)$

d) $10 - 4 - 3$ $10 - (4 + 3)$

e) $10 - 8 + 2$ $10 - (8 - 2)$

f) $15 - 6 - 3$ $15 - (6 + 3)$

6 Calcula:

a) $52 - (25 - 13)$ b) $40 - (32 - 16)$

c) $28 + (11 - 6)$ d) $37 + (15 - 12)$

▣ LA MULTIPLICACIÓN

Recuerda: **multiplicar** es una forma abreviada de realizar una suma repetida de sumandos iguales.

Por ejemplo, si un comerciante vende cinco televisores a 250 € cada uno, el dinero que ingresa en caja es:

$$250 + 250 + 250 + 250 + 250 = 250 \cdot 5 = 1\,250 \text{ €}$$

▣ PROPIEDADES DEL PRODUCTO

Propiedad conmutativa: El producto no varía al cambiar el orden de los factores.

$$a \cdot b = b \cdot a$$

Propiedad asociativa: El resultado de una multiplicación es independiente de la forma en que se agrupen los factores.

$$(a \cdot b) \cdot c = a \cdot (b \cdot c)$$

Observa que estas propiedades resultan muy útiles para facilitar el cálculo, especialmente el cálculo mental.

Por ejemplo:

Propiedad conmutativa

$$5 \cdot 12 = 12 \cdot 5$$
$$\downarrow \quad\quad \downarrow$$
$$60 \quad\quad 60$$

Propiedad asociativa

$$(5 \cdot 2) \cdot 6 = 5 \cdot (2 \cdot 6)$$
$$\downarrow \quad\quad \downarrow$$
$$10 \cdot 6 \quad 5 \cdot 12$$
$$\downarrow \quad\quad \downarrow$$
$$60 \quad\quad 60$$

EJEMPLO

Para multiplicar $35 \cdot 12$ hacemos lo siguiente:

$35 \cdot 12 = 5 \cdot 7 \cdot 2 \cdot 6 =$
$\quad = (5 \cdot 2) \cdot (7 \cdot 6) =$
$\quad = 10 \cdot 42 = 420$

La propiedad asociativa nos permite reagrupar los términos y la conmutativa, cambiarlos de orden.

ACTIVIDADES

7 Expresa como sumas de sumandos repetidos los siguientes productos:

a) $10 \cdot 1$ b) $6 \cdot 4$

c) $3 \cdot 283$ d) $7 \cdot 0$

8 Calcula:

a) $347 \cdot 20$ b) $86 \cdot 50$

c) $1\,005 \cdot 280$ d) $41 \cdot 2\,500$

e) $32 \cdot 1\,516$ f) $99 \cdot 99$

9 Calcula mentalmente:

a) $3 \cdot (2 \cdot 5) \cdot 8$ b) $5 \cdot 7 \cdot 2 \cdot 4$

c) $6 \cdot 40$ d) $35 \cdot 8$

10 Un camión de una empresa de transportes realiza todos los lunes, miércoles y viernes el trayecto Lugo-Pontevedra (ida y vuelta). ¿Cuántos kilómetros recorre a la semana si Pontevedra y Lugo están a 148 km de distancia?

◼ PROPIEDAD DISTRIBUTIVA DEL PRODUCTO

Vamos a recordar una propiedad que puedes usar al multiplicar un número por una suma.

Empecemos resolviendo un problema.

EJEMPLO

*PROBLEMA: **Alfredo va a comprar cuatro entradas para un concierto de rock y Aurora va a comprar dos entradas.***
¿Cuánto pagarán entre los dos si cada entrada cuesta 15 €?

Podemos resolver el problema de dos formas:

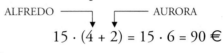

ALFREDO ⟶ ⟵ AURORA

$$15 \cdot (4 + 2) = 15 \cdot 6 = 90 \text{ €}$$

o bien

$$15 \cdot 4 + 15 \cdot 2 = 60 + 30 = 90 \text{ €}$$

ALFREDO ⟶ ⟵ AURORA

Como ves, ambas expresiones son equivalentes:

$$15 \cdot (4 + 2) = 15 \cdot 4 + 15 \cdot 2$$

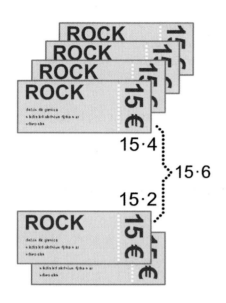

> **Propiedad distributiva:** El producto de un número por una suma (o resta), es igual a la suma (o resta) de los productos parciales del número por cada sumando.
>
> $$a \cdot (b + c) = a \cdot b + a \cdot c \qquad a \cdot (b - c) = a \cdot b - a \cdot c$$

◼ PRODUCTO POR 10, 100, 1 000, ...

Para multiplicar un número por la unidad seguida de ceros (10, 100, 1 000, ...), se añaden a la derecha del número tantos ceros como acompañan a la unidad (uno, dos, tres, ...).

EJEMPLOS

$38 \cdot 10 = 380$ $38 \cdot 1\,000 = 38\,000$

$38 \cdot 100 = 3\,800$ $38 \cdot 10\,000 = 380\,000$

ACTIVIDADES

11 Comprueba que cada expresión de la izquierda es equivalente a su correspondiente de la derecha:

a) $6 \cdot (3 + 5)$ ⟷ $6 \cdot 3 + 6 \cdot 5$

b) $5 \cdot 9 - 5 \cdot 7$ ⟷ $5 \cdot (9 - 7)$

c) $10 \cdot 8 - 10 \cdot 6$ ⟷ $10 \cdot 2$

d) $8 \cdot 5$ ⟷ $8 \cdot 2 + 8 \cdot 3$

12 Calcula:

a) $14 \cdot 100$ b) $82 \cdot 1\,000$

c) $1\,001 \cdot 10$ d) $52 \cdot 10\,000$

e) $80 \cdot 100$ f) $13\,000 \cdot 10$

13 Calcula de dos formas distintas:

$100 \cdot 58 + 100 \cdot 12$

LA DIVISIÓN

Recuerda: **dividir** es repartir a partes iguales o partir en partes de un determinado tamaño.

EJEMPLO

PROBLEMA: **Un autobús con 40 turistas sufre una avería camino del aeropuerto. Como no hay tiempo, pues el avión no espera, el responsable del grupo decide acomodar a los viajeros en taxis de 4 plazas. ¿Cuántos taxis completarán?**

$$
\begin{array}{c|c}
40 & 4 \\
\hline
0 & 10
\end{array}
$$

El resto es cero.

Completarán 10 taxis $\rightarrow$ 40 = 4 · 10

Supón ahora que fuesen 43 turistas. ¿Cuántos taxis completarían?

$$
\begin{array}{c|c}
43 & 4 \\
\hline
03 & 10 \\
3
\end{array}
$$

No hay ningún número natural que dé el resultado exacto.

Se completarían 10 taxis y sobrarían 3 viajeros. El resto es 3.

43 = 4 · 10 + 3

Una división puede ser exacta o entera dependiendo de su resto.

División exacta (el resto es cero).

$$
\begin{array}{c|c}
D & d \\
\hline
0 & c
\end{array}
\qquad
\begin{array}{l}
D : d = c \\
D = d \cdot c \quad \text{El dividendo es igual al divisor por el cociente.}
\end{array}
$$

División entera (el resto es distinto de cero).

$$
\begin{array}{c|c}
D & d \\
\hline
r & c
\end{array}
\qquad
\begin{array}{l}
D : d \quad \text{no es exacta} \\
D = d \cdot c + r \quad \text{El dividendo es igual al divisor por el} \\
\qquad\qquad\qquad \text{cociente más el resto.}
\end{array}
$$

COCIENTE POR DEFECTO Y COCIENTE POR EXCESO

El cociente que hemos dado en la división del ejemplo anterior (10 taxis) es un **cociente aproximado por defecto**, ya que deja un resto de tres unidades.

Sin embargo, si preguntamos: *¿cuántos taxis se necesitan?*, veremos que la contestación es 11, aunque el último taxi quede con un asiento vacío. A este cociente (11 taxis) lo llamaremos **cociente aproximado por exceso**.

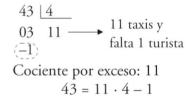

$$
\begin{array}{c|c}
43 & 4 \\
\hline
03 & 10 \\
3
\end{array}
\longrightarrow
\begin{array}{l}
\text{10 taxis y} \\
\text{sobran 3 turistas}
\end{array}
$$

Cociente por defecto: 10

43 = 10 · 4 + 3

$$
\begin{array}{c|c}
43 & 4 \\
\hline
03 & 11 \\
(-1)
\end{array}
\longrightarrow
\begin{array}{l}
\text{11 taxis y} \\
\text{falta 1 turista}
\end{array}
$$

Cociente por exceso: 11

43 = 11 · 4 − 1

ACTIVIDADES

14 En una división, el divisor es 7, el cociente es 13 y el resto es 5. ¿Cuál es el dividendo?

15 Calcula el cociente entero y el resto:
   a) 258 : 23   b) 14 315 : 47

16 Se reparten 250 bombones en 10 bolsitas iguales. ¿Cuántos bombones entran en cada una?

17 ¿Cuántas bolsas de 12 madalenas se pueden llenar con una bandeja que contiene 250 unidades?

◼ ORDEN EN QUE HAN DE HACERSE LAS OPERACIONES

En las expresiones con operaciones combinadas debes tener claro en qué orden actuar. En matemáticas, cada expresión tiene un significado y una solución únicos.

Observa:

BIEN → $2 + 3 \cdot 4 = 2 + 12 = 14$ (Primero la multiplicación).

MAL → $2 + 3 \cdot 4 = 5 \cdot 4 = 20$ (Primero la suma).

BIEN → $(2 + 3) \cdot 4 = 5 \cdot 4 = 20$ (Si hay paréntesis, este es el primero).

EJEMPLOS

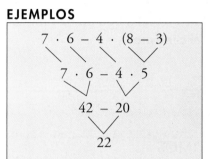

En las expresiones con operaciones combinadas hemos de atender:

- Primero a los paréntesis.
- Después, a la multiplicación y a la división.
- Y, por último, a la suma y a la resta.

EJEMPLOS

a) $3 \cdot 5 + 2 \cdot 4 - 2 \cdot 6 = 15 + 8 - 12 = 23 - 12 = 11$

b) $3 \cdot (5 + 2) \cdot 4 - 2 \cdot 6 = 3 \cdot 7 \cdot 4 - 2 \cdot 6 = 84 - 12 = 72$

c) $40 : (11 - 6) + 18 : 6 - 2 \cdot 3 = 40 : 5 + 18 : 6 - 2 \cdot 3 = 8 + 3 - 6 = 5$

◼ APRENDE A USAR TU CALCULADORA

Introduce $4 \boxplus 6 \boxtimes 3 \boxminus$ en tu calculadora y observa el resultado.

Aunque te parezca extraño, no todas las calculadoras te darán la misma solución. En unas aparecerá en pantalla el número 22 y en otras, el 30.

Veamos a qué se debe el diferente comportamiento:

$\boxed{22}$ → La calculadora hace primero el producto: respeta el orden debido en las operaciones.
$$4 + \overset{\frown}{6 \cdot 3} = 22$$

$\boxed{30}$ → La calculadora hace las operaciones en el orden en que van entrando.
$$\overset{\frown}{4 + 6} \cdot 3 \to (4 + 6) \cdot 3 = 30$$

Averigua de cuál de los dos tipos es la tuya y tenlo en cuenta cuando la utilices.

ACTIVIDADES

18 Calcula:

a) $4 \cdot 6 + 2 \cdot 8 - 3 \cdot 4$ b) $4 \cdot (6 + 2) \cdot 8 - 3 \cdot 4$

c) $4 \cdot 6 + 2 \cdot (8 - 3) \cdot 4$ d) $4 \cdot 6 + (2 \cdot 8 - 3) \cdot 4$

e) $4 \cdot (6 + 2 \cdot 8) - 3 \cdot 4$ f) $4 \cdot (6 + 2 \cdot 8 - 3) \cdot 4$

Comprueba que las soluciones son:

a) 28   b) 244   c) 64   d) 76   e) 76   f) 304

19 ¿Cómo harías para obtener con tu calculadora el resultado de cada una de estas expresiones?

a) $4 + 6 \cdot 3$

b) $(4 + 6) \cdot 3$

Escribe, en cada caso, la secuencia de teclas empleadas.

5 EL SISTEMA MONETARIO

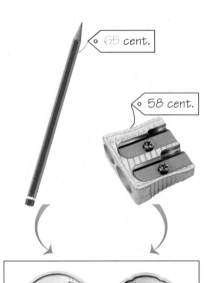

Un sistema monetario es un instrumento para medir, contar y representar el dinero.

Los elementos de un sistema monetario son las unidades de medida (unidades monetarias), las monedas y los billetes.

El sistema monetario europeo se estructura en torno a una unidad fundamental, el **euro**, y una unidad secundaria, el **céntimo**.

1 € = 100 CÉNTIMOS

■ LAS MONEDAS DEL SISTEMA EURO

Las monedas sirven para manejar pequeñas cantidades de dinero.

Nuestro sistema monetario utiliza ocho monedas de diferente valor:

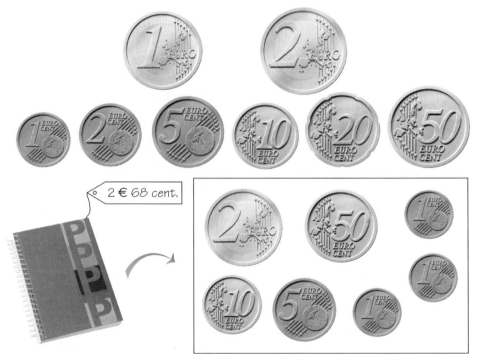

2 € 68 cent.

ACTIVIDADES

1 Reflexiona y contesta:

  a) ¿Cuántas monedas de 5 céntimos hacen 1 €?

  b) ¿Cuántas monedas de 20 céntimos necesitas para reunir 1 €?

  c) ¿Cuántas monedas de 50 céntimos hay en 2 €?

  d) ¿Cuántas monedas de 2 céntimos necesitas para reunir 5 €?

2 Completa con el mínimo número de monedas en cada caso:

  a) 4 cent. b) 8 cent. c) 30 cent. d) 42 cent.

3 Busca todas las formas diferentes de cambiar esta moneda:

☐ LOS BILLETES DEL SISTEMA EURO

Para manejar cantidades de dinero grandes o medianas, se usan los billetes.

El sistema monetario europeo utiliza 7 billetes de diferente valor:

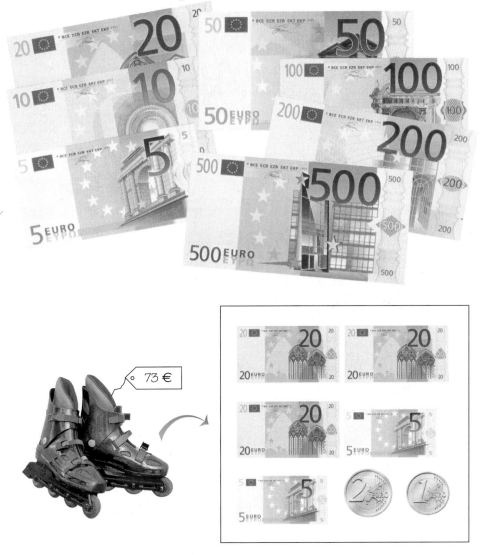

ACTIVIDADES

4 Busca todas las formas de pagar el palo de billar utilizando, en cada caso, diferentes billetes:

40 €

5 Reflexiona y contesta:

a) ¿Cuántas monedas de 50 céntimos te dan a cambio de un billete de 5 €?

b) ¿Cuántas monedas de 2 céntimos te dan por dos billetes de 10 €?

6 Observa los precios y contesta:

kindergarten — 2 € 85 cent.

5 € 79 cent.

13 € 65 cent.

a) David compra el cubo y el CD. ¿Cuánto paga?

b) Elena compra la cinta y paga con un billete de 5 €. ¿Cuánto le devuelven?

c) Raquel compra el CD y la cinta de música. ¿Cuánto le devuelven si paga con un billete de 20 euros?

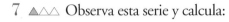
EJERCICIOS DE LA UNIDAD

▷ Sistemas de numeración

1 ▲△△ Con los símbolos | = 1, ⦅ = 5 y 𓀀 = 20

escribe los números 8, 23, 65 y 118.

¿Crees que es un sistema adecuado para escribir números grandes? ¿Se trata de un sistema aditivo o es posicional?

2 ▲△△ ¿Qué números representaban estas inscripciones en el antiguo Egipto?

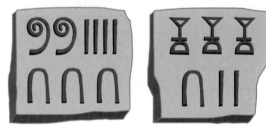

3 ▲△△ Traduce al sistema decimal:

LXXXIV   CCCXXXIII   MDLX

4 ▲△△ Escribe el valor de la cifra 9 en cada uno de estos números:

a) 193   b) 5 639   c) 6 937 000

5 ▲△△ Observa la tabla y responde:

M̄	CM	DM	UM	C	D	U
				7	2	0
			3	5	2	8
4	5	0	0	0	0	0

a) ¿Cuántas unidades haces con 72 decenas?

b) ¿Cuántas centenas completas hay en 3 528 unidades?

c) ¿Cuántas decenas de millar hay en cuatro millones y medio?

▷ Conteos, estimaciones, códigos

6 ▲△△ ¿Cuántos cubos hay en cada construcción?

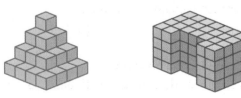

7 △△△ Observa esta serie y calcula:

| 2 | 5 | 7 | 9 | 11 | 13 | ...

a) El decimotercer término.

b) El vigesimosegundo término.

c) El término que ocupa el lugar trigésimo.

8 ▲△△ ¿Cuántos coches hay entre los dos que llevan estas matrículas?

9998-BBC

0005-BBD

9 ▲△△ El código numérico 16-01-91 expresa la fecha de nacimiento de Clara. ¿Qué día es su cumpleaños? ¿Cuál es su edad actual?

10 ▲△△ ¿Cuál es el código postal de tu domicilio? A la vista del mismo, ¿cuáles son los números que identifican la provincia en la que vives?

▷ Números grandes. Aproximaciones

11 ▲△△ Estima el número de inspiraciones que has realizado hasta el momento actual.

(Dato experimental: Mide tu número de inspiraciones por minuto).

12 ▲△△ Aproxima a los millares, mediante truncamiento y mediante redondeo, estas cantidades:

a) 2 721   b) 6 412

c) 16 235   d) 37 940

13 ▲△△ ¿Cuál de las aproximaciones está más cerca del valor real?

VALOR EXACTO
16 578 €

Vale
16 500 €.

Vale
16 600 €.

14 ▲▲△ Reflexiona y contesta:

a) ¿Cuántas centenas de mil hay en una decena de millón?

b) ¿Cuántos millares tiene un millardo?

c) ¿Cuántas centenas de millón hay en un billón?

15 ▲▲△ Expresa, de forma aproximada, en millones, estas cantidades:

a) 3 521 273

b) 8 009 999

c) 9 999 999

d) 59 845 000

16 ▲▲△ Escribe con cifras:

a) Medio billón.

b) Cuatro billones.

c) Ocho billones y medio.

▷ **Operaciones**

17 ▲▲△ EJERCICIO RESUELTO

Estima mentalmente el resultado de 412 · 78 y después compruébalo operando.

Resolución

Aproximamos 412 a 400

y   78 a 80

Estimación: 400 · 80 = 32 000

Operación: 412 · 78 = 32 136

18 ▲▲△ Estima mentalmente una aproximación al resultado de estas operaciones y después comprueba con cálculo exacto:

a) 26 270 + 10 975 + 7 842

b) 72 746 − 52 958 − 4 706

c) 315 · 188   d) 4 921 : 48

19 ▲▲△ Calcula el cociente y el resto en cada caso:

a) 7 896 : 12   b) 26 978 : 41   c) 32 941 : 50

20 ▲▲△ Añade dos términos a cada serie:

a) 1, 2, 2, 3, 3, 3, 4, 4, 4, …

b) 1, 2, 4, 7, 11, 16, …

c) 3, 6, 12, 24, 48, …

d) 1, 3, 7, 15, 31, …

21 ▲▲△ Calcula:

a) $22 - 15 + 3$

b) $22 - (15 + 3)$

c) $30 - 18 - 8$

d) $30 - (18 - 8)$

e) $45 - 30 + 15$

f) $45 - (30 + 15)$

22 ▲▲△ Calcula:

a) $\begin{cases} 5 + 4 \cdot 3 \\ (5 + 4) \cdot 3 \end{cases}$

b) $\begin{cases} 7 \cdot 3 + 4 \\ 7 \cdot (3 + 4) \end{cases}$

c) $\begin{cases} 2 \cdot 9 - 5 \\ 2 \cdot (9 - 5) \end{cases}$

d) $\begin{cases} 3 \cdot 7 - 2 \\ 3 \cdot (7 - 2) \end{cases}$

23 ▲▲△ Calcula:

a) $2 \cdot 5 + 3 \cdot 4 - 2 \cdot 8$

b) $3 + 5 \cdot 2 + 1$

c) $4 \cdot 3 - 2 + 5 \cdot 2$

d) $6 - 2 \cdot 3 + 4 \cdot 3$

24 ▲▲△ EJERCICIO RESUELTO

Calcula el resultado de esta operación:

$3 \cdot (6 - 4) + 5 \cdot (3 + 1)$

Resolución

$3 \cdot (6 - 4) + 5 \cdot (3 + 1) = 3 \cdot 2 + 5 \cdot 4 = 6 + 20 = 26$

25 ▲▲△ Calcula:

a) $5 \cdot (2 + 4) - 6$

b) $16 - 5 \cdot (8 - 6) + 4 \cdot 2$

c) $18 - 3 \cdot (4 \cdot 2 - 7) - 15$

26 ▲▲△ Calcula:

a) $4 \cdot 6 - 5 \cdot 2 + 3 \cdot 4$

b) $(4 \cdot 6 - 5) \cdot 2 + 3 \cdot 4$

c) $4 \cdot 6 - (5 \cdot 2 + 3 \cdot 4)$

d) $4 \cdot (6 - 5) \cdot 2 + 3 \cdot 4$

27 ▲▲△ De una división conocemos:

DIVIDENDO = 85   COCIENTE = 12   RESTO = 1

¿Cuál es el divisor?

28 ▲▲△ Calcula el cociente y el resto por defecto y por exceso en estas divisiones:

a) 18 : 5   b) 516 : 28

29 ▲▲△ En una división, el resto por exceso es 5 y el resto por defecto es −2. ¿Cuál es el divisor?

▷ Sistema monetario

30 △△△ Reflexiona y contesta:

a) ¿Cuántas monedas de 20 céntimos hacen 5 euros?

b) ¿Cuántas monedas de 5 céntimos te cambian por una de 2 euros?

c) ¿Cuántas monedas de 50 céntimos te cambian por un billete de 10 euros?

d) ¿Cuántas monedas de 10 céntimos hacen 5 euros?

31 △△△ Busca todas las formas de reunir 8 céntimos utilizando en cada caso diferentes monedas. Recoge tus resultados en una tabla como esta:

1 cént.	2 cént.	5 cént.	SUMA
1	1	1	1 + 2 + 5 = 8
3	0	1	1 + 1 + 1 + 5 = 8
…	…	…	…

32 △△△ Observa los precios y contesta:

ROTULADOR 3 € 15 cent.

LIBRETA 1 € 73 cent.

a) Azucena compra la libreta y paga con una moneda de 2 euros. ¿Cuánto le devuelven?

b) Adrián compra la libreta y el rotulador y paga con un billete de 5 euros. ¿Cuánto le devuelven?

▷ Ejercicios para resolver con la calculadora

33 △△△ Para obtener $(3 + 5) \cdot 11$ se hace:

3 ⊕ 5 ⊜ ⊗ 11 ⊜ ⟶ ☐ 88

Calcula de igual forma:

a) $(5 + 10) \cdot 8$ b) $(9 + 40) : 7$

c) $(73 - 37) : 6$ d) $(13 + 12 - 8) \cdot 4 \cdot 5$

34 △△△ Calcula el cuadrado de un número así:

15^2 ⟶ 15 ⊗ ⊜ ⟶ ☐ 225

Halla los cuadrados de los números naturales comprendidos entre 20 y 30.

35 △△△ Imagina que está estropeada la tecla ⓪. Para poner en la pantalla el número 10 puedes hacer:

2 ⊗ 5 ⊜,   11 ⊖ 1 ⊜,   9 ⊕ 1 ⊜, …

Escribe en la pantalla sin usar la tecla ⓪:

a) 30   b) 80   c) 504   d) 509   e) 30 004

36 △△△ Ahora imagina que, además de la tecla ⓪, están estropeadas ⊕ y ⊖. Escribe en la pantalla:

a) 30   b) 80   c) 100

d) 500   e) 3 800   f) 1 000

▷ Problemas de números

37 △△△ Busca tres números naturales consecutivos cuya suma sea 42.

38 △△△ ¿Qué tres números pares consecutivos suman 60?

39 △△△ Busca tres números sabiendo que:

• Su suma es 100.

• El primero es 10 unidades mayor que el segundo.

• El segundo es 15 unidades mayor que el tercero.

40 △△△ ¿Cuántos números de cuatro cifras terminan en cero?

41 △△△ ¿Cuántos números de tres cifras son capicúas?

▷ Problemas de todos los días

42 △△△ Francisco tiene 75 €. Roberto tiene 13 € más que Francisco. Roger tiene 21 € menos que Roberto. ¿Cuánto tienen entre los tres?

43 △△△ Aníbal trabaja en una fábrica que está a 18 km de su casa.

¿Cuántos kilómetros recorre a la semana sabiendo que libra los sábados y los domingos?

44 △△△ Amelia ha recogido hoy, en su granja, 22 bandejas de huevos, y Arturo, 18 bandejas.

Si en una bandeja entran dos docenas y media, ¿cuántos huevos han recogido entre los dos?

45 ▲▲△ Un parque de atracciones recibe una media de 8 600 personas al día en primavera, 15 400 en verano, 6 200 en otoño y 1 560 en invierno. ¿Cuántos visitantes tiene en un año?

46 ▲▲△ Un restaurante pagó el mes pasado a su proveedor 1 144 € por una factura de 143 kg de carne. ¿Cuántos kilos ha gastado este mes sabiendo que la factura asciende a 1 448 €?

47 ▲▲△ Un tendero compra 15 cajas de leche con 10 botellas de litro cada una. Cada caja le sale a 5 €. En el transporte se cae una caja y se rompen 5 botellas. Después vende la mercancía al detalle, a 1 € la botella.

¿Cuál es la ganancia que obtiene?

48 ▲▲△ Un almacenista compra 200 cajas de naranjas, de 20 kg cada una, por 1 000 €.

El transporte vale 160 €.

Las selecciona y las envasa en bolsas de 5 kg. En la selección desecha, por defectuosas, unos 100 kg. ¿A cómo debe vender la bolsa si desea ganar 400 €?

PROBLEMAS DE ESTRATEGIA

49 Úrsula y Marina viven en la misma casa y van al mismo colegio. Úrsula, cuando va sola, tarda 20 minutos de casa al colegio. Marina, a su paso, tarda 30 minutos en el mismo recorrido.

¿Cuánto tardará Úrsula en alcanzar a Marina, si esta ha salido hoy con 5 minutos de ventaja?

50 De las 15 personas que trabajan en una oficina, hay 9 a las que les gusta el café y 7 a las que les gusta el té.

También sabemos que hay 3 personas a las que les gustan ambos productos.

¿A cuántas personas de esa oficina no les gusta ni el café ni el té?

APLICA ESTA ESTRATEGIA

Organiza los datos en un esquema de forma que te permita verlos globalmente y establecer relaciones entre ellos.

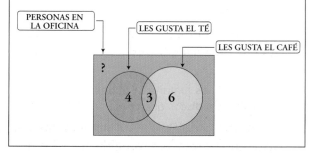

51 Una encuesta realizada entre los 30 alumnos y alumnas de una clase arroja los siguientes datos:

- 16 practican fútbol, 14 baloncesto y 13 tenis.
- 6 practican fútbol y baloncesto, 6 practican fútbol y tenis y 5 practican baloncesto y tenis.
- 3 practican los tres deportes.

¿Cuántos de esos 30 chicos y chicas no practican ni fútbol ni baloncesto ni tenis?

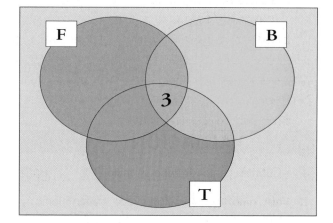

52 Rosa tiene una granja de patos y gansos. Hoy ha vendido en el mercado 21 de sus animales por 350 euros.

Entre los animales vendidos había el doble de patos que de gansos, y un ganso vale el triple que un pato. ¿Qué precio tiene un pato? ¿Y un ganso?

HAZ UN ESQUEMA

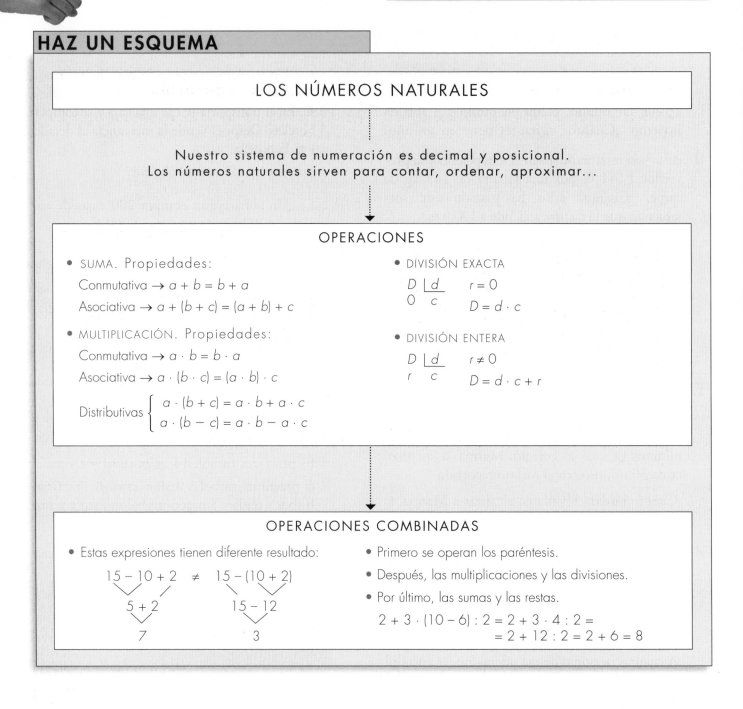

LOS NÚMEROS NATURALES

Nuestro sistema de numeración es decimal y posicional.
Los números naturales sirven para contar, ordenar, aproximar...

OPERACIONES

- SUMA. Propiedades:

  Conmutativa → $a + b = b + a$

  Asociativa → $a + (b + c) = (a + b) + c$

- MULTIPLICACIÓN. Propiedades:

  Conmutativa → $a \cdot b = b \cdot a$

  Asociativa → $a \cdot (b \cdot c) = (a \cdot b) \cdot c$

  Distributivas $\begin{cases} a \cdot (b + c) = a \cdot b + a \cdot c \\ a \cdot (b - c) = a \cdot b - a \cdot c \end{cases}$

- DIVISIÓN EXACTA

  $\begin{array}{c|c} D & d \\ \hline 0 & c \end{array}$ $r = 0$

         $D = d \cdot c$

- DIVISIÓN ENTERA

  $\begin{array}{c|c} D & d \\ \hline r & c \end{array}$ $r \neq 0$

         $D = d \cdot c + r$

OPERACIONES COMBINADAS

- Estas expresiones tienen diferente resultado:

  $$15 - 10 + 2 \quad \neq \quad 15 - (10 + 2)$$

  $$5 + 2 \qquad\qquad 15 - 12$$

  $$7 \qquad\qquad\qquad 3$$

- Primero se operan los paréntesis.

- Después, las multiplicaciones y las divisiones.

- Por último, las sumas y las restas.

  $$2 + 3 \cdot (10 - 6) : 2 = 2 + 3 \cdot 4 : 2 =$$
  $$= 2 + 12 : 2 = 2 + 6 = 8$$

AUTOEVALUACIÓN

1 ¿Cuántas centenas tiene un millón?

2 Aproxima a los millares por truncamiento y por redondeo: a) 5 804   b) 56 238

3 En una división, el dividendo es 1 567, el cociente 27 y el resto 1. ¿Cuál es el divisor?

4 Calcula: a) 18 – 11 + 5   b) 18 – (11 + 5)

5 Calcula:

   a) 2 + 5 · 3   b) (6 + 8) : 2   c) 3 · (16 – 7 · 2) – 6

6 Compras un bolígrafo de 1 € 43 céntimos y un rotulador de 2 € 77 céntimos. Si pagas con un billete de 10 €, ¿cuánto te devuelven?

7 Para comprar un coche se paga una entrada de 1 600 € y 36 mensualidades de 400 €. ¿Cuál es el coste total?

8 Tres hermanos juntan sus ahorros para comprar una colección de discos que cuesta 150 €.

   Miguel tiene 27, Marta el doble que Miguel, y Merche, 18 € menos que Marta. ¿Cuánto les falta?

JUEGOS PARA PENSAR

Los cuatro cuatros

Utilizando cuatro *cuatros* y las operaciones que conoces, hemos conseguido el número 15:

$$44 : 4 + 4 = 15$$

¿Cuáles de los números naturales menores que 15 puedes conseguir por métodos similares con los cuatro cuatros?

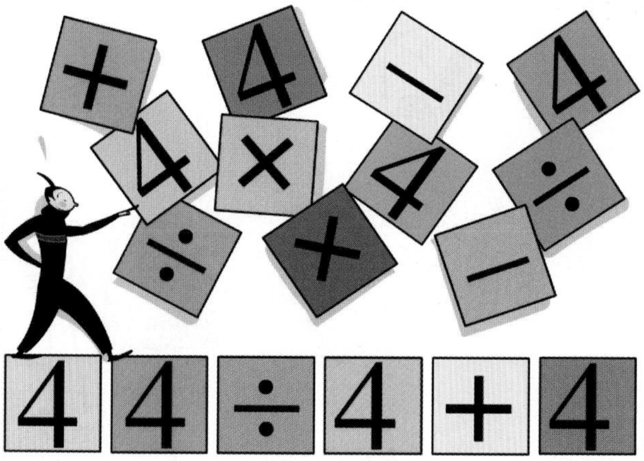

Código de identificación

Escribe tu código de identificación personal según la siguiente clave:

CHICO (0)   DÍA Y MES DEL   Nº DE LISTA
CHICA (1)   CUMPLEAÑOS   POR ORDEN
ALFABÉTICO

Detrás de la máscara se esconde una de estas personas de la clase:

- Raquel Arranz
- Pepe Barroso
- Aurora Zapata

¿Sabrías decir de quién se trata?

1 0 3 0 3 2 7

Se busca el 100

1 2 3 4 5 6 7 8 9 = 100

Colocando entre las nueve cifras las operaciones adecuadas, puedes conseguir como resultado 100.

Aquí tienes dos soluciones:

$1 + 2 + 3 + 4 + 5 + 6 + 7 + 8 \cdot 9 = 100$ $123 + 45 - 67 + 8 - 9 = 100$

¡Pero hay muchas más! Busca alguna.

Números en clave

Busca los dos números secretos atendiendo a la información que tienes en clave.

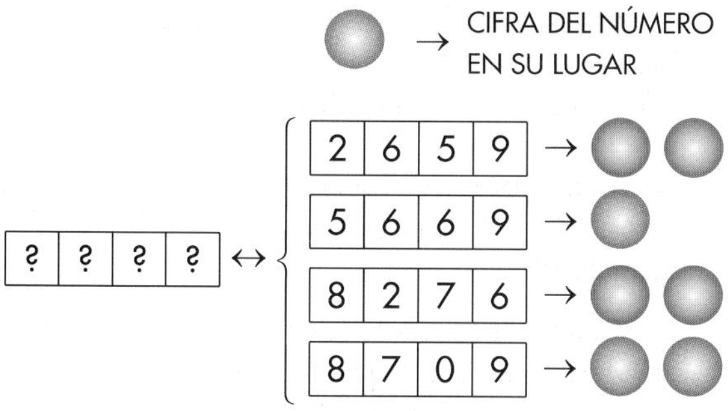

⬤ → CIFRA DEL NÚMERO EN SU LUGAR

2	6	5	9	→ ⬤ ⬤
5	6	6	9	→ ⬤ ⬤
8	2	7	6	→ ⬤ ⬤
8	7	0	9	→ ⬤ ⬤

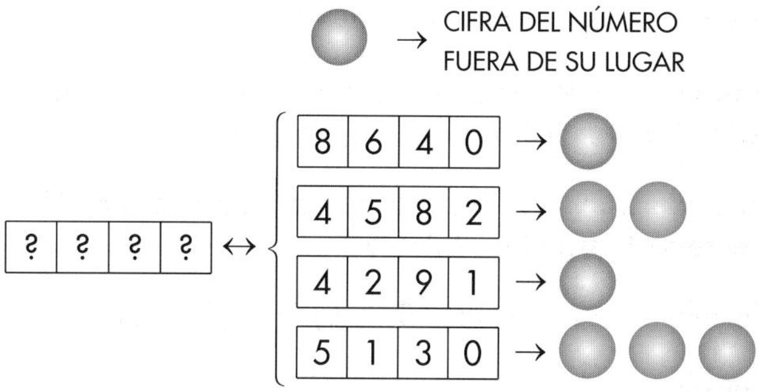

? ? ? ? ↔

⬤ → CIFRA DEL NÚMERO FUERA DE SU LUGAR

8	6	4	0	→ ⬤
4	5	8	2	→ ⬤ ⬤
4	2	9	1	→ ⬤
5	1	3	0	→ ⬤ ⬤ ⬤

? ? ? ? ↔

REFLEXIONA

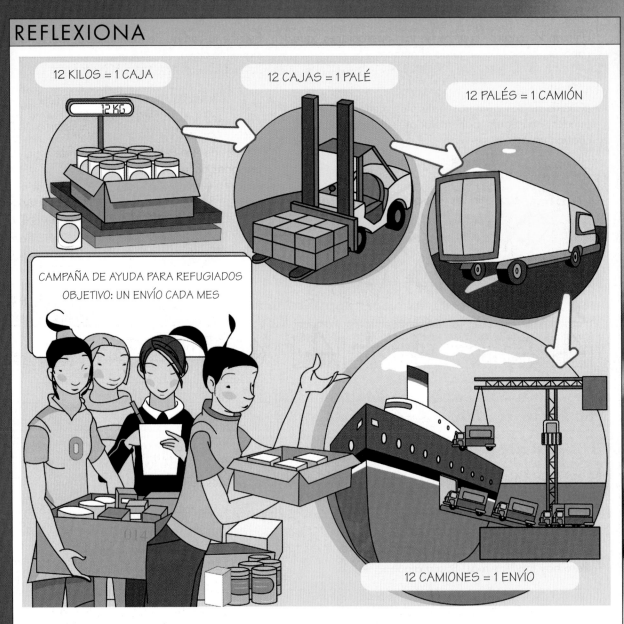

12 KILOS = 1 CAJA

12 CAJAS = 1 PALÉ

12 PALÉS = 1 CAMIÓN

CAMPAÑA DE AYUDA PARA REFUGIADOS
OBJETIVO: UN ENVÍO CADA MES

12 CAMIONES = 1 ENVÍO

Las potencias sirven para expresar, de forma abreviada, multiplicaciones repetidas de factores iguales.

◼ ¿Cuántos kilos de medicinas entran en cada palé? ¿Y en cada camión?

◼ Si se consiguiera el objetivo de completar un envío al mes, el número de kilos trasegado en un año se expresaría así:

$$12 \times 12 \times 12 \times 12 \times 12$$

¿Conoces alguna forma más breve de expresar la misma operación?
Obtén el resultado con ayuda de la calculadora.

◼ El número de refugiados en el continente africano se extima actualmente en $4 \cdot 10^6$ personas. ¿Cuántos millones de refugiados son?

TE CONVIENE RECORDAR

ALGUNAS PROPIEDADES DEL PRODUCTO Y SUS APLICACIONES

● PROPIEDAD CONMUTATIVA

El orden de los factores no altera el producto.

$2 \cdot 5 \cdot 7 = 10 \cdot 7 = 70$

$7 \cdot 2 \cdot 5 = 14 \cdot 5 = 70$

● PROPIEDAD ASOCIATIVA

Las distintas agrupaciones de los factores no hacen variar el producto.

$$(2 \cdot 5) \cdot 7 = 2 \cdot (5 \cdot 7)$$

1 **Explica las propiedades utilizadas:**

$(3 \cdot 5) \cdot 3 = 3 \cdot 5 \cdot 3 = 3 \cdot 3 \cdot 5 = (3 \cdot 3) \cdot 5$

$15 \cdot 3$ $9 \cdot 5$

45   45

2 **Calcula de la forma más cómoda:**

a) $4 \cdot 7 \cdot 5$ b) $2 \cdot 13 \cdot 15$

c) $4 \cdot 5 \cdot 5 \cdot 6$ d) $25 \cdot 7 \cdot 4 \cdot 5$

LA DESCOMPOSICIÓN DE UN NÚMERO SEGÚN SUS DISTINTOS ÓRDENES DE UNIDADES Y SEGÚN EL VALOR DE POSICIÓN DE SUS CIFRAS

$248\,573 \rightarrow$ 2 CM + 4 DM + 8 UM + 5 C + 7 D + 3 U

            $200\,000 + 40\,000 + 8\,000 + 500 + 70 + 3$

3 **Escribe, en cada caso, el número que corresponde a cada descomposición:**

a) 5 CM + 8 UM + 6 D   b) 3 CM + 5 DM + 1 UM + 8 C

4 **Descompón estos números según el valor de posición de sus cifras:**

a) 27 584   b) 705 480

LAS UNIDADES CUADRADAS QUE CABEN EN UN CUADRADO

Cuatro en cada fila, por cuatro filas:

$$4 \times 4 = 16$$

El cuadrado contiene 16 unidades cuadradas.

5 **Calcula cuántas unidades cuadradas hay en un cuadrado de lado:**

a) 2   b) 5   c) 7

LAS UNIDADES CÚBICAS QUE CABEN EN UN CUBO

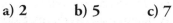

Dieciséis en cada piso, por cuatro pisos:

$$4 \times 4 \times 4 = 16 \times 4 = 64$$

El cubo contiene 64 unidades cúbicas.

6 **Calcula cuántas unidades cúbicas hay en un cubo de lado:**

a) 2   b) 5   c) 7

1 POTENCIAS

Una **potencia** es una forma abreviada de expresar un producto de factores iguales:

$$a \cdot a \cdot a \cdot a \cdot a = a^5$$

El factor repetido se llama **base**, y el número de veces que se repite, **exponente**.

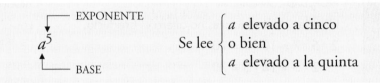

a^5 EXPONENTE ↓ ← BASE

Se lee $\begin{cases} a \text{ elevado a cinco} \\ \text{o bien} \\ a \text{ elevado a la quinta} \end{cases}$

EJEMPLOS

$2^5 = 2 \cdot 2 \cdot 2 \cdot 2 \cdot 2 = 32 \quad 4^3 = 4 \cdot 4 \cdot 4 = 64 \quad 10^4 = 10 \cdot 10 \cdot 10 \cdot 10 = 10\,000$

Número de ventanas:
$4 \cdot 4 \cdot 4 \cdot 4 = 256$
$4^4 = 256$

▇ LAS POTENCIAS EN LA CALCULADORA

Excepto en los casos sencillos, las potencias arrojan como resultado números grandes cuyo cálculo suele ser rutinario y molesto. Por eso resulta aconsejable utilizar la calculadora.

EJEMPLO

$7^5 = 7 \cdot 7 \cdot 7 \cdot 7 \cdot 7 = 49 \cdot 7 \cdot 7 \cdot 7 = 343 \cdot 7 \cdot 7 = 2\,401 \cdot 7 = 16\,807$
o bien
$7^5 = 7 \cdot 7 \cdot 7 \cdot 7 \cdot 7 = 49 \cdot 49 \cdot 7 = 49 \cdot 343 = 16\,807$

Las **calculadoras científicas** tienen una tecla especial para obtener potencias → $\boxed{x^y}$

$7^5 \rightarrow 7 \,\boxed{x^y}\, 5 \,\boxed{=}\, \rightarrow \boxed{16807}$

En las **calculadoras de cuatro operaciones** utilizamos las teclas $\boxed{\times}$, $\boxed{=}$.

$7^5 \rightarrow 7 \,\boxed{\times}\,\boxed{\times}\,\boxed{=}\,\boxed{=}\,\boxed{=}\,\boxed{=}$

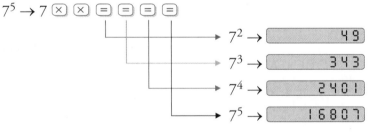

$7^2 \rightarrow \boxed{49}$
$7^3 \rightarrow \boxed{343}$
$7^4 \rightarrow \boxed{2401}$
$7^5 \rightarrow \boxed{16807}$

ACTIVIDADES

1 Calcula manualmente:

   a) 5^3 b) 2^6 c) 4^4 d) 10^3

2 Calcula x en cada caso:

   a) $3^x = 27$ b) $5^x = 25$ c) $2^x = 16$ d) $7^x = 343$

3 Calcula x en cada caso:

   a) $x^4 = 81$ b) $x^3 = 125$ c) $x^2 = 36$ d) $x^7 = 128$

4 Obtén con ayuda de la calculadora:

   a) 13^5 b) 15^4 c) 3^8 d) 2^{12}

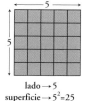

lado → 5
superficie → 5^2 = 25

5^2 = 25 cubitos

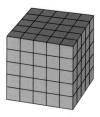

arista → 5
volumen → 5^3 = 125

▨ EL CUADRADO Y EL CUBO

▪ El **cuadrado** de un número es la potencia de exponente dos:

$$a^2 \rightarrow \text{cuadrado de } a$$

Geométricamente, la potencia a^2 expresa el número de cuadrados unitarios que caben en un cuadrado de lado a. Es decir, expresa la superficie:

$$\text{lado} \rightarrow a$$
$$\text{superficie} \rightarrow a^2$$

▪ El **cubo** de un número es la potencia de exponente tres:

$$a^3 \rightarrow \text{cubo de } a$$

Geométricamente, la potencia a^3 expresa el número de cubos unitarios que caben en un cubo de arista a. Es decir, expresa el volumen:

$$\text{arista} \rightarrow a$$
$$\text{volumen} \rightarrow a^3$$

$a^2 \rightarrow$ Se lee: a elevado al cuadrado, o bien, "a cuadrado".
$a^3 \rightarrow$ Se lee: a elevado al cubo, o bien, "a cubo".

EJEMPLOS

• $6^2 = 6 \times 6 = 36 \rightarrow$ Seis al cuadrado es igual a 36.

La superficie de un cuadrado de lado 6, es de 36 unidades cuadradas.

• $6^3 = 6 \times 6 \times 6 = 216 \rightarrow$ Seis al cubo es igual a 216.

El volumen de un cubo de arista 6 es de 216 unidades cúbicas.

ACTIVIDADES

5 Calcula:

a) 2^2 b) 9^2 c) 15^2
d) 2^3 e) 7^3 f) 11^3

6 Escribe la sucesión de los cuadrados de los quince primeros números naturales:

0, 1, 4, 9…

7 Calcula:

a) El cuadrado de 100. b) El cubo de 10.
c) El cuadrado de 20. d) El cubo de 6.

8 Calcula el número de cubitos de arista unidad que caben en un cubo de arista 10 unidades.

2 POTENCIAS DE BASE 10 Y NÚMEROS GRANDES

El cálculo de las potencias de base 10 es muy sencillo, y debes ser capaz de realizarlo mentalmente.

$10^2 = 10 \cdot 10 = 100$ $10^5 = 100\,000$

$10^3 = 10 \cdot 10 \cdot 10 = 1\,000$ $10^6 = 1\,000\,000$

$10^4 = 10 \cdot 10 \cdot 10 \cdot 10 = 10\,000$ ...

Observa que el número de ceros del resultado coincide con el exponente de la potencia.

> Una potencia de base 10 es igual a la unidad seguida de tantos ceros como indica el exponente.
>
> 6 ceros
>
> $10^6 = 1\,000\,000$

◻ DESCOMPOSICIÓN POLINÓMICA DE UN NÚMERO

Recuerda la descomposición de un número según el valor de posición de cada una de sus cifras y observa la transformación que se propone:

$$386\,297 \rightarrow \begin{cases} 300\,000 = 3 \cdot 100\,000 = 3 \cdot 10^5 \\ 80\,000 = 8 \cdot 10\,000 = 8 \cdot 10^4 \\ 6\,000 = 6 \cdot 1\,000 = 6 \cdot 10^3 \\ 200 = 2 \cdot 100 = 2 \cdot 10^2 \\ 90 = 9 \cdot 10 = 9 \cdot 10 \\ 7 = 7 = 7 \end{cases}$$

$$386\,297 = 3 \cdot 10^5 + 8 \cdot 10^4 + 6 \cdot 10^3 + 2 \cdot 10^2 + 9 \cdot 10 + 7$$

A esta descomposición de un número, en la que cada orden de unidades se apoya en una potencia de 10, la llamaremos **descomposición polinómica**.

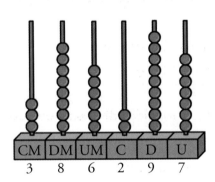

CM	DM	UM	C	D	U
3	8	6	2	9	7

ACTIVIDADES

1 Expresa con todas sus cifras:

a) 10^7 b) 10^{10}

c) 10^{15} d) 10^1

2 Escribe como potencias de 10:

a) Un millar.   b) Un millón.

c) Un billón.   d) Cien billones.

3 Calcula x en cada caso:

a) $10^x = 100$ b) $10^x = 10\,000$

c) $10^x = 1\,000\,000$ d) $10^x = 100\,000\,000$

4 Escribe la descomposición polinómica de estos números:

a) $7\,294$ b) $5\,238\,427$

c) $37\,250\,000$ d) $30\,800\,050$

5 Escribe los números que tienen la siguiente descomposición polinómica:

a) $3 \cdot 10^4 + 8 \cdot 10^3 + 5 \cdot 10^2 + 7 \cdot 10 + 9$

b) $2 \cdot 10^6 + 7 \cdot 10^4 + 6 \cdot 10^3 + 5 \cdot 10 + 4$

c) $8 \cdot 10^6 + 5 \cdot 10^5$

d) $4 \cdot 10^9 + 3 \cdot 10^8 + 6 \cdot 10^7$

EXPRESIÓN ABREVIADA DE NÚMEROS GRANDES

Apoyándonos en la descomposición polinómica de un número y en la aproximación por redondeo, podemos obtener un método para expresar con facilidad números muy grandes.

EJEMPLOS

• Un año luz equivale a:

9 460 800 000 000 kilómetros

Este número es largo para escribir y molesto para leer. Observa las transformaciones que proponemos para hacerlo más manejable:

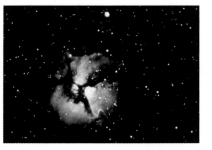

La Nebulosa Trífida, en la constelación de Sagitario, dista de la Tierra alrededor de 49 196 160 000 millones de kilómetros, que equivalen a 5 200 años luz

Redondeo a las centenas de mil de millón.

9 460 800 000 000

Descomposición en producto por la unidad seguida de ceros.

9 500 000 000 000

95 · 100 000 000 000

Transformación del segundo factor en potencia de base diez.

$95 \cdot 10^{11}$

Diremos entonces que un año luz equivale a $95 \cdot 10^{11}$ kilómetros. Como ves, se trata de una expresión más fácil de escribir, de leer y de recordar.

• El número de átomos que hay en un gramo de plata es:

5 583 572 819 000 000 000 000
20 CIFRAS

En este caso se ve aún más claramente la necesidad de buscar una expresión más sencilla:

Número aproximado de átomos en un gramo de plata: $\rightarrow 56 \cdot 10^{20}$

ACTIVIDADES

6 Expresa, en forma abreviada, los siguientes datos:

a) El número de glóbulos rojos que un ser humano tiene en la sangre es:

25 000 000 000

b) El número de moléculas elementales que hay en un litro de agua es:

334 326 000 000 000 000 000 000

7 Expresa con todas sus cifras:

a) $8 \cdot 10^5$ b) $54 \cdot 10^4$

c) $16 \cdot 10^9$ d) $37 \cdot 10^{13}$

8 Calcula x en cada caso:

a) $x \cdot 10^8 = 2\,800\,000\,000$

b) $19 \cdot 10^x = 19\,000\,000$

c) $x \cdot 10^{11} = 54\,000\,000\,000\,000$

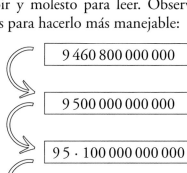

3 OPERACIONES CON POTENCIAS

Todas las propiedades que vas a estudiar ahora se traducen en reglas de uso práctico para operar con potencias. Por tanto, te conviene memorizarlas y ensayar su aplicación en diferentes situaciones.

◻ POTENCIA DE UN PRODUCTO

Al elevar un producto a una potencia, se obtiene el mismo resultado final que elevando cada factor a la potencia y multiplicando los resultados parciales obtenidos.

EJEMPLO

$$(2 \cdot 3)^4 = 6^4 = 6 \cdot 6 \cdot 6 \cdot 6 = 1\,296$$
$$2^4 \cdot 3^4 = (2 \cdot 2 \cdot 2 \cdot 2) \cdot (3 \cdot 3 \cdot 3 \cdot 3) = 16 \cdot 81 = 1\,296$$
$$\left. \right\} (2 \cdot 3)^4 = 2^4 \cdot 3^4$$

La **potencia de un producto** es igual al producto de las potencias de los factores. $\left. \right\} (a \cdot b)^n = a^n \cdot b^n$

¡NO TE CONFUNDAS!

$(2 + 3)^4 = 5^4 = 625$

$2^4 + 3^4 = 16 + 81 = 97$

$(2 + 3)^4 \neq 2^4 + 3^4$

La potencia de una suma **no** es igual a la suma de las potencias de los sumandos.

◻ POTENCIA DE UN COCIENTE

Al elevar un cociente a una potencia, se obtiene el mismo resultado final que elevando el dividendo y el divisor a la potencia y calculando el cociente de los resultados parciales obtenidos.

EJEMPLO

$$(6 : 2)^4 = 3^4 = 3 \cdot 3 \cdot 3 \cdot 3 = 81$$
$$6^4 : 2^4 = (6 \cdot 6 \cdot 6 \cdot 6) : (2 \cdot 2 \cdot 2 \cdot 2) = 1\,296 : 16 = 81$$
$$\left. \right\} (6 : 2)^4 = 6^4 : 2^4$$

La **potencia de un cociente** es igual al cociente de las potencias del dividendo y del divisor. $\left. \right\} (a : b)^n = a^n : b^n$

ACTIVIDADES

1. Calcula y compara los resultados de cada pareja de expresiones:

   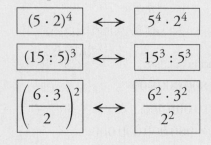

   $(5 \cdot 2)^4 \longleftrightarrow 5^4 \cdot 2^4$

   $(15 : 5)^3 \longleftrightarrow 15^3 : 5^3$

   $\left(\dfrac{6 \cdot 3}{2} \right)^2 \longleftrightarrow \dfrac{6^2 \cdot 3^2}{2^2}$

2. Piensa y obtén los resultados por el camino más corto:

   a) $8^5 : 4^5$ b) $12^3 : 4^3$

   c) $5^3 \cdot 2^3$ d) $25^2 \cdot 4^2$

   e) $(6^4 \cdot 3^4) : 9^4$ f) $(2^5 \cdot 3^5) : 6^5$

3. Calcula y compara los resultados:

   a) $(5 + 2)^3$ b) $5^3 + 2^3$

■ PRODUCTO DE POTENCIAS DE LA MISMA BASE

Al multiplicar dos potencias de la misma base, se obtiene otra potencia con la misma base:

$$2^4 \cdot 2^3 = \underbrace{2 \cdot 2 \cdot 2 \cdot 2}_{4 \text{ veces}} \cdot \underbrace{2 \cdot 2 \cdot 2}_{3 \text{ veces}} = 2^7$$

Observa que el exponente del producto es la suma de los exponentes de cada factor: $4 + 3 = 7$

> Para **multiplicar** dos **potencias** de la **misma base**, se deja la base y se suman los exponentes:
> $$a^b \cdot a^c = a^{b+c}$$

■ COCIENTE DE POTENCIAS DE LA MISMA BASE

Al dividir dos potencias de la misma base, se obtiene otra potencia con la misma base:

$$2^7 : 2^4 = 2^3 \longleftarrow 2^4 \cdot 2^3 = 2^7$$

Observa que el exponente del cociente es la diferencia entre el exponente del dividendo y el del divisor: $7 - 4 = 3$

> Para **dividir** dos **potencias** de la **misma base**, se deja la base y se restan los exponentes:
> $$a^b : a^c = a^{b-c}$$

■ POTENCIA DE UNA POTENCIA

Al elevar una potencia a otra potencia, se obtiene una nueva potencia con la misma base y exponente mayor.

EJEMPLOS

$(10^3)^2 = 10^3 \cdot 10^3 = 10^{3+3} = 10^{3 \cdot 2} = 10^6$

$(2^4)^3 = 2^4 \cdot 2^4 \cdot 2^4 = 2^{4+4+4} = 2^{4 \cdot 3} = 2^{12}$

Observa que el exponente final es el producto de los exponentes de la expresión inicial.

> Para **elevar una potencia a otra potencia**, se deja la misma base y se multiplican los exponentes. $\Big\} (a^n)^m =$

NO LO OLVIDES

$(a \cdot b)^n = a^n \cdot b^n$

$(a : b)^n = a^n : b^n$

$a^n \cdot a^m = a^{n+m}$

$a^n : a^m = a^{n-m}$

TEN EN CUENTA

$\left.\begin{array}{l} 3^2 : 3^2 = 9 : 9 = 1 \\ 3^2 : 3^2 = 3^{2-2} = 3^0 \end{array}\right\} 3^0 = 1$

$\left.\begin{array}{l} a^n : a^n = 1 \\ a^n : a^n = a^{n-n} = a^0 \end{array}\right\} a^0 = 1$

La **potencia cero** de un número es igual a 1.

ACTIVIDADES

4 Reduce a una sola potencia:

a) $3^2 \cdot 3^2$ b) $2^3 \cdot 2^5$ c) $4^3 \cdot 4^5$

d) $10^5 \cdot 10^2$ e) $3 \cdot 3^2 \cdot 3^3$ f) $5^2 \cdot 5^4 \cdot 5^4$

5 Expresa con una única potencia:

a) $2^6 : 2^2$ b) $3^8 : 3^5$ c) $4^7 : 4^6$

d) $10^5 : 10^3$ e) $(7^5 : 7^3) : 7^2$ f) $(5^9 : 5^4) : 5^3$

6 Reduce a una sola potencia:

a) $(5^2)^3$ b) $(2^6)^2$ c) $(3^2)^2$

d) $(4^3)^4$ e) $(7^2)^4$ f) $(5^4)^2$

7 Reduce:

a) $a^3 \cdot a^5$ b) $a^8 : a^6$ c) $(a^3 \cdot a^6) : a^5$

d) $(a^{10} : a^7) : a^2$ e) $(a^2)^5 : (a^3)^2$ f) $(a^4)^3 : (a^6)^2$

5 LA RAÍZ CUADRADA

Calcular la raíz cuadrada es la operación inversa de elevar al cuadrado:

$$b^2 = a \leftrightarrow \sqrt{a} = b$$

$3^2 = 9 \rightarrow \sqrt{9} = 3 \rightarrow$ La raíz cuadrada de 9 es 3.

$15^2 = 225 \rightarrow \sqrt{225} = 15 \rightarrow$ La raíz cuadrada de 225 es 15.

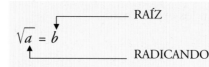

Se lee: la raíz cuadrada de a es igual a b.

EJEMPLO

*PROBLEMA: La superficie de un cuadrado es 16 m².
¿Cuánto mide el lado?*

$$a^2 = 16 \rightarrow a = \sqrt{16} = 4 \text{ m}$$

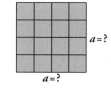

◼ RAÍCES EXACTAS Y RAÍCES INEXACTAS

- Hay números, como 49, 100 ó 225, cuya raíz es exacta:

$$\sqrt{49} = 7 \qquad \sqrt{100} = 10 \qquad \sqrt{225} = 15$$

  Se les llama **cuadrados perfectos:** $7^2 = 49$; $10^2 = \mathbf{100}$; $15^2 = \mathbf{225}$

- Sin embargo, para la mayoría de los números, la raíz no coincide con una cantidad exacta de unidades enteras.

  Busquemos, por ejemplo, el valor de $\sqrt{30}$:

  $\left.\begin{array}{l} 5^2 = 25 < 30 \\ 6^2 = 36 > 30 \end{array}\right\}$ $\left.5 < \sqrt{30} < 6\right\}$ La raíz cuadrada de 30 es un valor comprendido entre 5 y 6.

  Al número natural que más se aproxima, sin pasarse, $\left.\right\}$ La raíz entera
  a la raíz, lo llamaremos **raíz entera.** $\left.\right\}$ de 30 es 5.

ACTIVIDADES

1 Calcula, por tanteo, las siguientes raíces exactas o enteras:

a) $\sqrt{36}$ b) $\sqrt{81}$ c) $\sqrt{85}$

d) $\sqrt{139}$ e) $\sqrt{500}$ f) $\sqrt{900}$

Ejemplo: $\sqrt{275} = ?$

$\begin{array}{l} 16^2 = 256 < 275 \\ 17^2 = 289 > 275 \end{array}$ $16 < \sqrt{275} < 17$

La raíz entera de 275 es 16.

2 ¿Cuáles de estos números son cuadrados perfectos? Justifica tus respuestas.

a) 25 b) 81

c) 90 d) 144

e) 300 f) 400

3 La superficie de un cuadrado mide 121 cm².
¿Cuánto mide su lado?

■ CÁLCULO DE LA RAÍZ CUADRADA

Para calcular la raíz cuadrada de un número, puedes utilizar distintas técnicas: por tanteo, con la calculadora o manualmente, paso a paso. Veamos un ejemplo.

EJEMPLO

Calcular $\sqrt{2835}$ *utilizando las tres técnicas mencionadas arriba.*

Por tanteo

$50^2 = 2500 < 2835$

....

$53^2 = 2809 < 2835$

$54^2 = 2916 > 2835$

Como ves, 2 835 es mayor que 53^2 y menor que 54^2:
$$53^2 < 2835 < 54^2$$
Por lo tanto, la raíz cuadrada de 2 835 es un número comprendido entre 53 y 54:
$$53 < \sqrt{2835} < 54 \rightarrow \sqrt{2835} = 53, \ldots$$
La *raíz entera* de 2 835 es 53.

Con la calculadora

Introduce el número y después pulsa la tecla $\sqrt{}$ (en algunas calculadoras deberás pulsar primero la tecla $\sqrt{}$):

$$2835 \;\sqrt{} \;\rightarrow\; 53.244718$$

Como ves, $\sqrt{2835}$ es un número algo mayor que 53. Por tanto, la raíz cuadrada entera de 2 835 es 53.

Manualmente, paso a paso

Se empiezan separando de dos en dos, desde la derecha, las cifras del número y calculando la raíz del paquete de la izquierda.

①
$$\sqrt{28\,35} \quad 5 \leftarrow A$$
$$5 \cdot 5 \rightarrow -25 \quad | \quad 10 \leftarrow B$$
$$\underline{}$$
$$3$$

A: $\sqrt{28}$ es 5 y deja 3 de resto.
B: Escribimos el doble de A.

②
$$\sqrt{28\,35} \quad | \quad 5$$
$$-25 \downarrow \quad | \quad 10\,\boxed{C} \times \boxed{C}$$
$$\underline{}$$
$$3\,35$$

Buscamos la mayor cifra $\boxed{C}$ de forma que el producto $10\,\boxed{C} \times \boxed{C}$ sea lo más próximo a 335 y menor o igual que él.

③
$$\sqrt{2835} \quad | \quad 53$$
$$-25 \quad | \quad 103 \times 3$$
$$\underline{}$$
$$335$$
$$-309$$
$$\underline{}$$
$$026$$

Subimos C arriba.
Solución: $\sqrt{2835} = 53$
RESTO $\rightarrow$ 26

ACTIVIDADES

4 Calcula, de las tres formas que hemos visto, la raíz exacta o entera de los siguientes números:

a) 529   b) 950

c) 1 275   d) 2 025

¿Cuáles de ellos son cuadrados perfectos?

5 En un almacén de planta cuadrada caben, dispuestas en el suelo y sin apilar, 2 209 cajas de base cuadrada. ¿Cuántas filas de cajas caben? ¿Cuántas cajas hay en cada fila?

Si el lado de la base de cada caja mide 1 m, ¿cuáles son las dimensiones del almacén?

EJERCICIOS DE LA UNIDAD

▷ **Cálculo de potencias**

1 △△△ Calcula con lápiz y papel:

a) 5^4 b) 15^2 c) 1^7

d) 6^3 e) 3^5 f) 2^8

2 △△△ Averigua el valor de x en cada caso:

a) $8^x = 64$ b) $11^x = 121$ c) $30^x = 900$

d) $4^x = 256$ e) $6^x = 216$ f) $5^x = 625$

3 △△△ ¿Cuántas losas de 1 m^2 se necesitan para cubrir un patio cuadrado de 22 m de lado?

4 △△△ ¿Cuántos cubitos de arista unidad se necesitan para construir un cubo de arista 11?

5 △△△ Continúa hasta el décimo término cada una de estas series:

0   1   4   9   16...

0   1   8   27   64...

6 △△△ Halla con la calculadora:

a) 4^8 b) 5^9 c) 8^6

d) 9^6 e) 14^4 f) 15^3

▷ **Potencias de base 10. Expresión abreviada de números grandes**

7 △△△ Calcula mentalmente:

a) 10^2 b) 10^3 c) 10^4

d) 10^5 e) 10^6 f) 10^7

8 △△△ Escribe como potencias de diez:

a) Cien.   b) Cien mil.

c) Cien millones.   d) Cien mil millones.

e) Un billón.   f) Cien billones.

9 △△△ Expresa con todas sus cifras:

a) $6 \cdot 10^4$ b) $13 \cdot 10^7$

c) $34 \cdot 10^9$ d) $62 \cdot 10^{11}$

10 △△△ Escribe la descomposición polinómica de los siguientes números:

a) 68 425   b) 245 000

c) 2 530 000   d) 7 406 080

11 △△△ ¿Qué número expresa cada descomposición polinómica?

a) $5 \cdot 10^6 + 4 \cdot 10^3 + 8 \cdot 10^2 + 5 \cdot 10 + 2$

b) $2 \cdot 10^8 + 10^7 + 6 \cdot 10^5 + 3 \cdot 10^4 + 5 \cdot 10^3$

c) $10^6 + 10^5 + 10^4 + 10^3 + 10^2 + 10^1 + 10^0$

12 △△△ Redondea a la centena de millar y escribe abreviadamente, con el apoyo de una potencia de base diez, el número de habitantes de cada una de estas ciudades:

MADRID → 2 866 850

PARÍS → 2 238 740

ROMA → 2 645 322

EL CAIRO → 16 248 530

▷ **Operaciones con potencias**

13 △△△ EJERCICIO RESUELTO

Calcula por el camino más corto: $(4^5 \cdot 3^5) : 6^5$

Resolución

$(4^5 \cdot 3^5) : 6^5 = (4 \cdot 3)^5 : 6^5 = 12^5 : 6^5 = (12 : 6)^5 =$
$= 2^5 = 32$

14 △△△ Calcula por el camino más corto:

a) $2^4 \cdot 5^4$ b) $4^3 \cdot 25^3$ c) $20^3 : 5^3$

d) $12^4 : 4^4$ e) $(5^3 \cdot 4^3) : 2^3$ f) $6^3 : (21^3 : 7^3)$

15 △△△ Reduce a una sola potencia:

a) $a^2 \cdot a^3$ b) $x^4 \cdot x^2$ c) $m^2 \cdot m^5$

d) $a^5 : a^4$ e) $x^8 : x^5$ f) $m^9 : m^3$

g) $(a^4)^3$ h) $(x^2)^5$ i) $(m^3)^3$

16 △△△ Reduce a una sola potencia:

a) $(a^2 \cdot a^2) : a^3$ b) $(x^6 : x^3) \cdot x^2$

c) $(m^6 : m^4) : m^2$ d) $(a^3)^5 : a^{12}$

e) $(x^2)^3 : (x^2)^2$ f) $(m^6)^2 : (m^2)^5$

17 △△△ EJERCICIO RESUELTO

Calcula: $25^3 : 5^4$

Resolución

$25^3 : 5^4 = (5^2)^3 : 5^4 = 5^6 : 5^4 = 5^{6-4} = 5^2 = 25$

18 ▲△△ Reduce a una sola potencia y calcula:

a) $2^3 \cdot 4^2$ b) $25^4 : 5^7$ c) $(2^4 \cdot 8^2) : 16^2$

19 ▲△△ Calcula y razona:

a) $(2 + 3)^2$ b) $2^2 + 3^2$

c) $(4 + 6)^2$ d) $4^2 + 6^2$

e) $(1 + 10)^2$ f) $1^2 + 10^2$

¿Es igual el cuadrado de una suma que la suma de los cuadrados de los sumandos?

20 ▲△△ Calcula y compara:

a) $(2 + 3)^3$ b) $2^3 + 3^3$

c) $(1 + 3)^4$ d) $1^4 + 3^4$

e) $(1 + 1)^5$ f) $1^5 + 1^5$

¿Qué observas?

▷ Raíz cuadrada

21 ▲△△ Busca el valor de a en cada caso:

a) $a^2 = 64$ b) $a^2 = 100$ c) $a^2 = 144$

d) $a^2 = 400$ e) $a^2 = 625$ f) $a^4 = 16$

22 ▲△△ Calcula, en cada caso, el valor de m:

a) $\sqrt{m} = 5$ b) $\sqrt{m} = 8$

c) $\sqrt{m} = 100$ d) $\sqrt{m} = 30$

23 ▲▲△ Calcula por tanteo el valor de la raíz entera:

a) $\sqrt{25}$ b) $\sqrt{55}$ c) $\sqrt{169}$

d) $\sqrt{728}$ e) $\sqrt{900}$ f) $\sqrt{10\,000}$

24 ▲△△ Calcula con lápiz y papel, y después comprueba con la calculadora:

a) $\sqrt{650}$ b) $\sqrt{1\,369}$

c) $\sqrt{4\,225}$ d) $\sqrt{12\,568}$

25 ▲△△ Calcula el lado de un cuadrado que tiene una superficie de 400 m².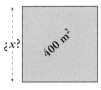

26 ▲△△ ¿Cuáles de estos números son cuadrados perfectos? Justifica tu respuesta:

a) $2\,025$ b) $8\,281$

c) $15\,325$ d) $116\,964$

▷ Operaciones con raíces

27 ▲▲△ Calcula y compara, ¿qué observas?

a) $\sqrt{9 + 16}$ b) $\sqrt{9} + \sqrt{16}$

c) $\sqrt{36 + 64}$ d) $\sqrt{36} + \sqrt{64}$

28 ▲▲△ Calcula y reflexiona, ¿qué observas?

a) $\sqrt{4 \cdot 9}$ b) $\sqrt{4} \cdot \sqrt{9}$

c) $\sqrt{9 \cdot 16}$ d) $\sqrt{9} \cdot \sqrt{16}$

29 ▲▲△ Calcula y razona, ¿qué observas?

a) $\sqrt{\dfrac{36}{9}}$ b) $\dfrac{\sqrt{36}}{\sqrt{9}}$

c) $\sqrt{\dfrac{100}{25}}$ d) $\dfrac{\sqrt{100}}{\sqrt{25}}$

30 ▲▲▲ EJERCICIO RESUELTO

Extraer factores fuera de la raíz: $\sqrt{32}$

Resolución

$\sqrt{32} = \sqrt{16 \cdot 2} = \sqrt{16} \cdot \sqrt{2} = 4 \cdot \sqrt{2}$

31 ▲▲▲ Extrae factores fuera de la raíz:

a) $\sqrt{18}$ b) $\sqrt{50}$ c) $\sqrt{45}$

d) $\sqrt{72}$ e) $\sqrt{28}$ f) $\sqrt{200}$

PROBLEMAS DE ESTRATEGIA

32 Rosana ha construido un gran cubo de 10 cm de arista utilizando cubitos blancos de 1 cm de arista.

¿Cuántos cubitos rojos, iguales a los anteriores, necesita para recubrir totalmente al gran cubo blanco?

33 Con la calculadora de cuatro operaciones: ¿Cuál es el mayor número que puedes obtener en pantalla si solo puedes pulsar dos veces cada una de estas teclas? (Escribe una expresión con las operaciones que le mandas hacer a la máquina).

[2] [×] [=]

HAZ UN ESQUEMA

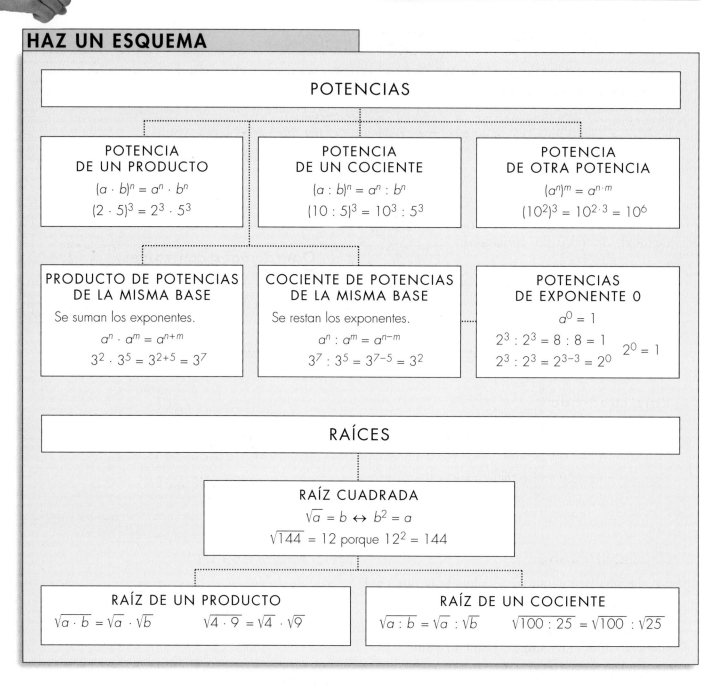

POTENCIAS

POTENCIA DE UN PRODUCTO
$(a \cdot b)^n = a^n \cdot b^n$
$(2 \cdot 5)^3 = 2^3 \cdot 5^3$

POTENCIA DE UN COCIENTE
$(a : b)^n = a^n : b^n$
$(10 : 5)^3 = 10^3 : 5^3$

POTENCIA DE OTRA POTENCIA
$(a^n)^m = a^{n \cdot m}$
$(10^2)^3 = 10^{2 \cdot 3} = 10^6$

PRODUCTO DE POTENCIAS DE LA MISMA BASE
Se suman los exponentes.
$a^n \cdot a^m = a^{n+m}$
$3^2 \cdot 3^5 = 3^{2+5} = 3^7$

COCIENTE DE POTENCIAS DE LA MISMA BASE
Se restan los exponentes.
$a^n : a^m = a^{n-m}$
$3^7 : 3^5 = 3^{7-5} = 3^2$

POTENCIAS DE EXPONENTE 0
$a^0 = 1$
$2^3 : 2^3 = 8 : 8 = 1$
$2^3 : 2^3 = 2^{3-3} = 2^0$
$2^0 = 1$

RAÍCES

RAÍZ CUADRADA
$\sqrt{a} = b \leftrightarrow b^2 = a$
$\sqrt{144} = 12$ porque $12^2 = 144$

RAÍZ DE UN PRODUCTO
$\sqrt{a \cdot b} = \sqrt{a} \cdot \sqrt{b}$
$\sqrt{4 \cdot 9} = \sqrt{4} \cdot \sqrt{9}$

RAÍZ DE UN COCIENTE
$\sqrt{a : b} = \sqrt{a} : \sqrt{b}$
$\sqrt{100 : 25} = \sqrt{100} : \sqrt{25}$

AUTOEVALUACIÓN

1 Calcula:

   a) 2^5 b) 3^4 c) 5^3 d) 7^0 e) 10^5

2 Expresa con una potencia de base diez:

   a) Diez mil   b) Diez millones

3 Escribe la descomposición polinómica del número 3 720 285.

4 Escribe, en la forma abreviada, el número 2 400 000 000.

5 Calcula de la forma más rápida:

   a) $2^5 \cdot 5^5$ b) $18^4 : 6^4$ c) $30^5 : (5^5 \cdot 3^5)$

6 Expresa con una sola potencia:

   a) $a^3 \cdot a^4$ b) $x^8 : x^5$ c) $(m^2)^4$

7 Calcula: a) $\sqrt{169}$ b) $\sqrt{3136}$

8 Calcula el resultado exacto en cada caso:

   a) $\sqrt{2} \cdot \sqrt{8}$ b) $\sqrt{5} \cdot \sqrt{20}$

   c) $\sqrt{45} : \sqrt{5}$ d) $\sqrt{60} : \sqrt{15}$

JUEGOS PARA PENSAR

Problema ferroviario

En la vía muerta, M, cabe un vagón (A o B), pero no la locomotora, L.
¿Cómo te las ingeniarías para intercambiar entre sí las posiciones de los vagones?

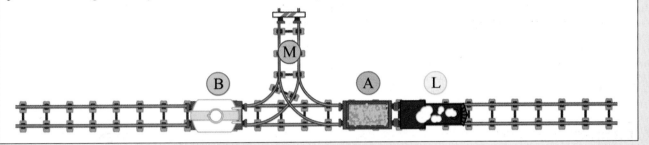

Cuadros

Observa estas dos figuras y, teniendo en cuenta su lógica, completa los cuadrados vacíos.

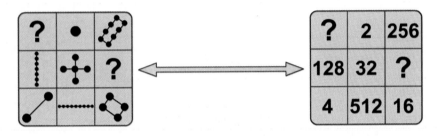

¡A contar cubitos!

Este cubo, como ves, está construido con muchos cubitos más pequeños.

Si lo pintamos por fuera, ¿cuántos cubitos quedan por dentro sin que les haya tocado la pintura?

¿Cuántos tendrán una sola cara pintada?

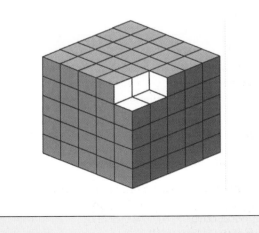

¿Verdad o mentira?

$$\sqrt{2}\ \sqrt{2}\ \sqrt{2}\ \sqrt{2 \times 2} = 2$$

Recorridos

¿Cuántos recorridos diferentes puede hacer la bola desde que entra hasta que cae en un vaso?

¿Cuántos de esos recorridos terminan en A?

3 DIVISIBILIDAD

REFLEXIONA

Voluntariado para el embalaje de medicinas:

CAMPAÑA DE AYUDA A LOS REFUGIADOS

La divisibilidad estudia las relaciones entre los números cuando unos contienen a otros una cantidad exacta de veces.

■ Óscar y Mónica colaboran como voluntarios en el empaquetado de medicinas.

— ¿En qué contenedor embalará Óscar los analgésicos? ¿Qué ocurriría si eligiera el que tiene forma de cubo?

— ¿Puede Mónica guardar los antibióticos en el contenedor A sin que queden espacios vacíos? ¿Y en el contenedor B? ¿Cómo lo hará en cada caso?

CÓMO AVERIGUAR SI UN NÚMERO CABE EN OTRO UNA CANTIDAD EXACTA DE VECES

Muy sencillo: realiza la división y comprueba si el resto es cero.

En una clase de 30 chicos y chicas, ¿se pueden hacer equipos de 6?

3 0 $\lfloor$ 6 → El resto es cero. La división es exacta.
  0   5 ↓

$$30 = 6 \cdot 5$$

Con una clase de 30 se hacen 5 equipos de 6.

1 ¿Cabe **8** un número exacto de veces en **96**?

En una clase de 29 chicos y chicas, ¿se pueden hacer equipos de 6?

2 9 $\lfloor$ 6 → Resto 5. La división no es exacta.
  5   4 ↓

$$29 = 6 \cdot 4 + 5$$

No se puede hacer un número exacto de equipos.

2 ¿Contiene el **100** al **8** un número exacto de veces?

CÓMO MULTIPLICAR Y DIVIDIR MENTALMENTE NÚMEROS PEQUEÑOS

- Para multiplicar, descomponemos uno de los factores en dos sumandos que dan lugar a productos sencillos.

  Ejemplo: $12 \cdot 8$ → 12 veces 8 $<$ 10 veces 8 → 80 $>$ 96
  2 veces 8 → 16

  $$12 \cdot 8 = (10 + 2) \cdot 8 = 10 \cdot 8 + 2 \cdot 8 = 80 + 16 = 96$$

- Para dividir, descomponemos el divisor en factores más sencillos.

  Ejemplo: Para dividir entre 6, dividimos primero entre 2, y después, entre 3.

  $$126 \xrightarrow{:2} 63 \xrightarrow{:3} 21$$
  $$\underline{\qquad} : 6 \qquad$$

3 Calcula mentalmente:

   a) $16 \cdot 9$ b) $16 \cdot 11$ c) $12 \cdot 7$ d) $78 : 6$ e) $120 : 8$ f) $120 : 20$

CÓMO CONSTRUIR SERIES NUMÉRICAS QUE CRECEN DE FORMA CONSTANTE

	13	13	13	13	13
13	26	39	52	65	78
13×1	13×2	13×3	13×4	13×5	13×6

4 Continúa en tres términos cada una de estas series:

   a) 7, 14, 21, 28, ...   b) 12, 24, 36, 48, ...   c) 6, 12, 24, ...

   d) 19, 38, 57, 76, ...   e) 35, 70, 105, 140, ...   f) 15, 30, 45, ...

1 LA RELACIÓN DE DIVISIBILIDAD

La relación que existe entre dos números, cuando uno cabe en el otro una cantidad exacta de veces, recibe el nombre de **relación de divisibilidad**.

RELACIÓN DE DIVISIBILIDAD

$$\begin{array}{c|c} a & b \\ \hline 0 & c \end{array}$$

es división exacta

▼

b cabe un número exacto de veces en a

▼

a es divisible entre b

▼

a y b están emparentados por la **relación de divisibilidad**.

EJEMPLOS

■ En un aparcamiento de 40 m de longitud cabe un número exacto de autobuses de 10 m:

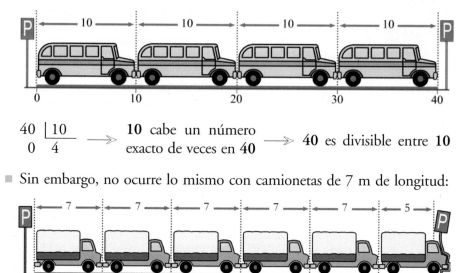

$$\begin{array}{c|c} 40 & 10 \\ \hline 0 & 4 \end{array}$$ ⟹ **10** cabe un número exacto de veces en **40** ⟹ **40** es divisible entre **10**

■ Sin embargo, no ocurre lo mismo con camionetas de 7 m de longitud:

7 no cabe un número exacto de veces en 40 (la división 40 : 7 no es exacta). 40 no es divisible entre 7.

Dos números están emparentados por la **relación de divisibilidad** cuando el cociente entre el mayor y el menor es exacto.

ACTIVIDADES

1. Di si a es divisible entre b en cada caso y justifica la respuesta:

   a) $\begin{cases} a = 80 \\ b = 20 \end{cases}$ b) $\begin{cases} a = 135 \\ b = 25 \end{cases}$

   c) $\begin{cases} a = 156 \\ b = 13 \end{cases}$ d) $\begin{cases} a = 1\,540 \\ b = 10 \end{cases}$

2. Di si los números de cada pareja están emparentados por la relación de divisibilidad:

   a) 294 y 14   b) 360 y 15

   c) 115 y 15   d) 561 y 17

3. Encuentra al menos cuatro parejas de números emparentados por la relación de divisibilidad:

   500   48   93   100   6

   3   31   37   8

4. ¿Verdadero o falso?

   a) 25 está contenido exactamente 6 veces en 150.

   b) 12 está contenido exactamente 3 veces en 36.

   c) 36 es divisible entre 12.

   d) 36 es divisible entre 7.

   e) 40 contiene a 6 un número exacto de veces.

2 MÚLTIPLOS Y DIVISORES

Si dos números están emparentados por la relación de divisibilidad, decimos que:

- El mayor es **múltiplo** del menor.
- El menor es **divisor** del mayor.

RELACIÓN DE PATERNIDAD

Santiago es padre de Patricia. Patricia es hija de Santiago.

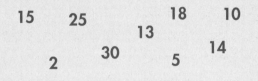

Un múltiplo y un divisor se relacionan de la misma forma que un padre y un hijo: no existe el uno sin el otro.

EJEMPLO

3 cabe un número exacto de veces en 15 ⟶ 15 es divisible entre 3

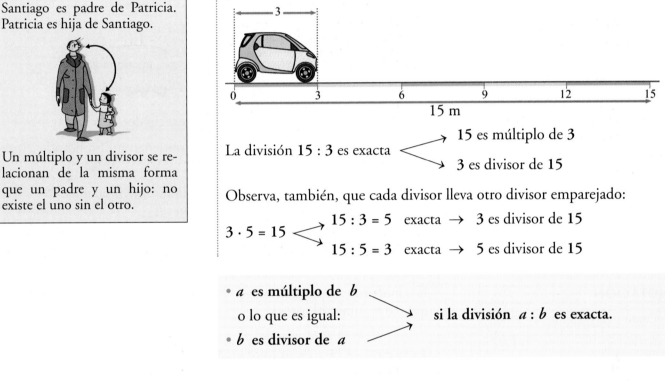

15 m

La división 15 : 3 es exacta ⟨ 15 es múltiplo de **3**

3 es divisor de **15**

Observa, también, que cada divisor lleva otro divisor emparejado:

$3 \cdot 5 = 15$ ⟨ 15 : 3 = 5 exacta → 3 es divisor de 15

15 : 5 = 3 exacta → 5 es divisor de 15

- *a* es múltiplo de *b*

  o lo que es igual: → **si la división *a* : *b* es exacta.**

- *b* es divisor de *a*

ACTIVIDADES

1 Explica con claridad por qué 184 es múltiplo de 23.

2 ¿Es 17 divisor de 255? Razona tu respuesta.

3 Busca tres números que sean múltiplos de 25.

4 Busca tres números que sean divisores de 30.

5 Observa estos números:

15   25   18   10
13
30   2   5   14

a) Busca todos los que sean divisores de 60.
b) Busca todos los que sean múltiplos de 2.

6 Observa este conjunto de números y responde:

75   45   120   48
36   42   13   60

¿Cuáles son múltiplos de 12? ¿Y de 15? ¿Y de 6?

7 ¿Es 200 divisor de 1 000?
¿Es 1 000 múltiplo de 200?
¿Es 15 divisor de 70?
¿Es 75 múltiplo de 20?
¿Es 90 múltiplo de 6?
¿Es 125 divisor de 1 000?
Razona cada respuesta con una división.

8 ¿Cuál es el divisor de 36 que va emparejado a 12?

◻ MÚLTIPLOS DE UN NÚMERO

Buscar múltiplos de un número es tarea sencilla. Obsérvalo en el siguiente ejemplo:

MÚLTIPLOS DE 20

20	× 1
20	× 2
20	× 3
20	× 4
....	
20	× k

EJEMPLO

Observa la serie de números: 20, 40, 60, 80, …

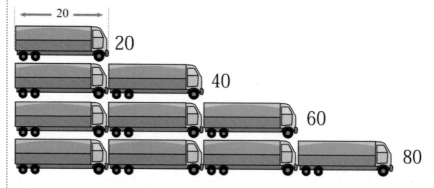

Todos ellos contienen a 20 una cantidad exacta de veces.

Esto es, **todos son múltiplos de 20** y se obtienen multiplicando 20 por un número natural.

Observa también que la serie puede continuar indefinidamente:

$20 \cdot 5$	$20 \cdot 6$	$20 \cdot 7$	$20 \cdot 8...$
↓	↓	↓	↓
100	120	140	160…

NOTACIÓN

Cuando nos referimos a un número múltiplo de otro podemos escribirlo así:

$\dot{7} \rightarrow$ múltiplo de 7
$\dot{a} \rightarrow$ múltiplo de a

- Los **múltiplos** de un número a se obtienen al multiplicar a por cualquier otro número natural k:

$$a \cdot k \rightarrow \text{múltiplo de } a$$

- Todo número a es múltiplo de sí mismo y de la unidad:

$$a \cdot 1 = a$$

- Un número, a, distinto de cero, tiene infinitos múltiplos.

ACTIVIDADES

9 Escribe:
   a) Cinco múltiplos de 6.
   b) Cinco múltiplos de 17.
   c) Cinco múltiplos de 200.

10 Busca, entre estos números, cuatro múltiplos de 9.

   81   **16**   **53**   **36**   **99**   **108**   **44**

11 Añade cuatro términos a cada una de estas series:
   a) 3, 6, 9, 12, …   b) 13, 26, 39, 52, …
   c) 15, 30, 45, 60, …   d) 51, 102, 153, 204, …

12 Escribe los diez primeros múltiplos de 15.

13 Busca todos los múltiplos de 8 comprendidos entre 700 y 750.

14 Escribe el primer múltiplo de 31 que sea mayor que 1 000.

15 Escribe los veinte primeros múltiplos de 5. Fíjate en la última cifra. ¿Qué observas? ¿Cómo sabes, de un vistazo, si un número es múltiplo de 5?

◻ DIVISORES DE UN NÚMERO

¿Podemos encontrar, para cualquier número, algún otro que sea divisor de él?

DIVISORES DE 20

20 : 20 = 1	
20 : 10 = 2	
20 : 5 = 4	
20 : 4 = 5	
20 : 2 = 10	
20 : 1 = 20	

EJEMPLO

Observa la relación que tienen con 20 los números 20, 10, 5, 4, 2 y 1:

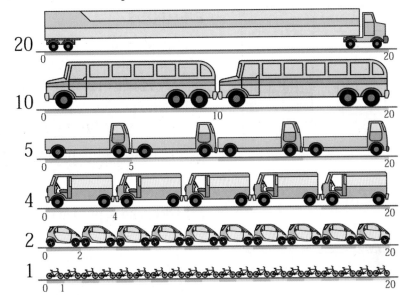

Todos ellos están contenidos en 20 una cantidad exacta de veces. Es decir, **todos son divisores de 20**.

Como puedes comprobar, forman parejas cuyo producto es 20:

20 y 1,   10 y 2,   5 y 4.

BÚSQUEDA DE DIVISORES

20	: 1 = 20	SÍ
	: 2 = 10	SÍ
	: 3	NO
	: 4 = 5	SÍ

- Los **divisores** de un número, a, se obtienen buscando las divisiones exactas:

  $$a : b = c \rightarrow a : c = b \rightarrow a = b \cdot c$$

  Entonces b y c son divisores de a.

- Todo número es divisor de sí mismo $\rightarrow a : a = 1$

- El 1 es divisor de cualquier número $\rightarrow a : 1 = a$

ACTIVIDADES

16 Encuentra los divisores de:

a) 15   b) 18   c) 36   d) 60

17 Busca un número que solamente tenga dos divisores.

18 Busca dos números diferentes que tengan al menos los siguientes divisores comunes:

1   2   3   4

19 Busca un número que tenga estos divisores:

1   2   3   4
24   12   8   6

20 Busca *todas las soluciones posibles* del siguiente problema:

Se desea embalar 36 botellas de refresco en cajas iguales. ¿Cuántas cajas se necesitan?

3 NÚMEROS PRIMOS Y COMPUESTOS

Ya sabes que un número tiene, al menos, dos divisores (él mismo y el 1). Pero también puede tener más. Dependiendo de esto, clasificaremos los números en primos y compuestos.

DIVISORES DE 12

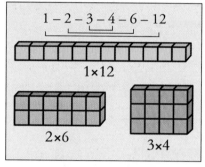

$1 - 2 - 3 - 4 - 6 - 12$

1×12

2×6

3×4

DIVISORES DE 13

$1 - 13$

1×13

EJEMPLOS

■ Hay números, como el 12, que tienen distintos divisores, además de él mismo y de la unidad, y eso permite su descomposición en factores:

$$12 = 1 \cdot 12 \qquad 12 = 2 \cdot 6 \qquad 12 = 3 \cdot 4$$

Por eso, porque se puede descomponer en factores, diremos que 12 es un número compuesto.

■ Sin embargo, otros números, como el 13, tienen únicamente dos divisores (el 1 y el 13), lo que permite una sola expresión en forma de producto:

$$13 = 1 \cdot 13$$

Es decir, no se pueden descomponer. Decimos que 13 es número primo.

- Los números que se pueden descomponer en factores se llaman **números compuestos**.
- Los números que no se pueden descomponer en factores reciben el nombre de **números primos**.

Un número primo solo tiene dos divisores: él mismo y la unidad. (El número 1 solo tiene un divisor, por eso no lo consideramos primo).

En la tabla adjunta se han ido marcando:

Los múltiplos de 2, •, excepto el ②.
Los múltiplos de 3, •, excepto el ③.
Los múltiplos de 5, •, excepto el ⑤.

… y así sucesivamente con los de 7, ▲; 11, ▲; 13, ▲…

Los números que han quedado sin marcar son los primos menores que 30. Comprueba que ninguno de ellos se puede descomponer en factores.

ACTIVIDADES

1 Busca todos los números primos menores que 50.

2 Entre estos números hay dos primos. Búscalos.

29   59   49   39   69

Expresa cada uno de los compuestos como un producto de dos factores.

3 Descompón el número 100:
   a) En dos factores.
   b) En tres factores.
   c) En el máximo número de factores.

4 El número 101, ¿es primo o es compuesto? Razona tu respuesta.

5 Descompón en tres factores cada uno de estos números:

   a) 16   b) 20   c) 30
   d) 98   e) 182   f) 1 088

6 Descompón en el máximo número de factores que sea posible el número 1 024.

4 CRITERIOS DE DIVISIBILIDAD

Los criterios de divisibilidad son reglas que sirven para descubrir si un número es divisible por 2, 3, 5 u otros números sencillos.

¿CÓMO AVERIGUAR SI UN NÚMERO ES MÚLTIPLO DE 2?

Veamos algunos múltiplos de 2:

MÚLTIPLOS DE 2

Si un número termina en 0 o en cifra par, su cociente entre 2 es exacto. Es, por tanto, múltiplo de 2.

2	4	6	8	10
12	14	16	18	20
22	24	26	28	30

Fíjate: un múltiplo de 2 siempre termina en cifra par (0, 2, 4, 6, 8).

Un número es **múltiplo de 2** si termina en cifra par: 0, 2, 4, 6, 8.

¿CÓMO AVERIGUAR SI UN NÚMERO ES MÚLTIPLO DE 3?

Tomemos varios múltiplos de 3 y sumemos sus cifras:

MÚLTIPLOS DE 3

Si la suma de las cifras de un número es múltiplo de 3, el cociente de ese número entre 3 es exacto. Es, por tanto, múltiplo de 3.

MÚLTIPLO DE 3	SUMA DE LAS CIFRAS

$3 \times \quad 12 = 36 \longrightarrow \quad 3 + 6 = 9$

$3 \times \quad 13 = 39 \longrightarrow \quad 3 + 9 = 12$

$3 \times \quad 51 = 153 \longrightarrow \quad 1 + 5 + 3 = 9$

Fíjate: la suma de las cifras siempre es múltiplo de 3.

Un número es **múltiplo de 3** si la suma de sus cifras es múltiplo de 3.

¿CÓMO AVERIGUAR SI UN NÚMERO ES MÚLTIPLO DE 5?

Tomemos ahora la serie de múltiplos de 5:

MÚLTIPLOS DE 5

Si un número termina en 0 o en 5, su cociente entre 5 es exacto. Es, por tanto, múltiplo de 5.

5	10
15	20
25	30
35	40

Fíjate: un múltiplo de 5 siempre termina en 0 o en 5.

Un número es **múltiplo de 5** si termina en 0 o en 5.

ACTIVIDADES

1 Escribe la sucesión de los veinte primeros múltiplos de 10. ¿Cómo sabes, de un vistazo, si un número es múltiplo de 10?

2 De los siguientes números, ¿cuáles son múltiplos de 3? Justifica tu respuesta.

127; 195; 369; 444; 570; 653; 821; 1 302

3 Copia en tu cuaderno estos números:

138   150   153   285   299
356   375   400   412   515

a) Rodea en rojo los múltiplos de 2.

b) Rodea en azul los múltiplos de 5.

c) ¿Cuáles son múltiplos de 10?

5 DESCOMPOSICIÓN DE UN NÚMERO EN SUS FACTORES PRIMOS

Un número, si no es primo, se puede descomponer en factores y estos a su vez en otros factores hasta que todos sean primos.

Veamos cómo se consigue:

EJEMPLOS

1. Descomponer 36 en un producto, de forma que todos los factores sean primos.

Utilizando el cálculo mental, y apoyándote en lo que sabes, puedes seguir diversos caminos:

$$36 = 4 \cdot 9 = 2 \cdot 2 \cdot 3 \cdot 3 = 2^2 \cdot 3^2$$

o bien

$$36 = 6 \cdot 6 = 2 \cdot 3 \cdot 2 \cdot 3 = 2^2 \cdot 3^2$$

Sin embargo, para números mayores conviene actuar con método y tener en cuenta los criterios de divisibilidad.

2. Descomponer 600 en sus factores primos.

600 es divisible entre 2 $\longrightarrow$ 600 = $2 \cdot 300$

300 es divisible entre 2 $\longrightarrow$ 600 = $2 \cdot 2 \cdot 150$

150 es divisible entre 2 $\longrightarrow$ 600 = $2 \cdot 2 \cdot 2 \cdot 75$

75 es divisible entre 3 $\longrightarrow$ 600 = $2 \cdot 2 \cdot 2 \cdot 3 \cdot 25$

25 es divisible entre 5 $\longrightarrow$ 600 = $2 \cdot 2 \cdot 2 \cdot 3 \cdot 5 \cdot 5$

Como el último factor (5) es primo, hemos terminado la descomposición.

Por tanto, $600 = 2 \cdot 2 \cdot 2 \cdot 3 \cdot 5 \cdot 5 = 2^3 \cdot 3 \cdot 5^2$

Todo este proceso se suele abreviar como se indica a la izquierda.

DESCOMPOSICIÓN FACTORIAL

COCIENTES PARCIALES		FACTORES PRIMOS
	$\downarrow$	$\downarrow$
	600	2
600 : 2 $\rightarrow$	300	2
300 : 2 $\rightarrow$	150	2
150 : 2 $\rightarrow$	75	3
75 : 3 $\rightarrow$	25	5
25 : 5 $\rightarrow$	5	5
5 : 5 $\rightarrow$	1	

$$600 = 2^3 \cdot 3 \cdot 5^2$$

Para **descomponer un número en factores primos**, a lo que también llamamos **factorizar**, lo dividimos entre sus divisores primos: primero entre 2 tantas veces como se pueda, después entre 3, después entre 5, ... y así sucesivamente hasta obtener en el cociente un 1.

ACTIVIDADES

1 Descompón en factores primos:

a) 12   b) 18   c) 24

d) 36   e) 50   f) 130

g) 450   h) 504   i) 540

j) 875   k) 1 584   l) 1 188

2 ¿Qué números tienen las siguientes descomposiciones factoriales?

a) $2 \cdot 3^3$ b) $3^2 \cdot 7$ c) $2^2 \cdot 3^2 \cdot 5$

d) $2 \cdot 5 \cdot 7^2$ e) $2^3 \cdot 13$ f) $2 \cdot 5^2 \cdot 11$

3 Descompón en factores primos:

a) 256   b) 512   c) 729   d) 2 187

■ MÚLTIPLOS Y DIVISORES DE NÚMEROS DESCOMPUESTOS EN FACTORES PRIMOS

Vamos a pensar ahora en los múltiplos y divisores de un número que está descompuesto en sus factores primos. ¿Se pueden obtener esos múltiplos y divisores a partir de los factores primos del número?

DESCOMPOSICIÓN DE 40

40	2
20	2
10	2	$40 = 2 \cdot 2 \cdot 2 \cdot 5$
5	5
1	

DIVISORES DE 40

$$1 = 1$$
$$2 = 2$$
$$5 = 5$$
$$2 \cdot 2 = 4$$
$$2 \cdot 5 = 10$$
$$2 \cdot 2 \cdot 2 = 8$$
$$2 \cdot 2 \cdot 5 = 20$$
$$2 \cdot 2 \cdot 2 \cdot 5 = 40$$

EJEMPLO

Tomemos el número 40 y su descomposición:

$$40 = 2 \cdot 2 \cdot 2 \cdot 5$$

■ Los múltiplos de 40 se obtienen multiplicando 40 por otro número:

$$40 \cdot 5 = 200 = (2 \cdot 2 \cdot 2 \cdot 5) \cdot 5$$
$$\underbrace{}_{40}$$
$$40 \cdot 3 = 120 = (2 \cdot 2 \cdot 2 \cdot 5) \cdot 3$$
$$\underbrace{}_{40}$$
$$40 \cdot 6 = 240 = (2 \cdot 2 \cdot 2 \cdot 5) \cdot 2 \cdot 3$$
$$\underbrace{}_{40}$$

Un múltiplo de 40 contiene **todos** los factores primos de 40.

■ Los divisores de 40 se obtienen de las divisiones exactas de 40. Por ejemplo:

$$40 : 4 = 10 \rightarrow (2 \cdot 2)(2 \cdot 5) = 4 \cdot 10$$
$$40 : 5 = 8 \rightarrow (2 \cdot 2 \cdot 2)(5) = 8 \cdot 5$$

Un divisor de 40 contiene **algunos** de los factores primos de 40.

• Los **múltiplos** de un número **contienen todos** los factores primos de ese número.

• Los **divisores** de un número **contienen algunos** de los factores primos de ese número.

ACTIVIDADES

4 Contesta sin hacer ninguna operación y razonando tus respuestas:

a) ¿Es 12 divisor de 60? $\begin{cases} 12 = 2 \cdot 2 \cdot 3 \\ 60 = 2 \cdot 2 \cdot 3 \cdot 5 \end{cases}$

b) ¿Es 8 divisor de 180? $\begin{cases} 8 = 2 \cdot 2 \cdot 2 \\ 180 = 2 \cdot 2 \cdot 3 \cdot 3 \cdot 5 \end{cases}$

c) ¿Es 12 divisor de 180? $\begin{cases} 12 = 2^2 \cdot 3 \\ 180 = 2^2 \cdot 3^2 \cdot 5 \end{cases}$

Ejemplo: 12 es divisor de 60 porque todos los factores primos de 12 están en los de 60.

$$60 = (2 \cdot 2 \cdot 3) \cdot 5 = 12 \cdot 5$$

5 Escribe factorizados, sin hacer ninguna operación, tres múltiplos diferentes del número 12:

$$12 = 2^2 \cdot 3$$

6 Busca todos los divisores del número 60:

$$60 = 2 \cdot 2 \cdot 3 \cdot 5$$

7 Descompón 90 en factores primos y busca después todos sus divisores.

8 Busca el menor número que tenga, entre otros, los siguientes divisores:

$$2 \cdot 3^2 \qquad 3 \cdot 5 \qquad 2 \cdot 5$$
$$3 \cdot 5 \qquad 5 \cdot 3^2 \qquad 1 \cdot 11$$

6 | MÚLTIPLOS COMUNES A VARIOS NÚMEROS

La resolución de ciertos problemas exige el cálculo de los múltiplos comunes a varios números. Veamos un ejemplo.

EJEMPLO

PROBLEMA: *El veterinario del zoo visita a los gorilas cada 6 días y a los elefantes, cada 4 días.*
¿Cada cuánto tiempo coinciden ambas visitas en el mismo día?

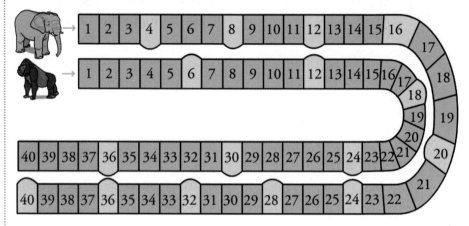

Ambas visitas coinciden en los días que son múltiplos comunes de 4 y de 6, y se repiten cada 12 días.

MÚLTIPLOS DE 4 → 4   8   12   16   20   24   28   32   36

MÚLTIPLOS DE 6 → 6   12   18   24   30   36   42

MÚLTIPLOS COMUNES → 12, 24, 36, 48, …

El **menor** de estos **múltiplos comunes** es el 12 y recibe el nombre de **mínimo común múltiplo** de 4 y 6.

El menor de los múltiplos comunes de dos o más números *a, b, c, …*, se llama **mínimo común múltiplo** y se expresa así:

$$m.c.m. (a, b, c, …)$$
$$m.c.m. (4, 6) = 12$$

ACTIVIDADES

1 Obtén la serie de múltiplos comunes a:

a) 10 y 15   b) 20 y 30

c) 40 y 60   d) 24 y 30

Indica en cada caso el mínimo común múltiplo.

2 Calcula el mínimo común múltiplo de:

a) 15 y 20   b) 30 y 40

c) 12 y 18   d) 24 y 36

3 Calcula:

a) m.c.m. (3, 5)   b) m.c.m. (6, 8)

c) m.c.m. (6, 9)   d) m.c.m. (10, 20)

4 Un jardinero riega el césped de un parque cada 6 días y lo siega cada 8 días. ¿Cada cuánto tiempo le coinciden ambos trabajos en el mismo día?

MÉTODO PARA EL CÁLCULO DEL MÍNIMO COMÚN MÚLTIPLO

En la página anterior has calculado el mínimo común múltiplo de números sencillos; sin embargo, el método seguido no es aconsejable para números grandes.

Ahora aprenderás un nuevo método que te permitirá actuar con cantidades de cualquier tamaño. Analiza con detenimiento el siguiente ejemplo hasta que entiendas bien sus pasos.

OTRO EJEMPLO

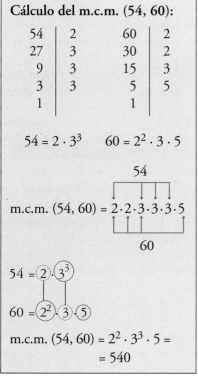

Cálculo del m.c.m. (54, 60):

54	2	60	2
27	3	30	2
9	3	15	3
3	3	5	5
1		1	

$54 = 2 \cdot 3^3$ $60 = 2^2 \cdot 3 \cdot 5$

$$54$$
$$\text{m.c.m. (54, 60)} = 2 \cdot 2 \cdot 3 \cdot 3 \cdot 3 \cdot 5$$
$$60$$

$54 = 2 \cdot 3^3$

$60 = 2^2 \cdot 3 \cdot 5$

$\text{m.c.m. (54, 60)} = 2^2 \cdot 3^3 \cdot 5 = $
$= 540$

EJEMPLO

Calcular el m.c.m. (20, 30).

■ PRIMER PASO: **Descomponer los números en factores primos.**

20	2
10	2
5	5
1	

$20 = 2^2 \cdot 5$

30	2
15	3
5	5
1	

$30 = 2 \cdot 3 \cdot 5$

■ SEGUNDO PASO: **Elegir los factores primos adecuados.**

Teniendo en cuenta que el mínimo común múltiplo debe contener los siguientes números primos:

- Todos los factores primos de 20.
- Todos los factores primos de 30.
- El mínimo número posible de factores.

$$20$$
$$2 \cdot 2 \cdot 5$$
$$\text{m.c.m. (20, 30)} = 2 \cdot 2 \cdot 3 \cdot 5$$
$$2 \cdot 3 \cdot 5$$
$$30$$

Observa que todos los factores escogidos son imprescindibles, pues si se suprime cualquiera de ellos, deja de ser múltiplo de alguno de los dos números.

Resumiendo: $\text{m.c.m. (20, 30)} = 2^2 \cdot 3 \cdot 5 = 60$

Para calcular el mínimo común múltiplo de varios números:

1. Se descomponen los números en factores primos.

2. Se toman todos los factores primos (comunes y no comunes), elevado cada uno al mayor de los exponentes con que aparece.

ACTIVIDADES

5 Calcula:

a) m.c.m. (60, 90)   b) m.c.m. (8, 27)

c) m.c.m. (16, 20)   d) m.c.m. (45, 54)

e) m.c.m. (4, 6, 10)   f) m.c.m. (12, 18, 24)

6 Calcula:

a) m.c.m. (150, 180)   b) m.c.m. (200, 300)

c) m.c.m. (120, 350)   d) m.c.m. (120, 180)

e) m.c.m. (81, 243)   f) m.c.m. (256, 512)

7 DIVISORES COMUNES A VARIOS NÚMEROS

También encontrarás problemas que exigen el manejo de los divisores comunes a varios números. Veamos un ejemplo.

EJEMPLO

PROBLEMA: El zoo ha adquirido 8 panteras y 12 gacelas que se han de trasladar en jaulas con igual número de animales y lo más grandes que sea posible.

¿Cuántos animales irán en cada jaula?

Tanteando encontramos tres posibles soluciones.

• PRIMERA SOLUCIÓN: jaulas de un solo individuo.

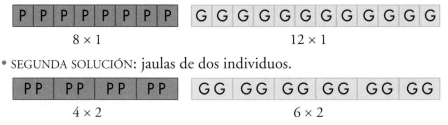

| P P P P P P P P | G G G G G G G G G G G G |
| 8×1 | 12×1 |

• SEGUNDA SOLUCIÓN: jaulas de dos individuos.

| PP PP PP PP | GG GG GG GG GG GG |
| 4×2 | 6×2 |

• TERCERA SOLUCIÓN: jaulas de cuatro individuos.

| PPPP PPPP | GGGG GGGG GGGG |
| 2×4 | 3×4 |

Las soluciones coinciden con los divisores comunes de 8 y 12, y el mayor de ellos es 4.

DIVISORES DE 8 → 1 2 4 8

DIVISORES DE 12 → 1 2 3 4 6 12

DIVISORES COMUNES: 1, 2, 4

El **mayor** de los **divisores comunes** es 4 y recibe el nombre de **máximo común divisor** de 8 y 12.

El mayor de los divisores comunes a dos o más números, a, b, c, ..., se llama **máximo común divisor** y se expresa así:

$$M.C.D. (a, b, c, ...) \qquad M.C.D. (8, 12) = 4$$

ACTIVIDADES

1 Obtén los divisores comunes e indica, en cada caso, el máximo común divisor:

a) 10 y 15   b) 12 y 18

c) 20 y 30   d) 24 y 32

e) 28 y 72   f) 12 y 70

2 Calcula:

a) M.C.D. (12, 16)   b) M.C.D. (60, 40)

3 Halla:

a) M.C.D. (24, 36)   b) M.C.D. (15, 30)

4 Hemos de embalar 12 botellas de refresco de naranja y 18 botellas de refresco de limón en cajas con igual número de botellas, lo más grandes que sea posible y sin mezclar en una misma caja ambos sabores.

¿Cuántas botellas pondremos en cada caja?

■ MÉTODO PARA EL CÁLCULO DEL MÁXIMO COMÚN DIVISOR

Los métodos empleados hasta ahora para calcular el máximo común divisor solo son adecuados para números sencillos.

Ahora vas a aprender un método que sirve para cantidades de cualquier tamaño. Estudia con detenimiento el ejemplo que se expone a continuación hasta que entiendas todos sus pasos.

OTRO EJEMPLO

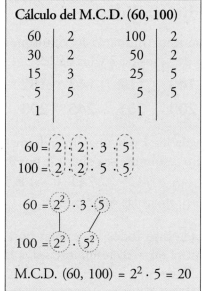

Cálculo del M.C.D. (60, 100)

60	2		100	2
30	2		50	2
15	3		25	5
5	5		5	5
1			1	

$60 = 2 \cdot 2 \cdot 3 \cdot 5$
$100 = 2 \cdot 2 \cdot 5 \cdot 5$

$60 = 2^2 \cdot 3 \cdot 5$

$100 = 2^2 \cdot 5^2$

M.C.D. $(60, 100) = 2^2 \cdot 5 = 20$

EJEMPLO

Calcular el M.C.D. (20, 30).

■ PRIMER PASO: **Descomponer los números en factores primos.**

20	2
10	2
5	5
1	

$20 = 2^2 \cdot 5$

30	2
15	3
5	5
1	

$30 = 2 \cdot 3 \cdot 5$

■ SEGUNDO PASO: **Elegir los factores primos adecuados.**

Teniendo en cuenta que el máximo común divisor debe contener:

• Factores comunes de 20 y 30.

• Ningún factor que no sea común a 20 y 30.

• El máximo número posible de factores.

$$
\begin{array}{c}
20 \\
\overbrace{2 \cdot 2 \cdot 5} \\
\underbrace{2 \cdot 3 \cdot 5} \\
30
\end{array}
\rightarrow \text{M.C.D. } (20, 30) = 2 \cdot 5
$$

Para calcular el máximo común divisor de varios números:

1. Se descomponen los números en factores primos.

2. Se toman solamente los factores primos comunes, elevado cada uno al menor exponente con el que aparece.

ACTIVIDADES

5 Calcula el máximo común divisor y el mínimo común múltiplo en cada caso:

   a) 45, 54   b) 24, 32

   c) 140, 210   d) 392, 252

   e) 12, 18, 24   f) 3, 5, 7

   g) 2, 9, 11   h) 132, 176, 220

6 Calcula el máximo común divisor y el mínimo común múltiplo en cada caso y reflexiona:

   a) 10, 5   b) 15, 60

   c) 8, 24   d) 25, 100

Si un número *a* es divisor de otro *b*, ¿cuál es su M.C.D.? ¿Y su m.c.m.?

EJERCICIOS DE LA UNIDAD

▷ **Múltiplos y divisores**

1 ▲△△ **Calcula mentalmente** para indicar si existe relación de divisibilidad entre estos números:

a) 50 y 200   b) 35 y 100   c) 88 y 22

d) 15 y 35   e) 15 y 60   f) 200 y 500

2 ▲△△ **Calcula mentalmente:**

a) Tres números que estén contenidos una cantidad exacta de veces en 200.

b) Tres divisores de 500.

c) Tres múltiplos de 30.

3 ▲△△ Razona si existe relación de divisibilidad entre:

a) 15 y 900   b) 14 y 210   c) 45 y 145

d) 25 y 675   e) 17 y 162   f) 142 y 994

4 ▲△△ Responde justificando las respuestas:

a) ¿Es 765 múltiplo de 5? ¿Y 819 de 52?

b) ¿Es 15 divisor de 765? ¿Y 17 divisor de 587?

5 ▲△△ Escribe todos los pares de números cuyo producto es 100.

6 ▲△△ Busca todos los divisores de:

a) 24   b) 50   c) 81

7 ▲△△ Busca los múltiplos de 32 comprendidos entre 700 y 800.

▷ **Números primos y compuestos**

8 ▲△△ **Calcula mentalmente** dos números cuyo producto sea:

a) 36   b) 360   c) 3 600

d) 42   e) 420   f) 4 200

9 ▲△△ Descompón en producto de dos factores:

a) 144   b) 240   c) 238

d) 288   e) 675   f) 713

10 ▲△△ Descompón en factores primos:

a) 32   b) 180   c) 225

d) 392   e) 468   f) 1 260

11 ▲△△ Separa los números primos de los compuestos:

91   17   49   57   97

71

53   15   81   27   111   29

▷ **Criterios de divisibilidad**

12 ▲△△ Busca entre estos números los múltiplos de 2, los de 3, los de 5, los de 7 y los de 13:

104 130 140 119 143 182

186 147 200 255 245 203

13 ▲△△ Sustituye cada letra por una cifra, de manera que el número resultante sea divisible por 3:

2 4 A   7 3 B   4 9 C   7 D   4 E 5

Busca, en cada caso, todas las soluciones.

14 ▲△△ Busca en cada caso todos los valores posibles de a para que el número resultante sea, a la vez, múltiplo de 2 y de 3:

| 1 | a |

| 1 | 4 | a |

| 7 | 5 | a |

15 ▲△△ ¿Cómo sabes de un vistazo si un número es múltiplo de 100? ¿Y cómo sabes si es divisible entre 6?

▷ **Máximo común divisor y mínimo común múltiplo**

16 ▲△△ **Calcula mentalmente:**

a) M.C.D. (4, 6)   b) M.C.D. (4, 8)
m.c.m. (4, 6)   m.c.m. (4, 8)

c) M.C.D. (20, 30)   d) M.C.D. (12, 18)
m.c.m. (20, 30)   m.c.m. (12, 18)

17 ▲△△ **EJERCICIO RESUELTO**

Calcular el M.C.D. y el m.c.m. de 84 y 90.

Resolución

Descomponemos 84 y 90 en factores primos:

84	2
42	2
21	3
7	7
1	

90	2
45	3
15	3
5	5
1	

$84 = 2^2 \cdot 3 \cdot 7$
$90 = 2 \cdot 3^2 \cdot 5$

M.C.D. (84, 90) = $2 \cdot 3 = 6$
m.c.m. (84, 90) = $2^2 \cdot 3^2 \cdot 5 \cdot 7 = 1 260$

18 ▲△△ Calcula:

   a) M.C.D. (72, 108)   b) M.C.D. (270, 234)

      m.c.m. (72, 108)   m.c.m. (270, 234)

   c) M.C.D. (560, 588) d) M.C.D. (210, 315, 420)

      m.c.m. (560, 588)   m.c.m. (210, 315, 420)

▷ **Para aplicar lo aprendido**

19 ▲△△ ¿De cuántas formas diferentes se pueden disponer 72 baldosas cuadradas de manera que formen un rectángulo?

20 ▲△△ Busca todas las formas posibles de hacer equipos de igual número de elementos con los chicos y chicas de una clase de 24 personas.

21 ▲△△ En un colegio se reparten invitaciones para una obra de teatro subvencionada. Ana observa que el número de entradas puede contarse exactamente de 2 en 2, de 3 en 3 y de 5 en 5.

   ¿Cuáles son los posibles números de entradas?

22 ▲△△ Para transportar 12 perros y 18 gatos se van a usar jaulas iguales que sean lo más grandes posible, y de forma que en todas quepa el mismo número de animales.

   ¿Cuántos animales deben ir en cada jaula?

   NOTA: A nadie en su sano juicio se le ocurriría poner perros y gatos juntos.

23 ▲△△ El autobús de la línea A pasa por cierta parada cada 9 minutos y el de la línea B, cada 12 minutos.

   Si acaban de salir ambos a la vez, ¿cuánto tardarán en volver a coincidir?

24 ▲△△ Se desea dividir un terreno rectangular, de 120 m de ancho por 180 m de largo, en parcelas cuadradas que sean lo más grandes posible.

   ¿Cuánto debe medir el lado de cada parcela?

25 ▲△△ En un club de atletismo se han inscrito 18 chicos y 24 chicas. ¿Cuántos equipos se pueden hacer teniendo en cuenta que debe haber:

   — en todos, el mismo número de chicos y el mismo número de chicas;

   — el máximo número de equipos que sea posible?

26 ▲△△ ¿Cuál es el lado del menor cuadrado que se puede formar uniendo baldosas rectangulares de 6 cm por 15 cm?

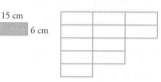

27 ▲△△ Se ha formado una pila de cubos de 20 cm de arista hasta alcanzar la misma altura que otra pila de cubos de 30 cm de arista.

   ¿Cuál será la altura de ambas pilas? (Busca al menos tres soluciones).

PROBLEMAS DE ESTRATEGIA

28 Un granjero, tras recoger en una cesta su cosecha de huevos, piensa:

   • Si los envaso por docenas, me sobran 5.

   • Si tuviera uno más podría envasarlos, exactamente, en cajas de 10.

   • Casi he recogido 100.

   ¿Cuántos huevos tiene?

29 Los participantes en un desfile pueden agruparse, para desfilar, de 3 en 3, de 5 en 5 o de 25 en 25, pero no pueden hacerlo ni de 4 en 4 ni de 9 en 9.

   ¿Cuál es el número de participantes si sabemos que está entre 1 000 y 1 250?

30 Divide la esfera del reloj en 6 partes de forma que los números que entran en cada parte sumen lo mismo.

31 Fátima ha invitado a diez amigos a su fiesta de cumpleaños. Después de merendar, propone un acertijo con premio: "Se llevará la caja de bombones quien averigüe, sin abrirla, cuántos bombones contiene. Os doy tres pistas:

   • Hay menos de cinco docenas.

   • Están ordenados en filas de nueve.

   • Si se repartieran entre todos los presentes, sobraría uno".

   ¿Cuántos bombones contiene la caja?

HAZ UN ESQUEMA

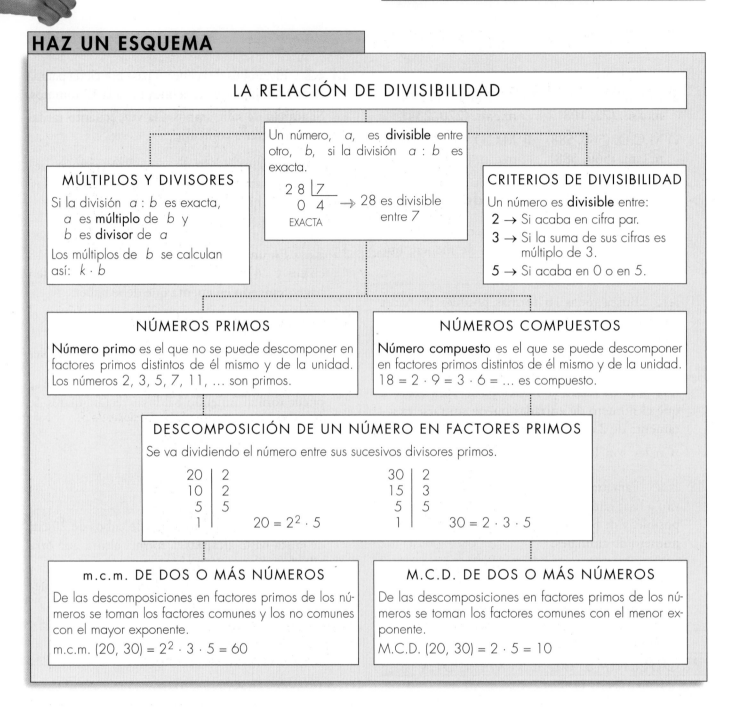

LA RELACIÓN DE DIVISIBILIDAD

Un número, *a*, es **divisible** entre otro, *b*, si la división *a* : *b* es exacta.

28 | 7
0   4 → 28 es divisible entre 7

EXACTA

MÚLTIPLOS Y DIVISORES

Si la división *a* : *b* es exacta, *a* es **múltiplo** de *b* y *b* es **divisor** de *a*

Los múltiplos de *b* se calculan así: $k \cdot b$

CRITERIOS DE DIVISIBILIDAD

Un número es **divisible** entre:

2 → Si acaba en cifra par.

3 → Si la suma de sus cifras es múltiplo de 3.

5 → Si acaba en 0 o en 5.

NÚMEROS PRIMOS

Número primo es el que no se puede descomponer en factores primos distintos de él mismo y de la unidad. Los números 2, 3, 5, 7, 11, ... son primos.

NÚMEROS COMPUESTOS

Número compuesto es el que se puede descomponer en factores primos distintos de él mismo y de la unidad. $18 = 2 \cdot 9 = 3 \cdot 6 = ...$ es compuesto.

DESCOMPOSICIÓN DE UN NÚMERO EN FACTORES PRIMOS

Se va dividiendo el número entre sus sucesivos divisores primos.

20	2
10	2
5	5
1	

$20 = 2^2 \cdot 5$

30	2
15	3
5	5
1	

$30 = 2 \cdot 3 \cdot 5$

m.c.m. DE DOS O MÁS NÚMEROS

De las descomposiciones en factores primos de los números se toman los factores comunes y los no comunes con el mayor exponente.

m.c.m. $(20, 30) = 2^2 \cdot 3 \cdot 5 = 60$

M.C.D. DE DOS O MÁS NÚMEROS

De las descomposiciones en factores primos de los números se toman los factores comunes con el menor exponente.

M.C.D. $(20, 30) = 2 \cdot 5 = 10$

AUTOEVALUACIÓN

1 Averigua si 182 es múltiplo de 13.

2 Escribe los cinco primeros múltiplos de 12.

3 Escribe todos los divisores de 40.

4 Escribe los números primos mayores que 20 y menores que 40.

5 Descompón en factores primos 120 y 180.

6 Calcula el M.C.D. (120, 180).

7 Busca el menor número que sea a la vez múltiplo de 120 y de 180.

8 Se desea dividir una nave rectangular de 24 m de ancho por 36 m de largo en parcelas cuadradas iguales que sean lo más grandes posible. ¿Cuánto debe medir el lado de cada parcela?

JUEGOS PARA PENSAR

A vueltas con el amor

¿Cuántas vueltas darán las ruedas hasta que los amantes vuelvan a darse la mano?

Una pesa más

Estas ocho bolas de billar tienen exactamente el mismo tamaño y todas pesan lo mismo salvo una, que pesa un poco más.

¿Cuántas pesadas necesitarías hacer para descubrir, con absoluta seguridad, cuál es la bola que más pesa?

Dicen que puede hacerse en dos pesadas. ¿Tú qué opinas?

Múltiplos en la calculadora

Pulsa, en tu calculadora, esta secuencia de teclas y observa los resultados de la pantalla:

Irás obteniendo la serie ordenada de múltiplos de 5:

5 - 10 - 15 - 20 - 25 - ...

Experimenta y comprueba que puedes hacer lo mismo con los múltiplos de cualquier número.

Construcción

¿Cuántos bloques como estos, todos iguales, son necesarios, como mínimo, para construir un cubo?

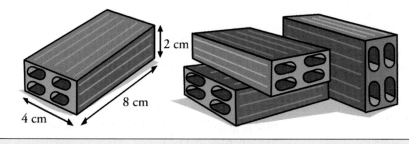

Dibuja el cubo y di la longitud de su arista.

2 cm

8 cm

4 cm

4 LOS NÚMEROS ENTEROS

REFLEXIONA

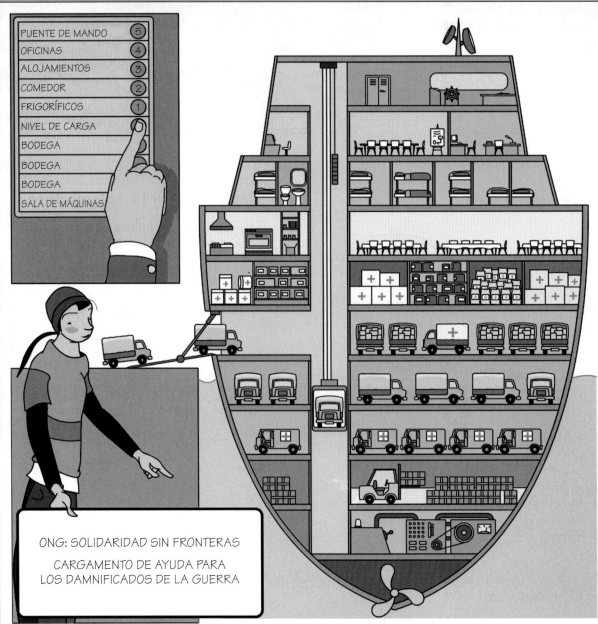

PUENTE DE MANDO	⑤
OFICINAS	④
ALOJAMIENTOS	③
COMEDOR	②
FRIGORÍFICOS	①
NIVEL DE CARGA	⓪
BODEGA	
BODEGA	
BODEGA	
SALA DE MÁQUINAS	

ONG: SOLIDARIDAD SIN FRONTERAS

CARGAMENTO DE AYUDA PARA
LOS DAMNIFICADOS DE LA GUERRA

Vamos a pensar en los números que se necesita para expresar las distintas paradas del montacargas del barco, así como sus posibles movimientos. Comprobarás que los números naturales (0, 1, 2, 3, …) no bastan. Necesitarás unos números nuevos: los negativos.

■ El capitán del barco, para subir al puente de mando, pulsó el botón ⑤.
¿Qué botón está pulsando ahora para bajar al nivel de carga?
¿Cuál pulsaría para bajar a la sala de máquinas?

■ ¿Qué números asignarías a las tres bodegas que están por debajo del nivel de carga?

■ El responsable del cargamento estaba en la oficina, en el nivel 4, y ha bajado seis plantas.
¿En qué nivel se encuentra ahora?

TE CONVIENE RECORDAR

CÓMO ORDENAR LOS NÚMEROS NATURALES EN LA RECTA NUMÉRICA

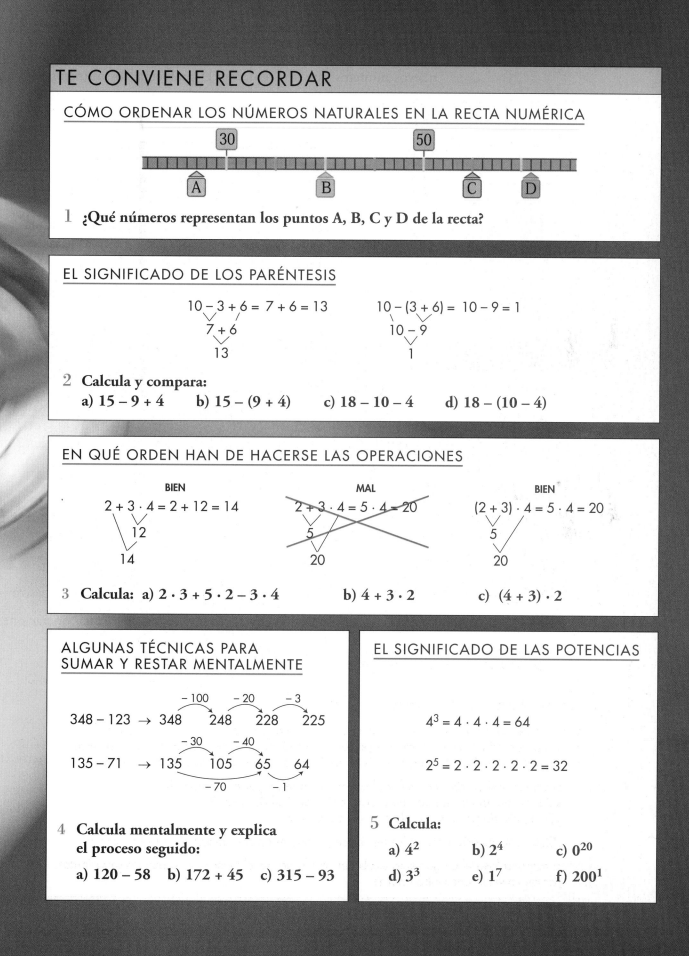

1 ¿Qué números representan los puntos A, B, C y D de la recta?

EL SIGNIFICADO DE LOS PARÉNTESIS

$$10 - 3 + 6 = 7 + 6 = 13$$
$$7 + 6$$
$$13$$

$$10 - (3 + 6) = 10 - 9 = 1$$
$$10 - 9$$
$$1$$

2 Calcula y compara:

a) $15 - 9 + 4$ b) $15 - (9 + 4)$ c) $18 - 10 - 4$ d) $18 - (10 - 4)$

EN QUÉ ORDEN HAN DE HACERSE LAS OPERACIONES

BIEN
$$2 + 3 \cdot 4 = 2 + 12 = 14$$
$$12$$
$$14$$

MAL
$$2 + 3 \cdot 4 = 5 \cdot 4 = 20$$
$$5$$
$$20$$

BIEN
$$(2 + 3) \cdot 4 = 5 \cdot 4 = 20$$
$$5$$
$$20$$

3 Calcula: a) $2 \cdot 3 + 5 \cdot 2 - 3 \cdot 4$ b) $4 + 3 \cdot 2$ c) $(4 + 3) \cdot 2$

ALGUNAS TÉCNICAS PARA SUMAR Y RESTAR MENTALMENTE

$$348 - 123 \rightarrow 348 \xrightarrow{-100} 248 \xrightarrow{-20} 228 \xrightarrow{-3} 225$$

$$135 - 71 \rightarrow 135 \xrightarrow{-30} 105 \xrightarrow{-40} 65 \xrightarrow{} 64$$
$$\underset{-70}{\qquad} \underset{-1}{\qquad}$$

4 Calcula mentalmente y explica el proceso seguido:

a) $120 - 58$ b) $172 + 45$ c) $315 - 93$

EL SIGNIFICADO DE LAS POTENCIAS

$$4^3 = 4 \cdot 4 \cdot 4 = 64$$

$$2^5 = 2 \cdot 2 \cdot 2 \cdot 2 \cdot 2 = 32$$

5 Calcula:

a) 4^2 b) 2^4 c) 0^{20}

d) 3^3 e) 1^7 f) 200^1

1 UNOS NÚMEROS NUEVOS: LOS NEGATIVOS

Hay ciertas situaciones que no se pueden expresar matemáticamente utilizando solo los números naturales. A partir de ahora utilizaremos unos nuevos números que nos resuelven el problema: los números negativos.

EJEMPLOS

■ Al nivel de carga del barco le asignamos el número 0.

■ A los niveles inferiores al nivel de carga les asociamos los siguientes números: −1, −2, −3, −4.

■ El jefe de máquinas del barco, que estaba en la sala de máquinas (−4), ha subido seis plantas (+6) para comer y después ha descendido dos plantas (−2). Ahora se encuentra en la planta baja (0):

$$(-4) + 6 + (-2) = 0$$

PUENTE DE MANDO	5
OFICINAS	4
ALOJAMIENTOS	3
COMEDOR	2
FRIGORÍFICOS	1
NIVEL DE CARGA	
BODEGA	−1
BODEGA	−2
BODEGA	−3
SALA DE MÁQUINAS	−4

• Llamamos **números negativos** a los que están por debajo del cero.

• Los números negativos **se escriben** con el signo *menos* delante. Así los diferenciamos de los positivos:

$$-1, -2, -3, -4, -5, ...$$

• Cuando un número no lleva ningún signo delante, entendemos que es positivo:

$$5 = +5 \qquad +16 = 16$$

• Cuando se plantean operaciones con números negativos, estos se escriben entre paréntesis:

$8 + (-3) \rightarrow$ El número positivo 8 se suma con el negativo −3.

$(-5) \cdot (-2) \rightarrow$ El número negativo −5 se multiplica por el negativo −2.

(Más adelante aprenderás a obtener el resultado de estas operaciones).

ACTIVIDADES

1 Escribe tres elementos más de las siguientes series numéricas:

0, 1, −1, 2, −2, ...

6, 4, 2, 0, −2, ...

8, 7, 5, 2, −2, ...

2 Busca el número cuyo valor no varía al cambiar de signo.

3 Escribe tres situaciones en las que, para expresar cantidades, se hacen necesarios los números negativos.

4 Busca una expresión matemática para el siguiente enunciado:

"Una clienta entra en un edificio con su coche, baja dos plantas hasta el aparcamiento y sube cuatro plantas hasta la peluquería".

■ UTILIDAD DE LOS NÚMEROS POSITIVOS Y NEGATIVOS

Los números positivos y los números negativos sirven para expresar cantidades o posiciones fijas.

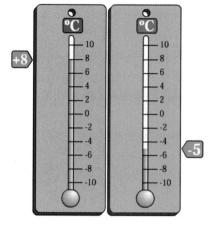

EJEMPLOS

■ En un edificio, podemos estar en un piso *sobre la calle*, o *en un sótano*.

Tercera planta → +3

Segundo sótano → –2

■ El termómetro puede marcar una temperatura *sobre cero* o *bajo cero*.

Temperatura a las once de la mañana → +8 °C

Temperatura a las tres de la madrugada → –5 °C

■ No es lo mismo *tener* dinero en la cuenta del banco que *estar en números rojos* (negativos).

Carmina *tiene* ciento veinte euros → +120 €

Ernesto *debe* setenta y cinco euros → –75 €

Los números positivos y los números negativos también sirven para expresar variaciones de cantidad.

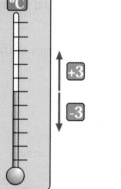

EJEMPLOS

■ Con el ascensor del edificio, puedo subir o bajar a otras plantas:

Subo cinco plantas → +5

Bajo cuatro plantas → –4

■ La temperatura que marca el termómetro sufre variaciones.

Hace más calor, el termómetro ha *subido* tres grados → +3 °C

Está refrescando, el termómetro ha *bajado* tres grados → –3 °C

■ El número de personas que viaja en un autobús varía en cada parada.

Suben 10 personas → +10

Bajan 14 personas → –14

ACTIVIDADES

5 Asocia un número, positivo o negativo, a cada uno de los siguientes enunciados:

a) María está en el octavo piso.

b) Miguel se encuentra en el tercer sótano.

c) Tengo en el banco 535 €.

d) El termómetro marca 19 °C sobre cero.

e) Debo 5 € a un amigo.

f) El termómetro marca 2 °C bajo cero.

g) Tengo una moneda de 2 €.

6 Asocia cada enunciado con un número:

a) El ascensor sube cinco plantas.

b) He bajado cinco plantas hasta el aparcamiento.

c) He perdido 200 céntimos.

d) La temperatura ha bajado de 20 °C a 17 °C.

e) Tenía 120 € y ahora tengo 170 €.

f) He pagado una factura de 6 500 €.

g) He ganado 15 € y me he gastado 18 €.

2 EL CONJUNTO DE LOS NÚMEROS ENTEROS

■ EL CONJUNTO ℤ

Desde el principio de la unidad estás manejando los números naturales y sus correspondientes negativos. Al conjunto de todos estos números se le conoce en matemáticas como **conjunto de los números enteros** y se le designa por la letra ℤ.

Es un conjunto que no tiene ni principio ni fin. Siempre se pueden encontrar más números positivos a la derecha y más negativos a la izquierda.

El conjunto ℤ de los números enteros está formado por:

- Los naturales, que son los positivos → +1, +2, +3, +4, ...
- El cero —————————————→ 0   } ℤ
- Los correspondientes negativos ——→ –1, –2, –3, –4, ...

Los números enteros se representan, ordenados, en la recta numérica:

$$-9 \;-8 \;-7 \;-6 \;-5 \;-4 \;-3 \;-2 \;-1 \quad 0 \quad 1 \quad 2 \quad 3 \quad 4 \quad 5 \quad 6 \quad 7 \quad 8 \quad 9$$

■ VALOR ABSOLUTO DE UN NÚMERO ENTERO

El valor absoluto de un número entero es la longitud del segmento que lo separa del cero en la recta numérica.

Para expresar el valor absoluto de un número, lo escribimos entre barras. Así:

El valor absoluto de –6 es 6 → $|-6| = 6$

El valor absoluto de +5 es 5 → $|+5| = 5$

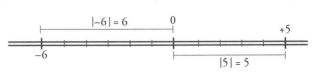

El **valor absoluto** de un número entero es el número natural que resulta al quitarle el signo.

El valor absoluto de un número a se expresa escribiendo el número entre dos barras verticales.

$$|a| \xrightarrow{\text{se lee}} \text{valor absoluto de } a$$

ACTIVIDADES

1 ¿Qué número entero es el inmediato posterior a +16? ¿Y a –16?

¿Cuáles son sus inmediatos anteriores?

2 Calcula:

a) $|2|$ b) $|-8|$ c) $|12|$ d) $|-12|$

3 Escribe dos números enteros que tengan el mismo valor absoluto.

4 Representa en la recta numérica los siguientes números enteros:

$$-2 \quad +2 \quad -5 \quad 0 \quad +4 \quad +3 \quad -1$$

◼ OPUESTO DE UN ENTERO

El opuesto de un número entero es su simétrico respecto del cero. Es decir, el que está a igual distancia del cero pero al lado contrario:

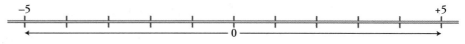

Los números –5 y +5 son opuestos uno del otro.

> El **opuesto de un entero** es otro entero del mismo valor absoluto pero de signo contrario.
>
> Opuesto de +5 → (–5)   Opuesto de (–5) → +5

◼ COMPARACIÓN DE NÚMEROS ENTEROS

Observa la ilustración y piensa quién tiene más dinero y quién tiene menos.

- Como puedes ver, quien *más tiene* es la chica que tiene 500 euros.
- Quien no tiene nada, *tiene más* que los que deben.
- La chica que debe 25 *tiene más* que el chico que debe 500.

Podemos, por tanto, ordenar las cantidades así:

$$-500 < -25 < 0 < +25 < +500$$
$$+500 > +25 > 0 > -25 > -500$$

> **Orden de los números enteros**
> - Si dos números enteros son positivos, el mayor es el que tiene mayor valor absoluto.
> - Cualquier número positivo es mayor que el cero, y el cero es mayor que cualquier negativo.
> - De dos enteros negativos, el mayor es el de menor valor absoluto.
> $$-7 < -3 < 0 < +3 < +7$$

REPRESENTACIÓN

Si un número es menor que otro, se representa a su izquierda en la recta numérica:

–5	–3	0	3	

ACTIVIDADES

5 Dos números enteros opuestos están distantes 18 unidades. ¿Qué números son?

6 Escribe en cada caso el signo <, > o = que corresponda:

a) –2 ... –7   b) |–6| ... +6   c) |–3| ... |–7|

7 Ordena los siguientes números y represéntalos en la recta numérica:

$$-8, +6, -1, +8, +3, -2, -5, +4, -12$$

Observa que los números quedan ordenados de izquierda (menores) a derecha (mayores).

3 SUMA Y RESTA DE NÚMEROS ENTEROS

Ahora vamos a aprender a operar con números enteros, y empezaremos por las operaciones aditivas (suma y resta).

Para entender mejor las ideas que vamos a presentar, piensa que movemos una ficha a lo largo de una escalera:

- Cada escalón representa una unidad entera fija.
- Las subidas se expresan con números positivos y las bajadas, con números negativos.
- Para mover la ficha, añadimos (+) o suprimimos (–) subidas y bajadas.

■ **PRIMER CASO: SUMAR UN NÚMERO POSITIVO**

Añadir una **subida** significa **subir**.

Por ejemplo, añadir a la ficha una subida de cinco significa subir cinco escalones:

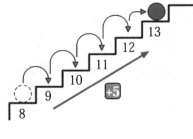

$$+ \ (+5) = +5$$

AÑADIR SUBIDA ES SUBIR

Si estamos en el escalón nº 8 y añadimos una subida de 5, nos colocaremos en el escalón 13:

$$(+8) + (+5) = 8 + 5 = 13$$

■ **SEGUNDO CASO: SUMAR UN NÚMERO NEGATIVO**

Añadir una **bajada** significa **bajar**.

Por ejemplo, añadir una bajada de cinco significa bajar cinco escalones:

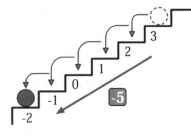

$$+ \ (-5) = -5$$

AÑADIR BAJADA ES BAJAR

Si estamos en el escalón (+3) y añadimos una bajada de 5, nos pondremos en el escalón –2:

$$(+3) + (-5) = 3 - 5 = -2$$

EJEMPLOS

a) $(-15) + (+3) = -15 + 3 = -12$ b) $5 + (-7) = 5 - 7 = -2$
c) $(-6) + (-3) = -6 - 3 = -9$ d) $(-5) + (+5) = -5 + 5 = 0$

> Para **sumar un número entero**, se quita el paréntesis y se deja el signo propio del número:
>
> $$+ (+a) = +a \qquad\qquad + (-a) = -a$$

ACTIVIDADES

1 Opera:
  a) $(+3) + (+11)$ b) $(+6) + (-3)$

2 Calcula:
  a) $(-8) + (+6)$ b) $(-4) + (-5)$

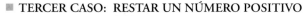
■ **TERCER CASO: RESTAR UN NÚMERO POSITIVO**

Lo **contrario** de **sumar** es **restar**, de la misma forma que lo **contrario** de **subir** es **bajar**.

Así, lo contrario de subir 5 escalones es bajar 5 escalones:

$$- \ (+5) \ = \ -5$$

↑   ↑   ↑

LO CONTRARIO   DE SUBIR   ES BAJAR

Si estamos en el escalón +13 y hacemos la operación contraria de subir 5, iremos a parar al escalón +8:

$$(+13) - (+5) = 13 - 5 = 8$$

■ **CUARTO CASO: RESTAR UN NÚMERO NEGATIVO**

Lo **contrario** de **bajar** es **subir**.

Lo contrario de bajar 5 escalones es subir 5 escalones:

$$- \ (-5) \ = \ +5$$

↑   ↑   ↑

LO CONTRARIO   DE BAJAR   ES SUBIR

Si estamos en el escalón (−2) y hacemos la operación contraria de bajar 5 escalones, iremos a parar al escalón +3:

$$(-2) - (-5) = -2 + 5 = +3$$

EJEMPLOS

a) $(+10) - (+12) = 10 - 12 = -2$ b) $(-10) - (-7) = -10 + 7 = -3$

> Para **restar un número entero**, se quita el paréntesis y se pone al número el signo contrario al que tenía:
>
> $$- (+a) = -a \qquad\qquad - (-a) = +a$$

Fíjate en que restar un número entero es lo mismo que sumar su opuesto:

$$b - (+a) = b + (-a) \qquad\qquad b - (-a) = b + (+a)$$

Por eso no es necesario hablar de "resta" de enteros. A partir de ahora hablaremos de suma de enteros, entendiendo que restar un número es sumar el de signo contrario.

ACTIVIDADES

3 Quita paréntesis y calcula el resultado:

   a) $(+12) + (+15)$ b) $(+25) + (-8)$

   c) $(+30) + (-45)$ d) $(-14) + (+4)$

   e) $(-14) + (+16)$ f) $(-14) + (-2)$

   g) $50 + (+25) + (+5)$ h) $50 + (+25) + (-10)$

4 En el contexto de la ficha y la escalera, explica dos movimientos diferentes cuyo resultado sea el mismo: bajar diez escalones.

   Traduce ambos a lenguaje matemático.

5 Opera:

   a) $(+8) - (+6)$ b) $(+8) - (+12)$

   c) $(-3) - (-4)$ d) $(-18) - (+10)$

   e) $(-50) - (-10)$ f) $(-50) - (-75)$

6 Efectúa y contesta:

   a) $(+7) + (-7)$

   b) $(+20) + (-20)$

   c) $(-2) + (+2)$

   ¿Cuál es el resultado de sumar un entero con su opuesto?

◼ REGLAS PRÁCTICAS PARA SUMAR ENTEROS

A continuación se exponen algunas reglas que se derivan de lo que ya sabes y que te ayudarán a operar con más agilidad.

◼ SUMA DE DOS NÚMEROS DEL MISMO SIGNO

Reflexiona sobre los siguientes ejemplos:

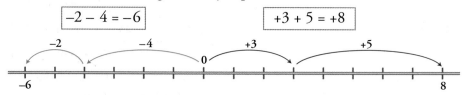

$$-2 - 4 = -6 \qquad +3 + 5 = +8$$

Para sumar dos números del mismo signo:
- Se suman sus valores absolutos.
- Se pone el mismo signo que tenían los números.

◼ SUMA DE DOS NÚMEROS DE DISTINTO SIGNO

Observa ahora estos dos nuevos casos:

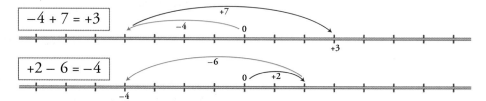

$$-4 + 7 = +3$$

$$+2 - 6 = -4$$

Para sumar dos números de distinto signo:
- Se restan sus valores absolutos.
- Se pone el signo del que tenga mayor valor absoluto.

◼ SUMA DE MÁS DE DOS NÚMEROS POSITIVOS Y NEGATIVOS

Cuando la suma tiene más de dos sumandos, conviene actuar ordenadamente:

- Ordena, agrupando positivos con positivos y negativos con negativos.
- Suma los positivos por un lado y los negativos por otro.
- Resta y pon el signo del mayor.

EJEMPLO

$$8 - 3 + 4 - 10 - 6 + 5 =$$
$$= 8 + 4 + 5 - 3 - 10 - 6 =$$
$$= (8 + 4 + 5) - (3 + 10 + 6) =$$
$$= 17 - 19 = -2$$

ACTIVIDADES

7 Calcula:
- a) $-8 + 5$
- b) $+12 - 7$
- c) $-3 + 10$
- d) $4 - 11$

8 Calcula:
- a) $3 - 1 + 5 + 6 - 9 - 7 + 10$
- b) $-5 - 6 + 9 + 2 - 11 + 3 + 5$
- c) $10 + 7 - 15 - 6 - 4 + 2 + 5$

9 Quita paréntesis y calcula:
- a) $(-8) - (-4) + (-6) - (+2) - (-9)$
- b) $(+7) - (+5) + (-11) - (-9) + (+4)$
- c) $(+15) + (-13) - (+12) - (-10)$
- d) $(-2) - (-8) + (-4) - (-6) - (+9) + (-7)$
- e) $(+12) - (-14) - (+16) + (-18) - (-20)$

■ SUMAS DENTRO DE UN PARÉNTESIS

El paréntesis empaqueta, en un solo bloque, todo lo que va dentro de él. Por eso, el signo que lo precede afecta a todos los sumandos que haya en su interior.

• PRIMER CASO: **Paréntesis precedido de un signo positivo**

$$+ \underbrace{(+2 - 5 + 3)}_{\text{Me dan}} \left\{ \begin{array}{l} \text{Me dan } (+2) \\ \text{Me dan } (-5) \\ \text{Me dan } (+3) \end{array} \right\} \rightarrow +(+2) + (-5) + (+3) = 2 - 5 + 3$$

Como ves, los signos finales son los mismos que tenían los sumandos dentro del paréntesis.

• SEGUNDO CASO: **Paréntesis precedido de un signo negativo**

$$- \underbrace{(6 - 9 + 7)}_{\text{Me quitan}} \left\{ \begin{array}{l} \text{Me quitan } (+6) \\ \text{Me quitan } (-9) \\ \text{Me quitan } (+7) \end{array} \right\} \rightarrow -(+6) - (-9) - (+7) = -6 + 9 - 7$$

Como ves, los signos finales son los contrarios a los que había dentro del paréntesis.

> • Al quitar un paréntesis precedido del signo +, los signos de los sumandos interiores quedan como estaban.
> • Al quitar un paréntesis precedido del signo −, cada uno de los signos de los sumandos interiores se transforma en su opuesto.

EJEMPLO

Estudia el siguiente ejemplo, que se ha resuelto siguiendo dos métodos diferentes.

a) Método: *Operar dentro de cada paréntesis, empezando por los más pequeños.*

$$5 - [2 - (3 - 9) + (2 - 3)] = 5 - [2 - (-6) + (-1)] = 5 - (2 + 6 - 1) =$$
$$= 5 - (+7) = 5 - 7 = -2$$

b) Método: *Quitar paréntesis, empezando por los más pequeños, y después operar.*

$$5 - [2 - (3 - 9) + (2 - 3)] = 5 - [2 - 3 + 9 + 2 - 3] = 5 - 2 + 3 - 9 - 2 + 3 =$$
$$= (5 + 3 + 3) - (2 + 9 + 2) = 11 - 13 = -2$$

ACTIVIDADES

10 Resuelve por dos métodos diferentes cada una de las siguientes expresiones:

a) $(17 - 2) - (8 + 2)$

b) $(5 - 12) + (3 - 8)$

c) $(7 - 10) - (2 - 9)$

d) $(10 - 3 + 4) - (9 - 2 + 8)$

e) $(-3 + 5 - 9) - (-4 + 11 + 6)$

11 Calcula:

a) $25 - [4 - (3 - 9)]$

b) $(10 - 7) - [11 - (7 - 5)]$

c) $15 - [(8 - 6) + (3 - 7)]$

d) $[(+3) - (-5) + (-7)] - [(+2) - (-10)]$

e) $16 - [16 - (16 - 4)] + (-16)$

4 MULTIPLICACIÓN DE NÚMEROS ENTEROS

Recuerda que la multiplicación es una forma abreviada de expresar una suma de sumandos iguales. Veamos los diferentes casos de multiplicación de enteros.

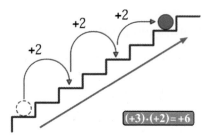

■ **PRIMER CASO: PRODUCTO DE DOS NÚMEROS POSITIVOS**

"Hacer tres subidas de dos escalones" equivale a subir seis escalones:

$$+ (+2) + (+2) + (+2) = 2 + 2 + 2 = +6$$

$(+3) \cdot (+2) = +6$ → **Más** tres **por más** dos es igual a **más** seis.

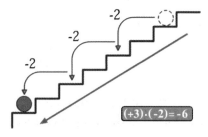

■ **SEGUNDO CASO: PRODUCTO DE UN NÚMERO POSITIVO POR UNO NEGATIVO**

"Hacer tres bajadas de dos escalones" equivale a bajar seis escalones:

$$+(-2) + (-2) + (-2) = -2 - 2 - 2 = -6$$

$(+3) \cdot (-2) = -6$ → **Más** tres **por menos** dos es igual a **menos** seis.

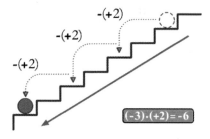

■ **TERCER CASO: PRODUCTO DE UN NÚMERO NEGATIVO POR UNO POSITIVO**

"Hacer tres veces lo contrario de subir dos escalones" equivale a bajar seis escalones:

$$-(+2) - (+2) - (+2) = -2 - 2 - 2 = -6$$

$(-3) \cdot (+2) = -6$ → **Menos** tres **por más** dos es igual a **menos** seis.

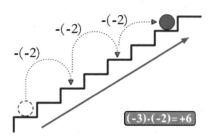

■ **CUARTO CASO: PRODUCTO DE DOS NÚMEROS NEGATIVOS**

"Hacer tres veces lo contrario de bajar dos escalones" equivale a subir seis escalones:

$$-(-2) - (-2) - (-2) = +2 + 2 + 2 = +6$$

$(-3) \cdot (-2) = +6$ → **Menos** tres **por menos** dos es igual a **más** seis.

Como ves, lo único nuevo que necesitas aprender es el cálculo del signo del producto.

ACTIVIDADES

1 Expresa como producto las siguientes sumas y calcula el resultado:

a) $+(-5) + (-5) + (-5)$

b) $-(+3) - (+3) - (+3) - (+3)$

c) $+(+4) + (+4) + (+4)$

d) $-(-2) - (-2) - (-2) - (-2) - (-2) - (-2)$

e) $+(-6) + (-6) + (-6)$

2 Calcula:

a) $(+5) \cdot (+4)$ b) $(-3) \cdot (+6)$

c) $(+5) \cdot (-3)$ d) $(-4) \cdot (-3)$

e) $(-5) \cdot (-8)$ f) $(+6) \cdot (-4)$

3 Copia y completa el factor desconocido:

a) $(-3) \cdot \boxed{?} = -21$ b) $(+6) \cdot \boxed{?} = -18$

c) $(-5) \cdot \boxed{?} = +30$ d) $(+12) \cdot \boxed{?} = +36$

▣ PRÁCTICA DE LA MULTIPLICACIÓN. REGLA DE LOS SIGNOS

Para automatizar la multiplicación de enteros, aplica la siguiente regla que te permite obtener el signo del producto sin tener que pararte a reflexionar:

REGLA DE LOS SIGNOS

- Si los factores tienen el mismo signo, el resultado es positivo.
- Si los factores tienen distinto signo, el resultado es negativo.

$$(+) \cdot (+) = +$$
$$(-) \cdot (-) = +$$
$$(+) \cdot (-) = -$$
$$(-) \cdot (+) = -$$

Por ejemplo: $(+5) \cdot (-2) = -10$ $(-10) \cdot (-4) = +40$

$(+5) \cdot (-2) \cdot (-4) = (-10) \cdot (-4) = +40$

PROPIEDAD DISTRIBUTIVA

$a \cdot (b + c) = a \cdot b + a \cdot c$
$(-5) \cdot [(+2) + (-6)] =$
$= (-5) \cdot [-4] = +20$

$(-5) \cdot (+2) + (-5) \cdot (-6) =$
$= (-10) + (+30) = +20$

▣ OPERACIONES COMBINADAS

En las expresiones con números enteros, igual que con las de números naturales, hemos de tener en cuenta el orden de prioridad de las operaciones.

En las expresiones con números enteros hemos de atender:
- Primero a los paréntesis.
- Después a las operaciones multiplicativas (× y :).
- Por último, a las operaciones aditivas (+ y −).

EJEMPLOS

a) $(+2) \cdot (-3) + (-5) \cdot (-3) - (-2) \cdot (+7) = (-6) + (+15) - (-14) =$
$$= -6 + 15 + 14 = 29 - 6 = 23$$

b) $15 - 6 \cdot [11 + 2 \cdot (-4)] =$
→ $15 - 6 \cdot [11 + (-8)] = 15 - 6 \cdot [11 - 8] =$
$= 15 - 6 \cdot 3 = 15 - 18 = -3$
→ $15 - 6 \cdot 11 - 6 \cdot 2 \cdot (-4) =$
$= 15 - 66 + 48 = 63 - 66 = -3$

ACTIVIDADES

4 Calcula:

  a) $(-2) \cdot (+6)$ b) $(-7) \cdot (-3)$

  c) $(+2) \cdot (-5)$ d) $(+4) \cdot (+3)$

  e) $(-1) \cdot (-8)$ f) $(+6) \cdot (-5)$

5 Comprueba que la multiplicación es asociativa:

  $(+3) \cdot [(-5) \cdot (-2)] = [(+3) \cdot (-5)] \cdot (-2)$

6 Calcula: a) $(-2) \cdot (-7) \cdot (-1)$ b) $(+5) \cdot (-4) \cdot (-3)$

7 Calcula:

  a) $(-2) \cdot (-7) - 8 \cdot (-4) - (-5) \cdot (-2)$

  b) $30 - (-2) \cdot (-10) + (-5) \cdot (+8)$

  c) $18 + 2 \cdot (5 - 9) - 3 \cdot (10 - 7)$

  d) $3 \cdot [4 - 2 \cdot (5 - 11)] - 18$

5 DIVISIÓN DE NÚMEROS ENTEROS

En la división de enteros, lo único nuevo que necesitas aprender es la forma de calcular el signo del cociente.

■ Con lo que ya sabes del producto, es fácil averiguar ese signo. Lo comprobarás con los siguientes ejemplos:

$(+3) \cdot (+5) = (+15) \rightarrow (+15) : (+3) = +5 \rightarrow$ **Más entre más, más.**

$(-3) \cdot (-5) = (+15) \rightarrow (+15) : (-3) = -5 \rightarrow$ **Más entre menos, menos.**

$(+3) \cdot (-5) = (-15) \begin{cases} (-15) : (+3) = -5 \rightarrow \textbf{Menos entre más, menos.} \\ (-15) : (-5) = +3 \rightarrow \textbf{Menos entre menos, más.} \end{cases}$

La regla de los signos para la división coincide con la del producto.	SIGNOS IGUALES	$\begin{cases} (+) : (+) = + \\ (-) : (-) = + \end{cases}$
	SIGNOS DIFERENTES	$\begin{cases} (+) : (-) = - \\ (-) : (+) = - \end{cases}$

EJEMPLOS

$(-30) : (+5) = -6$ $\qquad$ $(+10) : (+2) = +5$

$(+18) : (-2) = -9$ $\qquad$ $(-21) : (-3) = +7$

■ Ten en cuenta, también, que el cociente de dos números enteros no siempre es entero:

$$(+19) : (-3) \rightarrow \text{No tiene solución entera.}$$

■ PRÁCTICA DE LA DIVISIÓN. EJEMPLOS RESUELTOS

Sigue con atención los cálculos que se presentan en los siguientes apartados. Mejor aún, trata de llegar por tu cuenta a cada resultado y después compara.

a) LA DIVISIÓN NO ES CONMUTATIVA

$(+12) : (-3) = -4$

$(-3) : (+12) \rightarrow$ No tiene solución entera.

En la división, si se cambia el orden de los términos, cambia el resultado.

ACTIVIDADES

1 Escribe:

a) Tres divisiones de enteros cuyo cociente sea entero.

b) Tres divisiones de enteros cuyo cociente no sea entero.

2 Calcula el cociente entero, si existe:

a) $(-18) : (+6)$ $\qquad$ b) $(+20) : (-5)$

c) $(-4) : (-3)$ $\qquad$ d) $(-15) : (-3)$

e) $(+32) : (+8)$ $\qquad$ f) $(+8) : (+32)$

b) LA DIVISIÓN NO ES ASOCIATIVA

Al dividir varios números, el cociente varía según la forma en que se agrupan:

$$[(+40) : (-10)] : (-2) = (-4) : (-2) = +2$$

$$(+40) : [(-10) : (-2)] = (+40) : (+5) = +8$$

c) PRIORIDAD DE OPERACIONES

Recuerda que hemos de atender primero a los paréntesis, después a la multiplicación y a la división, y por último, a la suma y a la resta:

$$6 : 2 + 1 = 3 + 1 = 4 \qquad\qquad 6 : (2 + 1) = 6 : 3 = 2$$

d) COCIENTE DE UNA SUMA ENTRE UN NÚMERO

El cociente de una suma entre un número coincide con la suma de los cocientes de cada sumando entre dicho número:

$$(a + b) : c = a : c + b : c$$

$$[(+10) + (+20)] : (-5) = (+30) : (-5) = -6$$

$$(+10) : (-5) + (+20) : (-5) = (-2) + (-4) = -6$$

EJEMPLOS

a) $(+30) : (-5) + (+2) \cdot (+4) - (-15) : (-3) = (-6) + (+8) - (+5) =$
$$= -6 + 8 - 5 = 8 - 11 = -3$$

b) $[(-14) - (+16)] : [21 + (-2) \cdot (+3)] = [-14 - 16] : [21 - 6] =$
$$= (-30) : (+15) = -2$$

c) $40 : [(-3) + (-12) : (+4)] = 40 : [(-3) + (-3)] = 40 : [-3 - 3] =$
$$= 40 : (-6) = - (40 : 6) \rightarrow \text{No tiene solución entera.}$$

ACTIVIDADES

3 Calcula:

a) $(+28) : (+4)$ b) $(+35) : (-7)$

c) $(-21) : (-3)$ d) $(-8) : (-4)$

e) $(-3) : (-3)$ f) $30 : (-6)$

4 Halla:

a) $[(-36) : (-6)] : (+2)$ b) $(-36) : [(-6) : (+2)]$

c) $[(+42) : (-6)] : (+3)$ d) $(+42) : [(-6) : (+3)]$

5 Opera:

a) $12 : 4 + 2$ b) $12 : (4 + 2)$

c) $(+18) : (-3) - (-8)$ d) $14 - 24 : 3 + 6 : 2$

6 Calcula:

a) $12 : 3 - 4 : 2 - 42 : 7 - 20 : 6$

b) $(+ 15) : (-5) - (-18) : (-2) + (-32) : (-8)$

c) $(-3) \cdot (-4) - (-24) : (+6) - (+5) \cdot (+ 3)$

d) $16 - 30 : [6 - 2 \cdot (3 - 1) + 3]$

e) $[(+23) + (-5)] : [12 - (+3) \cdot (-2)]$

f) $[(-30) + (-18)] : (-6) + [125 - (-30)] : (-5)$

g) $(+9) : (+2) - (-11) : (+2) - (+13) : (+2)$

h) $(+10) : (-3) - (-7) : (-3) + (-4) : (-3)$

6 POTENCIAS Y RAÍCES DE NÚMEROS ENTEROS

Recuerda que una potencia es una forma abreviada de escribir una multiplicación de varios factores iguales:

$$\underbrace{a \cdot a \cdot a \cdot \ldots \cdot a}_{n \text{ veces}} = a^n \leftarrow \text{EXPONENTE}$$

a^n ← EXPONENTE
BASE

Las propiedades sobre potencias que aprendiste para números naturales siguen siendo válidas para números enteros.

■ POTENCIAS DE BASE POSITIVA

Una potencia de base positiva es siempre un número positivo:

$$(+2)^4 = (+2) \cdot (+2) \cdot (+2) \cdot (+2) = +16$$

■ POTENCIAS DE BASE NEGATIVA

Al multiplicar reiteradamente un número negativo por sí mismo, vamos obteniendo, alternativamente, resultados positivos y negativos.

$(-2)^1 = -2$ ⟶ negativo

$(-2)^2 = (-2) \cdot (-2) = +4$ ⟶ positivo

$(-2)^3 = (-2) \cdot (-2) \cdot (-2) = -8$ ⟶ negativo

$(-2)^4 = (-2) \cdot (-2) \cdot (-2) \cdot (-2) = +16$ ⟶ positivo

En general, podemos afirmar que:

> Al elevar un número negativo a una potencia:
>
> - Si el exponente es par, el resultado es positivo. $\Big\}$ $(-a)^{\text{número par}}$ → **positivo**
>
> - Si el exponente es impar, el resultado es negativo. $\Big\}$ $(-a)^{\text{número impar}}$ → **negativo**

■ RAÍZ CUADRADA DE UN NÚMERO NEGATIVO

Recuerda el significado de la raíz cuadrada e intenta calcular $\sqrt{-9}$.

$$\sqrt{-9} = x \rightarrow x^2 = -9$$

Como ves, no es posible, ya que:

El cuadrado de un número es siempre positivo. Por tanto:

No existe ningún número x cuyo cuadrado sea -9.

El razonamiento se puede generalizar para la raíz de cualquier número negativo.

> La raíz cuadrada de un número negativo no existe.

ERRORES FRECUENTES AL OPERAR CON POTENCIAS Y RAÍCES

■ En general, no es lo mismo $(-a)^n$ que $-a^n$.

Observa que: $(-a)^n = \underbrace{(-a) \cdot (-a) \cdot (-a) \cdot \ldots \cdot (-a)}_{n \text{ veces}}$

$$-a^n = -\underbrace{a \cdot a \cdot a \cdot \ldots \cdot a}_{n \text{ veces}}$$

$\left.\begin{array}{l} (-3)^2 = (-3) \cdot (-3) = +9 \\ -3^2 = -(3^2) = -(3 \cdot 3) = -9 \end{array}\right\} \quad (-3)^2 \neq -3^2$

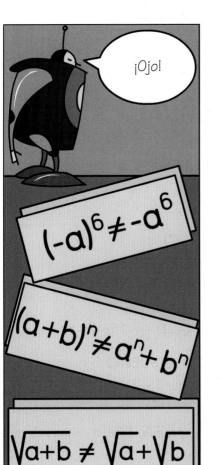

¡Ojo!

$(-a)^6 \neq -a^6$

$(a+b)^n \neq a^n + b^n$

$\sqrt{a+b} \neq \sqrt{a} + \sqrt{b}$

■ No es lo mismo $(a + b)^n$ que $a^n + b^n$.

$$(a + b)^n = \underbrace{(a + b) \cdot (a + b) \cdot \ldots \cdot (a + b)}_{n \text{ veces}}$$

$$a^n + b^n = \underbrace{a \cdot a \cdot \ldots \cdot a}_{n \text{ veces}} + \underbrace{b \cdot b \cdot \ldots \cdot b}_{n \text{ veces}}$$

$\left.\begin{array}{l} (3 + 7)^2 = 10^2 = 100 \\ 3^2 + 7^2 = 9 + 49 = 58 \end{array}\right\} \quad (3 + 7)^2 \neq 3^2 + 7^2$

$\left.\begin{array}{l} (8 - 6)^2 = 2^2 = 4 \\ 8^2 - 6^2 = 64 - 36 = 28 \end{array}\right\} \quad (8 - 6)^2 \neq 8^2 - 6^2$

■ No es lo mismo $\sqrt{a + b}$ que $\sqrt{a} + \sqrt{b}$.

$\left.\begin{array}{l} \sqrt{16 + 9} = \sqrt{25} = 5 \\ \sqrt{16} + \sqrt{9} = 4 + 3 = 7 \end{array}\right\} \quad \sqrt{16 + 9} \neq \sqrt{16} + \sqrt{9}$

$\left.\begin{array}{l} \sqrt{100 - 64} = \sqrt{36} = 6 \\ \sqrt{100} - \sqrt{64} = 10 - 8 = 2 \end{array}\right\} \quad \sqrt{100 - 64} \neq \sqrt{100} - \sqrt{64}$

ACTIVIDADES

1 Calcula:

a) $(+2)^5$ b) $(-2)^5$ c) -2^5

d) $(-2)^6$ e) -2^6 f) $(+2)^6$

2 Calcula:

a) $(-1)^{36}$ b) $(-1)^{37}$ c) $(-1)^{38}$ d) $(-1)^{39}$

3 Calcula:

a) $3^2 \cdot 3^3$ b) $2^7 : 2^4$ c) $(-5)^7 : (-5)^7$

4 Calcula:

a) $(5 + 3)^2$ b) $5^2 + 3^2$ c) $(6 - 4)^2$

d) $6^2 - 4^2$ e) $(1 - 5)^2$ f) $1^2 - 5^2$

5 Calcula, si existen:

a) $\sqrt{36 + 64}$ b) $\sqrt{36} + \sqrt{64}$

c) $\sqrt{100 - 36}$ d) $\sqrt{100} - \sqrt{36}$

e) $\sqrt{16 - 25}$ f) $\sqrt{16} - \sqrt{25}$

EJERCICIOS DE LA UNIDAD

▷ El conjunto ℤ.
Orden y representación

1 ▲△△ Expresa matemáticamente, con operaciones de enteros, los siguientes enunciados:

- Me dan 5 € de paga.
- Me gasto 12 € en un disco.
- Me llega una factura de 20 €.
- Mi hermana me perdona una deuda de 25 €.
- Acabo de perder los 10 € que me ha dado mi tío Nicolás.
- Mi madre no me va a dar la paga de 5 € del domingo.

2 ▲△△ Descontando los gastos, deudas y facturas que tiene Ricardo de sus ingresos, haberes y ganancias, le quedan 1 580 €.

Si hoy su hermano le ha perdonado una deuda de 190 €, ¿cuál será su saldo en la actualidad?

$$1580 - (-190) = ?$$

3 ▲△△ Escribe el opuesto de cada uno de los siguientes números:

a) +13   b) −21   c) +1   d) 0   e) −8

4 ▲△△ Ordena de menor a mayor:

a) +4, 0, +5, +9, +8, +2

b) −5, −3, 0, −1, −10, −2

c) 10, −3, −7, +5, −4, 6, −8

▷ Suma y resta

5 ▲△△ Comprueba, con los números (+5), (−7) y (−4), que la suma es asociativa:

$$a + (b + c) = (a + b) + c$$

6 ▲△△ Quita paréntesis:

a) +(−5)   b) −(−4)   c) −(+6)

d) −(+8)   e) +(+12)   f) +(−5)

g) −[−(−3)]   h) −[+(−5)]   i) −[−(+7)]

7 ▲△△ Calcula:

a) 12 − 8 + 4 − 9 − 3 + 10

b) 5 − 9 − 7 + 4 − 6 + 8

c) −1 − 3 + 5 − 8 − 4 − 3 + 2

d) −6 − 9 + 4 + 12 − 15 + 21

8 ▲△△ Calcula:

a) (−5) − (−5) − (+5)

b) (−12) + (+6) − (−7)

c) (+6) + (−2) − (+5) − (−7)

d) (+18) − (−11) − (+10) + (−14)

e) (−8) − (−1) − (+3) + (−5) + (+9)

f) (+2) − (+12) + (−11) − (−15) − (−5)

9 ▲△△ **EJERCICIO RESUELTO**

Calcular 11 − (5 − 8 − 6 + 3).

Resolución

Podemos hacerlo operando antes o después de quitar los paréntesis:

- 11 − (5 − 8 − 6 + 3) = 11 − (5 + 3 − 8 − 6) =
  = 11 − (8 − 14) = 11 − (−6) = 11 + 6 = 17
- 11 − (5 − 8 − 6 + 3) = 11 − 5 + 8 + 6 − 3 =
  = 11 + 8 + 6 − 5 − 3 = 25 − 8 = 17

10 ▲△△ Calcula:

a) 10 − (8 + 4)

b) 6 − (3 − 12)

c) (5 + 7) − (2 − 8)

d) 18 + (3 − 5 + 2 − 8)

e) 15 − (8 − 2 − 6 + 1)

f) (5 − 3 + 2) − (10 − 5 − 3 + 1)

11 ▲△△ Quita paréntesis, como se ha hecho en la primera expresión:

a) (+a) + (+b) = a + b   b) (+a) + (−b)

c) (+a) − (+b)   d) (+a) − (−b)

e) (−a) + (+b)   f) (−a) + (−b)

g) (−a) − (+b)   h) (−a) − (−b)

12 ▲△△ **EJERCICIO RESUELTO**

[(+2) + (−12)] − [(+5) − (3 − 7) + (−6)]=

= [2 − 12] − [5 − (−4) − 6] = [−10] − [5 + 4 − 6] =

= [−10] − [9 − 6] = (−10) − (+3) = −10 − 3 = −13

13 ▲△△ Calcula:

a) $(4 - 6) - [(-2) + (-7)]$

b) $(-9) + [(-4) - (-2) + (-3)]$

c) $(+12) - [(+2) + (-7) - (+14)]$

d) $[(-12) - (-20)] - [(+6) + (5 - 9) - (16 - 8 - 11)]$

▷ **Multiplicación y división**

14 ▲△△ Calcula los productos:

a) $(+11) \cdot (+7)$ b) $(+5) \cdot (-12)$

c) $(-3) \cdot (+20)$ d) $(-5) \cdot (-15)$

e) $(-4) \cdot (+2) \cdot (-8)$ f) $(-3) \cdot (-1) \cdot (-5)$

g) $(+2) \cdot (+3) \cdot (-2)$ h) $(+5) \cdot (-1) \cdot (-2) \cdot (+3)$

15 ▲△△ Halla el cociente:

a) $(+48) : (-6)$ b) $(-150) : (+3)$

c) $300 : (-6)$ d) $(-99) : (-11)$

e) $(-8) : (-1)$ f) $(+300) : (+12)$

g) $(-1000) : 25$ h) $(-1) : (-1)$

16 ▲△△ EJERCICIO RESUELTO

• $[(+80) : (-10)] : (-2) = (-8) : (-2) = +4$

• $(+80) : [(-10) : (-2)] = (+80) : [+5] = +16$

17 ▲△△ Calcula:

a) $(+5) \cdot (-4) \cdot (+3)$

b) $(+5) \cdot [(-4) \cdot (+3)]$

c) $[(+45) : (-15)] : (-3)$

d) $(+45) : [(-15) : (-3)]$

e) $([[(+81) : (-3)] : (+9)]) : (-3)$

f) $[(+81) : (-3)] : [(+9) : (-3)]$

18 ▲△△ Calcula:

a) $20 + 5 \cdot (6 - 9)$

b) $18 - 3 \cdot (4 + 2)$

c) $4 \cdot (2 - 6) - 5 \cdot (3 - 7)$

d) $150 : (7 - 12)$

e) $(35 - 15) : (5 - 8)$

f) $(6 - 2 - 10) : (5 - 11)$

19 ▲△△ EJERCICIO RESUELTO

$(+3) \cdot (-4) - (-12) \cdot (-4) - (-6) \cdot (+4) =$

$= (-12) - (+48) - (-24) = -12 - 48 + 24 =$

$= 24 - 12 - 48 = 24 - 60 = -36$

20 ▲△△ Calcula:

a) $(-2) \cdot (+7) + (+5) \cdot (+6)$

b) $(+4) \cdot (-20) - (+2) \cdot (-40)$

c) $(+5) \cdot (+10) - (+4) \cdot (-20)$

d) $(+5) \cdot [(-3) + (+7)]$

e) $(-2) \cdot [8 - (+4) - (-10)]$

f) $[(-6) - (-3)] \cdot [(+5) - (-2)]$

21 ▲△△ EJERCICIO RESUELTO

$(-2) \cdot [(+4) - (+6)] - (+3) \cdot [(-1) + (-2) - (-5)] =$

$= (-2) \cdot [4 - 6] - (+3) \cdot [-1 - 2 + 5] =$

$= (-2) \cdot (-2) - (+3) \cdot (+2) = (+4) - (+6) =$

$= 4 - 6 = -2$

22 ▲△△ Calcula:

a) $(-5) \cdot [(-5) + (+2) - (4 + 6 - 1)]$

b) $(-3) \cdot (+2) - [(-5) + (-7) - (-1)] \cdot (-3)$

c) $3 \cdot [(+4) + (-6)] - (-2) \cdot [8 - (+4)]$

d) $6 + (3 - 5 + 4) \cdot 2 - 3 \cdot (6 - 9 + 8)$

▷ **Potencias y raíces**

23 ▲△△ Calcula:

a) El cuadrado de (-10).

b) El cuadrado de (-15).

c) El cubo de (-5).

d) El cubo de (-10).

24 ▲△△ Calcula:

a) $(-5)^3$

b) $(+5)^3$

c) -5^3

d) $(-5)^4$

e) $(+5)^4$

f) -5^4

25 ▲△△ Calcula el valor de x, y, z y k:

a) $(-x)^3 = -8$

b) $(+y)^4 = 81$

c) $z^5 = -1$

d) $(+k)^5 = -1$

26 ▲△△ Calcula, si existe:

a) $\sqrt{81} - \sqrt{100}$ b) $\sqrt{81 - 100}$

c) $\sqrt{81 + 144}$ d) $\sqrt{81} + \sqrt{144}$

27 ▲△△ Calcula:

a) $(-3)^2 \cdot (-3)$ b) $(-2)^2 \cdot (+2)^3$

c) $(+4)^3 : (+4)^2$ d) $(-5)^4 : (+5^2)$

▷ **Problemas**

28 ▲△△ Un día de invierno, a las doce de la maña-na, la temperatura en el patio del colegio era de −4 °C, y en el interior de la clase, de 17 °C.

¿Cuál era la diferencia de temperatura entre el interior y el exterior?

29 ▲△△ Ayer, la temperatura a las nueve de la maña-na era de 15 °C. A mediodía había subido 6 °C, a las cinco de la tarde marcaba 3 °C más, a las nueve de la noche había bajado 7 °C y a las doce de la noche aún había bajado otros 4 °C.

¿Qué temperatura marcaba el termómetro a me-dianoche?

30 ▲△△ La tabla expresa las temperaturas máxima y mínima de varias ciudades en un día de julio.

	MÁXIMA	MÍNIMA
ATENAS	36	25
LISBOA	38	26
LONDRES	25	18
MADRID	38	21
PEQUÍN	28	20
BUENOS AIRES	15	4
SANTIAGO DE CHILE	9	−2

¿Qué ciudad tuvo una variación de temperatura más brusca? ¿Cuántos grados supuso esa variación?

31 ▲△△ Aristóteles, uno de los filósofos más influ-yentes de todos los tiempos, vivió entre los años 106 y 43 a.C.

¿A qué edad murió? ¿Cuántos años hace de eso?

32 ▲△△ ¿En qué año nos situamos medio siglo an-tes del año 15 de nuestra era?

33 ▲△△ En las vidas de Cicerón y Séneca encon-tramos numerosos rasgos comunes. Los dos eran ciudadanos de Roma, cultos, buenos ora-dores y metidos en política, lo que a ambos les costó la vida. Sin embargo, vivieron en distinta época:

• Cicerón nació en el año 106 a.C. y vivió 63 años.

• Séneca nació 47 años después de la muerte de Cicerón y vivió 61 años.

¿En qué año murió Séneca?

34 ▲△△ El empresario de una estación invernal re-sume así la marcha de su negocio durante el año pasado:

1er TRIMESTRE	Ganancias de 3 875 € cada mes
2º TRIMESTRE	Pérdidas de 730 € cada mes
3er TRIMESTRE	Pérdidas de 355 € cada mes
4º TRIMESTRE	Ganancias de 2 200 € cada mes

¿Cuál fue el balance final?

35 ▲△△ Azucena tenía el cinco de septiembre 187 € en su cuenta bancaria. La cuenta ha sufrido las va-riaciones que se indican a continuación:

BANCO KOKO		EXTRACTO DE MOVIMIENTOS nº de cuenta..................................		
FECHA	D	H	CONCEPTO
10 - IX	18 €		Extracción cajero
13 - IX		3 €	Abono intereses cuenta
1 - X		1084 €	Abono nómina
5 - X	93 €		Recibo compañía telefónica
15 - X	53 €		Gasto comercio
15 - X	520 €		Préstamo hipotecario

¿Cuál es su saldo el día quince de octubre?

▷ Números negativos con calculadora

36 △△△ EJERCICIO RESUELTO

Escribe en la pantalla de tu calculadora el número − 8.

Resolución

• Por medio de una resta:

0 ⊟ 8 ⊜ → ▢ - 8

• Con las teclas de memoria:

8 M₋ MR → ▢ - 8

37 △△△ Utilizando los procedimientos del ejercicio anterior, escribe en la pantalla de tu calculadora:

a) −6   b) −15   c) −585

38 △△△ Fijándote en la operación que se da resuelta, di las soluciones de las que se te proponen. Después, comprueba con la calculadora.

$$143 - 156 = -13$$

a) $243 - 256$ b) $43 - 156$

c) $143 - 256$ d) $543 - 556$

$$320 : 80 = 4$$

e) $(+32) : (+8)$ f) $(-32) : (-8)$

g) $(-320) : (+80)$ h) $(-320) : (-8)$

PROBLEMAS DE ESTRATEGIA

39 Dispones de:

• Una balanza con dos platillos, A y B.

• Tres pesas: una de 1 kg, otra de 3 kg y la tercera de 5 kg.

• Un saco de patatas.

Busca todas las cantidades de patatas que podrías pesar, con una sola pesada, usando la balanza y una, dos o las tres pesas.

Por ejemplo: para pesar dos kilos de patatas puedes colocar la pesa de 5 kg en el platillo A y la de 3 kg, en el platillo B.

Recoge tus resultados en una tabla como la que ves a la derecha.

PESO (en kg)	PLATILLO A	PLATILLO B
1	1	0
2	5	3
3	…	…
4	…	…
5	…	…
…	…	…

40 Supón que tienes una balanza y estas cuatro pesas.

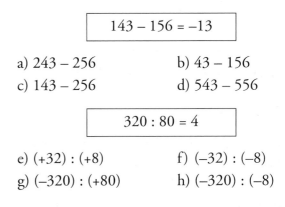

¿Cómo pesarías con ellas las siguientes cantidades?

a) 6 kg   b) 5 kg   c) 14 kg

d) 29 kg   e) 30 kg   f) 38 kg

41 Lee atentamente lo que Nuria puede hacer con sus tres pesas y una balanza:

Yo, con mis tres pesas, puedo apartar cualquier cantidad exacta de kilos siempre que sea menor que 14.

¿Sabrías decir de cuántos kilos es cada una de las tres pesas de Nuria?

HAZ UN ESQUEMA

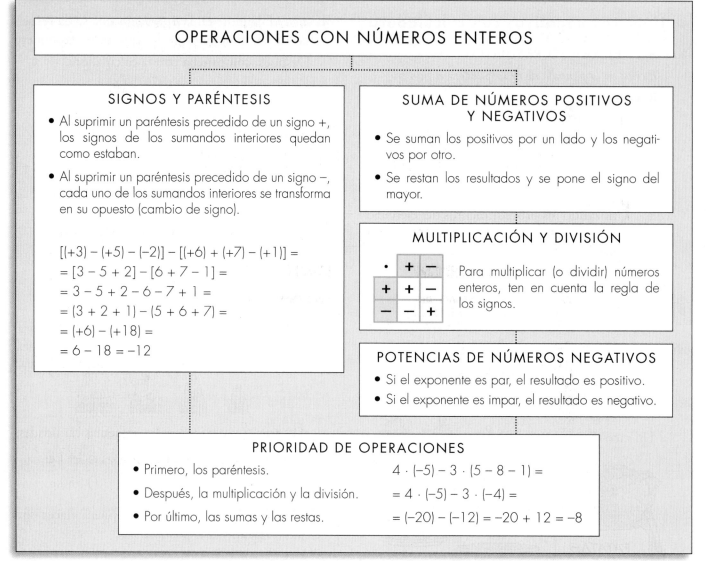

OPERACIONES CON NÚMEROS ENTEROS

SIGNOS Y PARÉNTESIS

- Al suprimir un paréntesis precedido de un signo +, los signos de los sumandos interiores quedan como estaban.
- Al suprimir un paréntesis precedido de un signo −, cada uno de los sumandos interiores se transforma en su opuesto (cambio de signo).

$$[(+3) − (+5) − (−2)] − [(+6) + (+7) − (+1)] =$$
$$= [3 − 5 + 2] − [6 + 7 − 1] =$$
$$= 3 − 5 + 2 − 6 − 7 + 1 =$$
$$= (3 + 2 + 1) − (5 + 6 + 7) =$$
$$= (+6) − (+18) =$$
$$= 6 − 18 = −12$$

SUMA DE NÚMEROS POSITIVOS Y NEGATIVOS

- Se suman los positivos por un lado y los negativos por otro.
- Se restan los resultados y se pone el signo del mayor.

MULTIPLICACIÓN Y DIVISIÓN

·	+	−
+	+	−
−	−	+

Para multiplicar (o dividir) números enteros, ten en cuenta la regla de los signos.

POTENCIAS DE NÚMEROS NEGATIVOS

- Si el exponente es par, el resultado es positivo.
- Si el exponente es impar, el resultado es negativo.

PRIORIDAD DE OPERACIONES

- Primero, los paréntesis.
- Después, la multiplicación y la división.
- Por último, las sumas y las restas.

$$4 · (−5) − 3 · (5 − 8 − 1) =$$
$$= 4 · (−5) − 3 · (−4) =$$
$$= (−20) − (−12) = −20 + 12 = −8$$

AUTOEVALUACIÓN

1 Ordena estos números y represéntalos en la recta numérica:

$$−3 \quad +5 \quad −7 \quad 0 \quad +3 \quad +6 \quad −1 \quad +1$$

2 Completa:

a) $|−6| =$ b) $|+12| =$ c) $|−8| =$

3 Quita paréntesis:

a) $−(+8)$ b) $+ (−5)$ c) $−(−3)$ d) $+(+12)$

4 Calcula:

$$6 − 3 + 5 − 8 − 4 − 2 + 1 + 7$$

5 Calcula:

a) $20 − (4 − 13 + 5)$ b) $15 − [4 − (5 − 8)]$

6 Calcula:

a) $(+3) · (−12)$ b) $(−5) · (−11)$ c) $(−60) : (+20)$

7 Calcula:

$$(+2) · (−7) − 5 · (8 − 6)$$

8 La temperatura en la cima del Pico Perdiguero a las 5 de la mañana era de −2 °C. Tras la salida del Sol experimentó una subida de 10 °C, pero un temporal repentino al mediodía hizo que descendiera 14 °C. ¿Cuál era la temperatura en plena tormenta?

JUEGOS PARA PENSAR

Dados que se oponen

Los dos dados que ves a la derecha son idénticos.

Observa la colocación de las puntuaciones sobre sus caras.

a) ¿Cuáles de los siguientes desarrollos corresponden a esos dados?

A   B   C   D

b) ¿Qué puntuación se esconde bajo el dedo pulgar? ¿Y bajo el dedo índice?

c) Tirando ambos dados y sumando los resultados, ¿cuál es la puntuación máxima que se puede obtener? ¿Y la mínima?

d) Escribe todos los resultados posibles.

e) Al tirar los dos dados y sumar sus puntuaciones, hay dos formas de obtener cinco puntos:

esta → ⟨2⟩ ⟨3⟩   y esta → ⟨3⟩ ⟨2⟩

¿Cuántas formas hay de obtener cero puntos?

f) Juana y Roberto juegan a tirar los dados y sumar. Juana apuesta por el cinco y Roberto, por el cero. ¿Quién ganará más veces? Justifica la respuesta.

Hermanos de juego

Aquí hay cuatro parejas de hermanos. Has de saber que los Ribeiro practican el mismo deporte; los Ferrer llevan el mismo número en la camiseta; en la familia Urrutia no hay hijos varones, y a los García les gusta el cine.

¿Puedes diferenciarlos?

Aitana   Carlos   Rober   Andrés

Rafa   Kuka   Poli   Jara

Cuadrado mágico

En un cuadrado mágico, las filas, las columnas y las diagonales tienen la misma suma.

4	9	2
3	5	7
8	1	6

Coloca en el tablero los números enteros comprendidos entre el −4 y el +4 para que formen un cuadrado mágico.

0	+1	+2	+3	+4

-1	-2	-3	-4

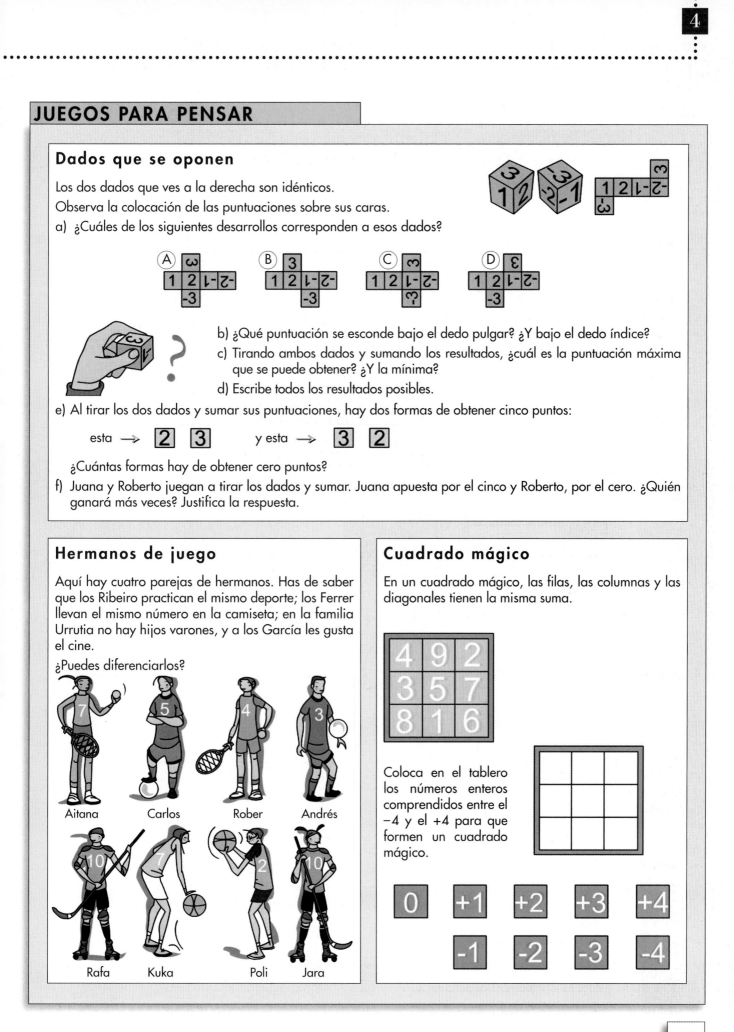

5 LOS NÚMEROS DECIMALES

REFLEXIONA

COMPAÑÍA SUMINISTRO DE AGUA

FACTURA TRIMESTRAL

LECTURA ANTERIOR (B)	LECTURA ACTUAL (A)	CONSUMO (A − B) m³
769	871	102

FACTURA	GASTO m³ (G)	PRECIO €/m³ (P)	IMPORTE (G × P)
BLOQUE 1 →	45 ×	0,25	… 11,25
BLOQUE 2 →	45 ×	0,6	… 27,00
BLO →	12 ×	1,3	

CUOTA SERVICIO (FIJA)	3,44
TOTAL FACTURA	

EL AGUA ES UN BIEN ESCASO. RACIONALICEMOS SU USO

Además de los números enteros, se necesitan otros números capaces de expresar partes de la unidad. Esto ocurre cuando manejamos cantidades con unidades incompletas (por ejemplo, cuando calculamos el importe del recibo del agua). De esos números nos vamos a ocupar en esta unidad (los decimales) y en la siguiente (las fracciones).

■ Observa las tarifas del recibo del agua y completa la tabla. ¿A quién le resulta más cara el agua, al que gasta poca o al que gasta mucha?

Primeros 45 m³	Entre 45 y 90 m³	Por encima de 90 m³
0,25 €/m³	… €/m³	… €/m³

■ ¿Cuánto suma en la factura el coste de los últimos 12 m³ gastados?

■ ¿Cuál es el importe total de la factura?

TE CONVIENE RECORDAR

LA ESTRUCTURA Y FUNCIONAMIENTO DEL SISTEMA DE NUMERACIÓN DECIMAL

CM	DM	UM	C	D	U
	2	6	5	8	2

$$20\,000 = 2 \cdot 10\,000$$
$$6\,000 = 6 \cdot 1\,000$$
$$500 = 5 \cdot 100$$
$$80 = 8 \cdot 10$$
$$2 = 2 \cdot 1$$

El valor de una cifra depende del lugar que ocupa.

$$26\,582 = 2 \cdot 10^4 + 6 \cdot 10^3 + 5 \cdot 10^2 + 8 \cdot 10 + 2$$

1   a) ¿Cuántas decenas hay en un millar?

   b) ¿Cuántos millones hay en 20 centenas de millar?

2   **Descompón como en el ejemplo anterior:**

   a) **35 000**   b) **2 800 000**

CÓMO SE APROXIMA UN NÚMERO A UN DETERMINADO ORDEN DE UNIDADES

273 857

Aproximación a las centenas de millar ⟶ 300 000

Aproximación a las decenas de millar ⟶ 270 000

Aproximación a las unidades de millar ⟶ 274 000

3   **Aproxima a las unidades de millar los siguientes números:**

   a) **38 940**   b) **15 208**   c) **7 600**   d) **21 872**

CÓMO SE OPERA CON NÚMEROS POSITIVOS Y NEGATIVOS

Recuerda los algoritmos, el uso del paréntesis y la prioridad de las operaciones.

4   **Comprueba las siguientes igualdades:**

   a) $45 - (16 + 18 - 13) = 24$

   b) $5 \cdot 8 - 3\,(4 - 6) + 8\,(5 - 9) = 14$

   c) $(6\,318 : 81) \cdot 13 = 1\,014$

   d) $6\,318 : (81 \cdot 13) = 6$

CÓMO SE CALCULA LA RAÍZ CUADRADA (ENTERA) DE UN NÚMERO NATURAL

```
√ 2837 │ 53
 - 25  │ 103 × 3
  337
 - 309
   28
```

5   **Calcula: a) $\sqrt{257}$ b) $\sqrt{7\,269}$**

CÓMO SE MULTIPLICA Y SE DIVIDE POR LA UNIDAD SEGUIDA DE CEROS

$$35\,000 \cdot 100 = 3\,500\,000 \qquad\qquad 35\,000 : 100 = 350$$

6   **Calcula: a) $810 \cdot 1\,000$ b) $500 \cdot 100$ c) $8\,000 : 100$ d) $3\,500\,000 : 10\,000$**

1 SIGNIFICADO DE LAS CIFRAS DECIMALES

Para expresar cantidades más pequeñas que la unidad, utilizamos las décimas, las centésimas, las milésimas...

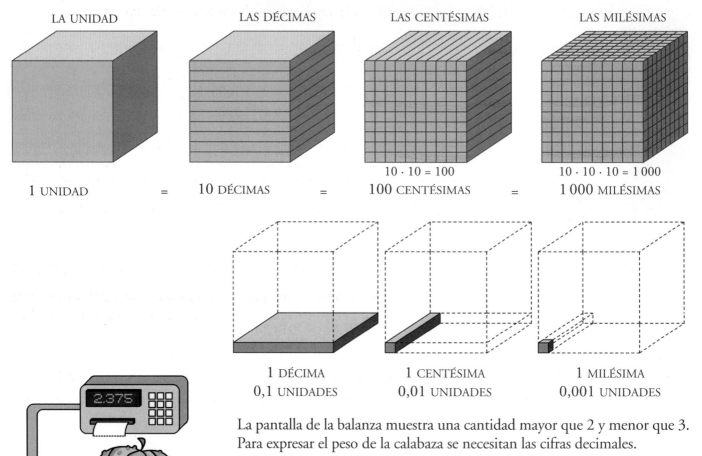

LA UNIDAD		LAS DÉCIMAS		LAS CENTÉSIMAS		LAS MILÉSIMAS
				10 · 10 = 100		10 · 10 · 10 = 1 000
1 UNIDAD	=	10 DÉCIMAS	=	100 CENTÉSIMAS	=	1 000 MILÉSIMAS

1 DÉCIMA	1 CENTÉSIMA	1 MILÉSIMA
0,1 UNIDADES	0,01 UNIDADES	0,001 UNIDADES

La pantalla de la balanza muestra una cantidad mayor que 2 y menor que 3. Para expresar el peso de la calabaza se necesitan las cifras decimales.

U	d	c	m
2	3	7	5

2 UNIDADES
3 DÉCIMAS
7 CENTÉSIMAS
5 MILÉSIMAS
} Dos unidades y trescientas setenta y cinco milésimas

ACTIVIDADES

1 Escribe con cifras:

a) Veinticinco centésimas.

b) Veinticinco milésimas.

c) Cuatro unidades y cinco diezmilésimas.

d) Ciento ochenta millonésimas.

2 Escribe cómo se leen estas cantidades:

a) 0,008   b) 0,080

c) 12,50   d) 1,025

e) 7,0523   f) 70,05

g) 0,000007   h) 0,0007

3 Observa la tabla y contesta:

D	U	d	c	m			
		1	0	0			
8	0	0	0				
			5	0	0	0	0
	4	2	0	0	0		

a) ¿Cuántas milésimas hay en una décima?

b) ¿Cuántas centésimas hay en ocho decenas?

c) ¿Cuántas millonésimas hay en cinco centésimas?

d) ¿Cuántas diezmilésimas hay en cuarenta y dos décimas?

2 LOS DECIMALES EN LA RECTA NUMÉRICA

Cada número decimal tiene su lugar en la recta numérica. Tomemos, por ejemplo, 1,638 m. Se trata de un número comprendido entre 1 y 2. Para representar las décimas, dividimos la unidad en diez partes.

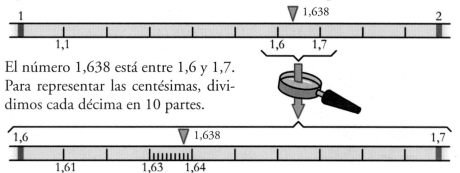

El número 1,638 está entre 1,6 y 1,7. Para representar las centésimas, dividimos cada décima en 10 partes.

El número 1,638 está entre 1,63 y 1,64. Para representar las milésimas, hemos dividido cada centésima en 10 partes.

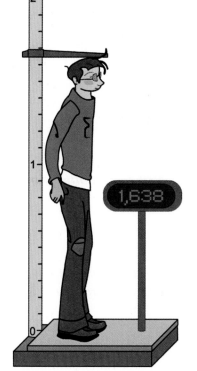

◼ ENTRE DOS DECIMALES SIEMPRE HAY OTROS DECIMALES

■ Elijamos dos números cualesquiera; por ejemplo, 2,6 y 2,9. Es evidente que entre ellos hay otros decimales, incluso con la misma cantidad de cifras:

$$2,6 < 2,7 < 2,8 < 2,9$$

■ Busquemos algún número decimal comprendido entre 2,6 y 2,7.

Estos dos números se diferencian en una décima, y esa décima se puede dividir en diez centésimas.

Añadiendo alguna de esas centésimas a 2,6, podemos obtener varios decimales comprendidos entre 2,6 y 2,7:

2,6   2,7

↓   ↓

$$2,60 < 2,61 < 2,62 < ... < 2,69 < 2,70$$

El proceso puede continuar indefinidamente o repetirse para cualquier otro par de números.

• Los números decimales se representan, ordenados, en la recta numérica.

• Entre dos decimales cualesquiera siempre se pueden encontrar otros decimales.

ACTIVIDADES

1 Representa en la recta numérica:

3   3,25   3,4   3,9   4

2 Ordena de mayor a menor estos números:

11,83   11,51   11,09   11,511   11,47

3 Intercala dos números decimales entre cada pareja de números:

a) 7 y 8   b) 2,4 y 2,9

c) 2,5 y 2,6   d) 5,12 y 5,14

3 TIPOS DE NÚMEROS DECIMALES

Para diferenciar los distintos tipos de números decimales con que te puedes encontrar, realiza las siguientes actividades y párate a reflexionar sobre los resultados obtenidos.

EJEMPLO

1. Se ha dividido una cuerda de 30 metros en 8 trozos iguales. ¿Cuántos metros mide cada trozo?

```
3 0 , 0 0 | 8
  6 0      3,75  ⟶ 3,75 m ⟶ Número decimal exacto.
    4 0
      0
```

2. Una cadena de oro de 11 eslabones pesa 35 gramos. ¿Cuántos gramos pesa cada eslabón?

```
3 5 , 0 0 0 … | 11
0 2 0          3,1818…  ⟶ 3,1̂8̂ gramos
  0 9 0
    0 2 0    3,1̂8̂ gramos ⟶ Número con infinitas cifras
      0 9 0                   decimales que se repiten
        2                     periódicamente.
```

3. Girar la ruleta, anotar el número obtenido y colocar, a continuación, una coma. Seguir girando la ruleta una y otra vez, indefinidamente, y anotar cada resultado a la derecha del anterior.

$$\left.\begin{array}{l} 2 , 8 \quad 5 \quad 0 \quad 3... \end{array}\right\} \longrightarrow 2,8503... \left.\begin{array}{l} Número\ con\ infinitas \\ cifras\ decimales\ no \\ periódicas. \end{array}\right.$$

Hay tres **tipos de números decimales:**

- **Exactos:** tienen un número finito de cifras decimales.
- **Periódicos:** tienen infinitas cifras decimales periódicas.

  Un arco encima de algunas cifras indica que estas se repiten periódicamente. $0,8\hat{2} = 0,82222...$ $0,\widehat{82} = 0,828282…$

- **No exactos y no periódicos:** tienen infinitas cifras decimales no periódicas.

ACTIVIDADES

1 ¿Cuántas cifras tiene el periodo del cociente 11 : 6? ¿Y el de 11 : 7?

2 Escribe dos decimales periódicos y otros dos exactos.

3 El siguiente número tiene infinitas cifras decimales no periódicas 3,1010010001...

¿Cuáles serán las siguientes cifras decimales, siguiendo la cadencia de las anteriores?

4 OPERACIONES CON NÚMEROS DECIMALES

Ya sabes, de cursos anteriores, sumar, restar y multiplicar números decimales. Por eso nos limitaremos a repasar estas operaciones, incorporando el manejo de números negativos. Sin embargo, nos detendremos algo más en la división y en la aproximación de raíces cuadradas.

◼ SUMA Y RESTA DE DECIMALES

EJEMPLO

PROBLEMA: Un deportista, que comenzó el año con un peso de 73,280 kg, sufrió las siguientes variaciones durante el primer semestre:

E	F	M	A	M	J
engordó 1,32 kg	engordó 2,05 kg	adelgazó 1,732 kg	adelgazó 1,4 kg	adelgazó 3,15 kg	engordó 0,63 kg

¿Cuál era su peso a primeros de julio?

D	U	d	c	m
7	3,	2	8	
	1,	3	2	
	2,	0	5	
+	0,	6	3	
7	7,	2	8	

D	U	d	c	m
	1,	7	3	2
	1,	4		
+	3,	1	5	
	6,	2	8	2

D	U	d	c	m
7	7,	2	8	0
−	6,	2	8	2
7	0,	9	9	8

PRESENTACIÓN DEL PROCESO

73,28 + 1,32 + 2,05 − 1,732 − 1,4 − 3,15 + 0,63 =

= (73,28 + 1,32 + 2,05 + 0,63) − (1,732 + 1,4 + 3,15) =

= 77,28 − 6,282 = 70,998

Solución: Su peso, a primeros de julio, era de 70,998 kg.

Para **sumar** y **restar** números **decimales**:

• Se colocan en columna haciendo corresponder las comas.

• Se suman (o se restan) unidades con unidades, décimas con décimas, centésimas con centésimas, etc.

Todo lo que se dijo sobre números negativos en las operaciones con enteros sirve también para las operaciones con decimales.

CON LA CALCULADORA

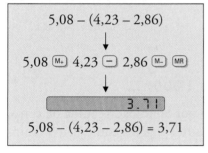

5,08 − (4,23 − 2,86)

↓

5,08 Ⓜ₊ 4,23 ⊖ 2,86 Ⓜ₋ ⓂⓇ

↓

| 3.71 |

5,08 − (4,23 − 2,86) = 3,71

ACTIVIDADES

1 Calcula:

a) 12,5 + 3,75

b) 16,56 − 11,36 − 5,125

c) 16,25 − 12,5

d) 16,56 − (11,36 + 5,125)

e) (2,046 + 0,24) − (1,25 − 0,75)

2 Añade tres términos a cada serie:

a) 5,5 - 6,25 - 7 - 7,75 …

b) 12,35 - 12,10 - 11,85 - 11,60 …

c) 6,5 - 6,62 - 6,74 - 6,86 …

3 Alexandra mide 1,57 m; Ernesto, 0,28 m más, y Nuria, 0,37 m menos que Ernesto.
¿Cuál es la estatura de Nuria?

◻ MULTIPLICACIÓN DE DECIMALES

Recuerda que la multiplicación de decimales es similar a la de enteros. Solo hay que tener en cuenta el emplazamiento de la coma.

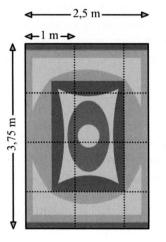

2,5 m

1 m

3,75 m

EJEMPLO

PROBLEMA: Una alfombra mide 3,75 m de largo y 2,5 m de ancho. ¿Cuál es su superficie?

$$
\begin{array}{r}
3,75 \quad \longleftarrow \text{2 cifras decimales}\\
\times\, 2,5 \quad \longleftarrow \text{1 cifra decimal}\\
\hline
1\,875\\
750\\
\hline
9,375 \quad \longleftarrow \text{2 + 1 = 3 cifras decimales}
\end{array}
$$

Solución: 3,75 m · 2,5 m = 9,375 m^2

Para **multiplicar** números **decimales**:

• Se multiplican como si fueran enteros.

• Se coloca la coma en el producto, apartando tantas cifras decimales como haya entre todos los factores.

◻ MULTIPLICACIÓN POR 10, 100, 1 000, ...

Recuerda que para multiplicar un número por la unidad seguida de ceros, solo hay que mover la coma a la derecha tantos lugares como ceros acompañen a la unidad.

EJEMPLOS

2,7 · 10 = 27   2,48 · 10 = 24,8
3,5 · 1 000 = 3 500   3,2864 · 100 = 328,64
−3,5 · 1 000 = −3 500   −3,2864 · 100 = −328,64

Para **multiplicar** un número **por la unidad seguida de ceros**, se desplaza la coma hacia la derecha tantos lugares como ceros acompañen a la unidad.

ACTIVIDADES

4 Calcula:

a) 2,25 · 12   b) 3,8 · 4,6

c) 16,8 · 17,5   d) 5,20 · 3,70

e) 11,84 − 3,2 · (2,4 − 3,7)

5 Calcula:

a) 2,75 · 100   b) 16,56 · 10

c) 2,8 · 1 000   d) 5,23 · 1 000

e) −3,54 · 100   f) 0,385 · 10

▣ DIVISIÓN DE NÚMEROS DECIMALES

Ahora vas a repasar cosas que ya sabes y a aprender otras nuevas sobre la división. En todo caso, más que la memorización de una serie de reglas, te conviene entender los mecanismos de la operación.

▪ APROXIMACIÓN DECIMAL DEL COCIENTE

Ya sabes dividir cuando el divisor es un número entero. Vamos a repasar la forma de obtener las cifras decimales del cociente, hasta alcanzar la aproximación que convenga.

EJEMPLO

PROBLEMA: Queremos plantar 6 árboles a lo largo de un camino, de 34 m de largo, que une dos casas. Para ello, dividimos el camino en 7 tramos iguales. ¿Qué distancia debe dejarse entre dos árboles?

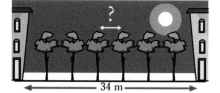

34 m

$\begin{array}{r|l} 3\,4 & 7 \\ 6 & 4\text{ m} \end{array}$ ⟶ El cociente entero deja un resto de 6 unidades.

$\begin{array}{r|l} 3\,4,0 & 7 \\ 6\,0 & 4, \end{array}$ ⟶ Para poder seguir dividiendo, transformamos las 6 unidades del resto en 60 décimas.

$\begin{array}{r|l} 3\,4,0 & 7 \\ 6\,0 & 4,8 \\ 4 & \end{array}$ ⟶ Ahora repartimos 60 décimas entre 7. Por eso ponemos la coma decimal en el cociente. Sobra un resto de 4 décimas.

$\begin{array}{r|l} 3\,4,0\,0 & 7 \\ 6\,0 & 4,85 \\ 4\,0 & \\ 5 & \end{array}$ ⟶ Para poder seguir dividiendo, se transforman las 4 décimas en 40 centésimas, etc.

EJEMPLO

Aproximar a las milésimas el cociente 56,8 : 13.

$\begin{array}{r|l} 56,8 & 13 \\ 04 & 4, \end{array}$

$\begin{array}{r|l} 56,8 & 13 \\ 04\,8 & 4,369 \\ 0\,90 & \\ 120 & \\ 03 & \end{array}$

Para obtener el cociente decimal:

• Al bajar la cifra de las décimas del dividendo, se pone la coma decimal en el cociente y se continúa la división.

• Si no hay suficientes cifras decimales en el dividendo, se añaden los ceros necesarios hasta lograr la aproximación deseada.

ACTIVIDADES

6 Obtén el cociente, con tres cifras decimales, de cada una de las divisiones siguientes:

a) 8 : 3   b) 26 : 11   c) 9 : 12

d) 5 : 12   e) 453,18 : 8   f) 2,7 : 50

7 Aproxima el cociente de estas divisiones hasta las centésimas:

a) 25 : 3   b) 25 : 6

c) 165 : 12   d) 847 : 36

8 He comprado en la pescadería del mercado cinco truchas de tamaño similar que han pesado 1,640 kg en total.

¿Cuánto pesa cada una por término medio?

9 Un comerciante ha adquirido por 627 € setenta y cinco ejemplares en CD de cierto éxito musical de moda.

¿A cuánto le ha salido cada disco?

■ DIVISIÓN POR 10, 100, 1 000, …

Recuerda que para dividir un número por la unidad seguida de ceros, solo hay que mover la coma hacia la izquierda.

EJEMPLOS

52,8 : 10 = 5,28	137 : 100 = 1,37	12,3 : 1 000 = 0,0123
−5,8 : 10 = −0,58	−137 : 100 = −1,37	−1,2 : 1 000 = −0,0012

Para **dividir** un número **por la unidad seguida de ceros**, se desplaza la coma hacia la izquierda tantos lugares como ceros acompañen a la unidad.

■ UNA PROPIEDAD IMPORTANTE

Hasta ahora no hemos hecho ninguna división con cifras decimales en el divisor. La propiedad que vas a estudiar te permitirá abordar ese tipo de divisiones.

Fíjate en los siguientes ejemplos.

EJEMPLOS

- Si envasamos 60 bombones en 5 cajas, entran 12 bombones en cada caja:

$$
\begin{array}{r|l}
60 & 5 \\
10 & 12 \\
0 &
\end{array}
$$

- Si envasamos 600 bombones en 50 cajas, entran 12 bombones en cada caja:

$$
\begin{array}{r|l}
600 & 50 \\
100 & 12 \\
00 &
\end{array}
$$

Observa que al multiplicar por 10 el número de bombones (dividendo) y también el número de cajas (divisor), el resultado no varía.

Propiedad de la división
Al multiplicar el dividendo y el divisor por el mismo número, el cociente no varía.

ACTIVIDADES

10 Calcula:

a) 5 : 100   b) 12 : 10

c) 7,2 : 100   d) 5,4 : 1 000

e) 158,3 : 100   f) 5 280 : 1 000

g) 0,2 : 100   h) 0,05 : 10

11 Comprueba que todas estas expresiones tienen el mismo resultado:

a) 75 : 15

b) (75 · 2) : (15 · 2)

c) (75 · 100) : (15 · 100)

d) (75 : 3) : (15 : 3)

▶ DIVISIONES CON NÚMEROS DECIMALES EN EL DIVISOR

Cuando el divisor es un número decimal, para poder efectuar la división lo transformamos en un número entero. Esa transformación es posible gracias a la propiedad anterior.

EJEMPLO

$$3\,5,8 \quad \lfloor 4,2\,5 \rfloor \longrightarrow$$ Antes de efectuar la división, procuramos que el divisor no tenga cifras decimales. Multiplicamos por 100 el dividendo y el divisor. Según la propiedad anterior, el cociente no varía.

×100   ×100

$$3\,5\,8\,0 \quad \lfloor 4\,2\,5 \rfloor \longrightarrow$$ El divisor es un número entero. Ahora ya sabemos dividir. Termina tú la división, aproximando el cociente hasta las centésimas.

TEN EN CUENTA

3 : 0,005

↓

×1 000   ×1 000

3,000 : 0,005

↓

3 000 : 5 = 600

Un número *aumenta* si se divide por una cantidad menor que uno.

Cuando hay **decimales en el divisor**:

• Se multiplican el dividendo y el divisor por la unidad seguida de tantos ceros como cifras decimales haya en el divisor.

• Así, la división se transforma en otra cuyo divisor es entero. El cociente es el mismo.

EJEMPLOS

1. Un kilo de pintura cuesta 4,6 €. ¿Cuántos kilos hemos comprado si la factura asciende a 58,65 €?

58,65 : 4,6

↓

×10   ×10

58,6,5 : 4,6

```
5 8 6,5 |4 6
1 2 6    1 2,7 5
  3 4 5
  2 3 0
    0 0
```

Solución: Hemos comprado 12,75 kg de pintura.

2. ¿Qué cantidad de queso de 9,25 € el kilo se puede comprar con 5 €?

5 : 9,25

↓

×100   ×100

5,00 : 9,25

```
5 0 0 |9 2 5
```

↓

```
5 0 0,0 |9 2 5
3 7 5 0  0,5 4 0
0 5 0 0
```

Solución: Aproximadamente, 0,540 kg = 540 g.

ACTIVIDADES

12 Calcula el cociente con dos cifras decimales:

a) 2,8 : 6,36   b) 0,0012 : 0,003

c) 2,369 : 0,05   d) 0,75 : 0,25

e) 117 : 3,125   f) 7,492 : 1,286

13 Calcula y observa los resultados:

a) 8 : 0,1   b) 2,5 : 0,1   c) 3,1 : 0,1

14 Hemos comprado salami de 7,8 €/kg y hemos pagado 5,85 €.

¿Cuánto salami hemos comprado?

5 RAÍCES CUADRADAS

Recuerda el concepto de raíz cuadrada como la operación inversa de elevar al cuadrado.

Recuerda, también, que la mayoría de los números no tienen raíz exacta.

$$\sqrt{76} = \begin{cases} 8 \to \text{APROXIMACIÓN POR DEFECTO} \to 8^2 = 64 \\ 9 \to \text{APROXIMACIÓN POR EXCESO} \to 9^2 = 81 \end{cases} \quad 8 < \sqrt{76} < 9$$

■ LA RAÍZ CUADRADA EN LA CALCULADORA

La aproximación de $\sqrt{72}$ entre 8 y 9 es muy poco fina. Por eso es útil recurrir a la calculadora.

$$76 \;\boxed{\sqrt{}} \;\Rightarrow\; \boxed{8.7177978}$$

Habitualmente, es innecesario tomar todas las cifras decimales que nos ofrece la calculadora. Podemos aproximar el valor de la raíz redondeando o truncando, como aprendimos en la unidad 1.

$$\sqrt{76} = \begin{cases} 8,71 \to \text{APROXIMACIÓN POR TRUNCAMIENTO} \\ 8,72 \to \text{APROXIMACIÓN POR REDONDEO} \end{cases}$$

CON LA CALCULADORA

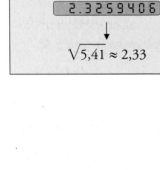

$$\sqrt{5,41}$$
↓
$$\sqrt{5,41} \;\boxed{\sqrt{}}$$
↓
$$\boxed{2.3259406}$$
↓
$$\sqrt{5,41} \approx 2,33$$

■ CÁLCULO CON LÁPIZ Y PAPEL

Antes de seguir, recuerda lo aprendido en la página 53 de la unidad 2.

①
```
√76,00 | 8  ×2  ← A
 −64   | 16      ← B
 ──────
  12
```
A: $\sqrt{76}$ es 8 y deja 12 de resto.

B: 16 es el doble de 8.

②
```
√76,00 | 8
 −64 ↓ | 16 C × C
 ──────
 12 00
```
Buscamos la mayor cifra C de forma que el producto 16 C × C quepa en 1 200.

③
```
√76,00 | 8,7
 −64   | 167 × 7
 ──────
 12 00
 −11 69
 ──────
 00 31
```
Podemos seguir "bajando" otros dos ceros y así aproximar a las centésimas.

ACTIVIDADES

1 Calcula aproximando a las décimas:

a) $\sqrt{0,04}$ b) $\sqrt{0,25}$

c) $\sqrt{58}$ d) $\sqrt{146}$

2 Halla estas raíces aproximando hasta las centésimas:

a) $\sqrt{0,0009}$ b) $\sqrt{0,0001}$

c) $\sqrt{48}$ d) $\sqrt{263}$

EJERCICIOS DE LA UNIDAD

▷ Sistema de numeración decimal

1 ▲△△ Observa la tabla y contesta:

D	U	d	c	m
		2	5	0
	1	2	0	0
			5	0
			5	

a) ¿Cuántas centésimas son 250 milésimas?

b) ¿Cuántas milésimas hay en 12 décimas?

c) ¿Cuántas centésimas son 50 milésimas?

d) ¿Cuántas centésimas hay en media décima?

2 ▲△△ Expresa en décimas:

a) 35 decenas. b) 5 unidades.

c) 12 centésimas. d) 500 milésimas.

3 ▲△△ Aproxima a las centésimas:

a) 20,711 b) 2,547 c) 3,293

d) 0,086 e) 6,091 f) 1,096

▷ Comparación. Orden. Representación

4 ▲△△ Ordena de menor a mayor:

2,7 2,690 2,6$\widehat{9}$ 2,699 2,71

5 ▲△△ ¿Qué valores se asocian a los puntos A, B y C en la siguiente recta numérica?

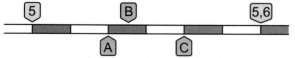

6 ▲△△ ¿Qué números se sitúan en los puntos M, N, P, Q y R de esta recta?

7 ▲△△ Intercala tres decimales entre cada pareja:

a) 5,2 y 5,8 b) 8,1 y 8,2

c) 7,99 y 8 d) 6 y 6,01

▷ Suma y resta

8 ▲△△ **Calcula mentalmente:**

a) ¿Cuánto le falta a 5,99 para llegar a 6?

b) ¿Cuánto le falta a 2,95 para llegar a 3?

c) ¿Cuánto le falta a 3,999 para llegar a 4?

9 ▲△△ Calcula:

a) 21,04 − 15,327 + 6,287

b) 21,04 − (15,327 − 6,287)

c) 7,89 + 5,23 − 8,41 − 4,71

d) (7,89 + 5,23) − (8,41 + 4,71)

▷ Multiplicación y división

10 ▲△△ **Calcula mentalmente:**

a) El doble de 2,5. b) El doble de 1,75.

c) El triple de 2,5. d) El triple de 1,75.

11 ▲△△ Halla el resultado de estos productos:

a) 1,4 · 3,2 b) 2,8 · 3,27

c) 2,26 · 0,14 d) 6,23 · 0,03

e) 5,8 · 0,001 f) 0,004 · 0,03

12 ▲△△ Calcula con dos cifras decimales:

a) 31 : 0,04 b) 8,8 : 4,2

c) 0,0012 : 0,03 d) 52,23 : 0,47

13 ▲△△ Calcula el cociente exacto o periódico:

a) 10,62 : 2,25 b) 762 : 11

c) 5 : 37 d) 102,6 : 1,368

e) 30,15 : 67 f) 3 015 : 6,7

14 ▲△△ Calcula y reflexiona sobre los resultados:

a) $\begin{cases} 15 \cdot 0,1 \\ 15 : 10 \end{cases}$ b) $\begin{cases} 2,8 \cdot 0,1 \\ 2,8 : 10 \end{cases}$ c) $\begin{cases} 0,4 \cdot 0,1 \\ 0,4 : 10 \end{cases}$

¿Qué observas?

15 ▲△△ Calcula y reflexiona sobre los resultados:

a) $\begin{cases} 8 : 0,5 \\ 8 \cdot 0,5 \end{cases}$ b) $\begin{cases} 5 : 0,5 \\ 5 \cdot 0,5 \end{cases}$ c) $\begin{cases} 1,4 : 0,5 \\ 1,4 \cdot 0,5 \end{cases}$

¿Qué observas?

16 ▲△△ EJERCICIO RESUELTO

18,24 − 2,1 · (6,23 − 4,83) =

= 18,24 − 2,1 · 1,4 =

= 18,24 − 2,94 =

= 15,3

$$\begin{array}{r} 6,23 \\ -4,83 \\ \hline 1,40 \end{array} \qquad \begin{array}{r} 2,1 \\ \times 1,4 \\ \hline 84 \\ 21 \\ \hline 2,94 \end{array} \qquad \begin{array}{r} 18,24 \\ -2,94 \\ \hline 15,30 \end{array}$$

17 ▲△△ Calcula:

a) $0,2 \cdot (-0,1) + (-1,3) \cdot (-2) - (-3) \cdot (-0,4)$

b) $2,44 - 0,5 \cdot [3 - 0,1 \cdot (2 - 0,8)]$

c) $7,1 \cdot 1,2 - 5,2 \cdot (4,26 - 5,4 + 1,24)$

▷ Raíz cuadrada

18 ▲△△ Calcula con lápiz y papel, sacando dos cifras decimales, y después comprueba con la calculadora:

a) $\sqrt{23}$ b) $\sqrt{275}$ c) $\sqrt{1\,285}$

19 ▲△△ Calcula con una cifra decimal:

a) $\sqrt{7,29}$ b) $\sqrt{42,7}$ c) $\sqrt{125,83}$

20 ▲△△ Halla con la calculadora y después redondea a las centésimas:

a) $\sqrt{83}$ b) $\sqrt{572}$ c) $\sqrt{1\,713}$

▷ Problemas

21 ▲△△ Francisco ha comprado tres bolígrafos y dos rotuladores. ¿Cuánto le devuelven si paga con un billete de 5 €?

BOLIS 0,45 €   ROTUS 1,20 €

22 ▲△△ Un rollo de tela tiene una longitud de 30 m. ¿Cuántos vestidos se pueden confeccionar con esa tela si para cada uno se necesitan 2,8 m?

23 ▲△△ Un kilogramo de filetes cuesta 11,45 €. ¿Cuánto pagaré por 1,5 kg? ¿Y por 850 gramos?

24 ▲△△ En un horno de panadería se fabrican cada día 800 barras pequeñas, 500 barras grandes y 200 hogazas.

¿Cuál es la recaudación si se vende toda la producción?

BARRA PEQUEÑA	0,25 €
BARRA GRANDE	0,60 €
HOGAZA	0,95 €

25 ▲△△ Manuel y Felisa compran en la frutería:

- 3 kg de manzanas a 1,80 €/kg.
- 2,8 kg de peras a 2,15 €/kg.
- Un paquete de uvas pasas por 1,75 €.
- Dos bolsas de dátiles a 3,4 € la bolsa.

¿A cuánto asciende el gasto?

26 ▲△△ Una parcela rectangular mide 4,26 m de largo por 23,8 m de ancho.

¿Cuál es su valor si se vende a 52,5 €/m²?

27 ▲△△ Una milla equivale a 1,609 km. Expresa un kilómetro en millas.

28 ▲△△ Si el paso de un adulto equivale a 0,85 m, ¿cuántos pasos debe dar para recorrer un kilómetro?

29 ▲▲△ Un CD cuesta 9,12 € más que una cinta. Si el precio del CD es triple que el de la cinta, ¿cuánto vale cada uno?

30 ▲▲△ Un comerciante compra 25 jarrones a 7,2 € la unidad.

Sabiendo que en el transporte se le ha roto un jarrón, y que desea ganar 120 €, ¿a cuánto debe vender los restantes?

31 ▲△△ Tres cajas pesan lo mismo que cinco botes. Si cada caja pesa 0,81 kg, ¿cuánto pesa un bote?

32 ▲▲△ En el mercadillo:

- 5 pares de calcetines valen lo mismo que 3 camisetas.
- 2 camisetas valen como 7 pañuelos.
- 1 pañuelo cuesta 1,8 €.

¿Cuánto vale un par de calcetines?

PROBLEMAS DE ESTRATEGIA

33 Cuadrado mágico

Piensa en todos los números que se obtienen sumando décima a décima desde el 0,1 hasta el 1,6.

| 0,1 | 0,2 | 0,3 | 0,4 | 0,5 | 0,6 | 0,7 | 0,8 |
| 0,9 | 1 | 1,1 | 1,2 | 1,3 | 1,4 | 1,5 | 1,6 |

Pues bien, colócalos en este cuadrado, uno en cada casilla, de forma que:

- Cada fila
- Cada columna } sume lo mismo (exactamente 3,4).
- Cada diagonal

- También han de sumar 3,4 cada uno de los cuadrados de 2 × 2 en que se ha dividido el cuadrado grande:

$a + b + e + f =$
$c + d + g + h =$
$i + j + m + n =$ 3,4
$k + l + ñ + o =$

a 0,1	b	c	d
e	f	g 0,6	h
i	j 1,1	k	l
m 1	n	ñ 0,3	o

- Y aún ha de haber otros grupos de cuatro casillas que sumen 3,4 como las del cuadrado central (f + g + j + k) o las cuatro esquinas (a + d + m + o).

34 Problema resuelto

¿Cómo poner 0,25 en la pantalla de la máquina si no se permite usar la coma decimal ⊡ y de las teclas numéricas solo se permite usar el uno ①?

Resolución

PRIMER PASO: Conseguir 4 y ponerlo en la memoria   → 1 ⊞ 1 ⊞ 1 ⊞ 1 M+ →   4 M

SEGUNDO PASO: Dividir 1 entre el contenido de la memoria (4)   → 1 ⊡ MR ⊟ →   0.25 M

35 Imagina que está estropeada la tecla ⊡. Pon en la pantalla los siguientes números:

0,5	3,5	0,3	113,8
0,52	2,85	0,03	0,01
0,914	84,956	375,03	0,0007

36 Imagina que está estropeada la tecla ⓪. Ingéniatelas para que en la pantalla de tu calculadora aparezca:

| 10,5 | 0,08 | 300,1 | 1,093 | 20,009 |

37 Imagina que están estropeadas las teclas ⓪ ⊡ ⊞ ⊟. Haz que aparezcan en la pantalla de tu calculadora los siguientes números:

| 0,3 | 0,01 | 0,04 | 10,4 | 1,08 |

38 Imagina que, de las teclas numéricas, solo funcionan ⓪ y ①. Escribe en la pantalla los siguientes números:

| 0,22 | 2,22 | 3,03 | 3,01 | 1,003 |
| 2,24 | 35,1 | 0,66 | 1,23 | 1,234 |

HAZ UN ESQUEMA

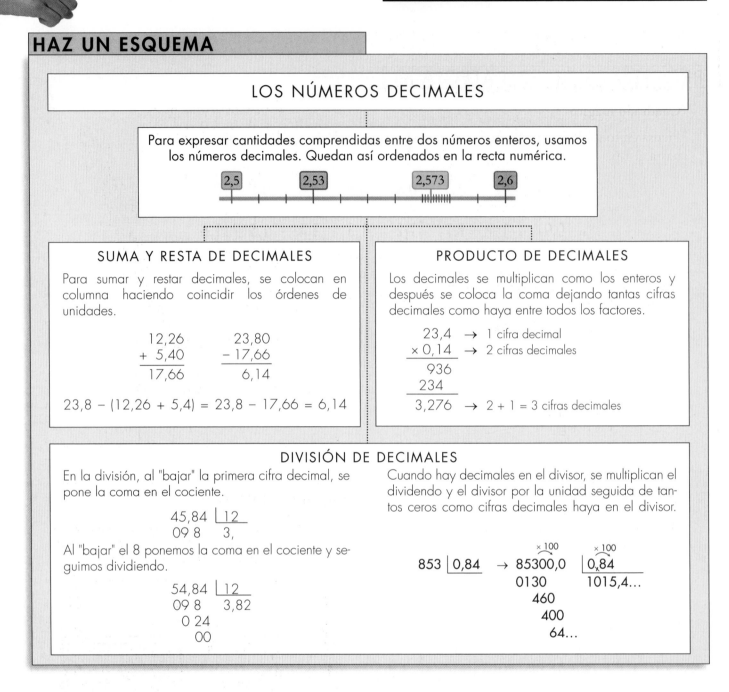

LOS NÚMEROS DECIMALES

Para expresar cantidades comprendidas entre dos números enteros, usamos los números decimales. Quedan así ordenados en la recta numérica.

2,5   2,53   2,573   2,6

SUMA Y RESTA DE DECIMALES

Para sumar y restar decimales, se colocan en columna haciendo coincidir los órdenes de unidades.

```
  12,26          23,80
+  5,40        – 17,66
 ------         ------
  17,66           6,14
```

23,8 – (12,26 + 5,4) = 23,8 – 17,66 = 6,14

PRODUCTO DE DECIMALES

Los decimales se multiplican como los enteros y después se coloca la coma dejando tantas cifras decimales como haya entre todos los factores.

```
   23,4   → 1 cifra decimal
× 0,14    → 2 cifras decimales
 ------
   936
  234
 ------
 3,276   → 2 + 1 = 3 cifras decimales
```

DIVISIÓN DE DECIMALES

En la división, al "bajar" la primera cifra decimal, se pone la coma en el cociente.

```
45,84 | 12
 09 8   3,
```

Al "bajar" el 8 ponemos la coma en el cociente y seguimos dividiendo.

```
54,84 | 12
 09 8   3,82
 0 24
   00
```

Cuando hay decimales en el divisor, se multiplican el dividendo y el divisor por la unidad seguida de tantos ceros como cifras decimales haya en el divisor.

```
           × 100      × 100
853 | 0,84  → 85300,0 | 0,84
            0130      1015,4...
             460
             400
              64...
```

AUTOEVALUACIÓN

1 ¿Qué números se sitúan en los puntos A, B y C de la recta?

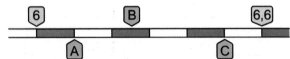

2 Escribe dos decimales comprendidos entre 3,5 y 3,6.

3 Calcula: 25,8 + 2,36 – 5,06

4 Calcula: 13,25 · 0,12

5 Calcula:

   a) 16,28 · 100   b) 16,28 : 100

6 Calcula el cociente exacto: 81 : 12.

7 Calcula el cociente exacto: 45,15 : 3,5.

8 He comprado 0,75 kg de queso a 12,4 €/kg y he pagado con un billete de 10 €.
   ¿Cuánto me devuelven?

JUEGOS PARA PENSAR

Juegos para dos con una calculadora

- Para empezar, se introduce en la pantalla un número de dos cifras.

- Cada jugador, en su turno, multiplica lo que hay en la pantalla por el número que desee, dejando un nuevo número para el turno del compañero.

- Se van apuntando los números obtenidos.

- Un jugador gana cuando obtiene como resultado un 1, o bien cuando el otro queda eliminado.

- Un jugador queda eliminado si:

  — Obtiene un número mayor que el que había.

  — Obtiene un número menor que 1.

  — No hace su jugada antes de un minuto.

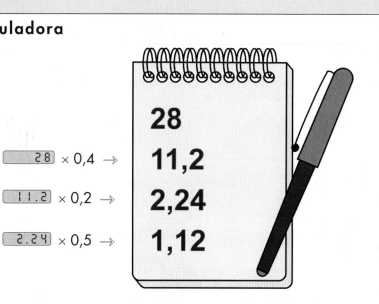

$\boxed{28} \times 0,4 \rightarrow$

$\boxed{11.2} \times 0,2 \rightarrow$

$\boxed{2.24} \times 0,5 \rightarrow$

28
11,2
2,24
1,12

Sigue haciendo jugadas. ¿Cuántas jugadas correctas eres capaz de hacer?

Dividiendo en trozos

Busca la manera de partir cada figura en cuatro trozos iguales:

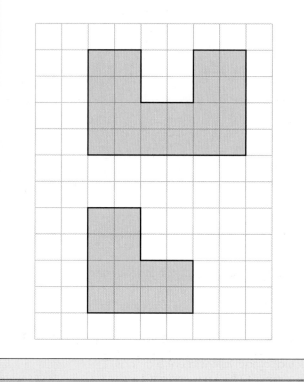

Empareja números

Estas máquinas emparejan números, cada una según un criterio fijo. Pero por fallos de suministro han dejado algunas casillas vacías. Complétalas tú.

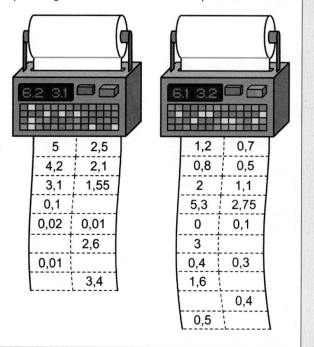

6.2	3.1
5	2,5
4,2	2,1
3,1	1,55
0,1	
0,02	0,01
	2,6
0,01	
	3,4

6.1	3.2
1,2	0,7
0,8	0,5
2	1,1
5,3	2,75
0	0,1
3	
0,4	0,3
1,6	
	0,4
0,5	

REFLEXIONA

La utilización de sistemas de medida diferentes dificulta la comunicación, el comercio, el desarrollo científico, etc. Por eso la comunidad internacional propuso, ya a finales del siglo XVIII, la adopción de un sistema común para todos los países del mundo: El Sistema Métrico Decimal.

■ Atendiendo a los datos que aparecen en la ilustración, ¿cuál es la distancia en metros desde el lugar de la reunión hasta el pueblo?
Según eso, ¿cuántos metros tiene una milla inglesa?

■ Sabiendo que una legua española son 5,58 km, calcula exactamente la distancia hasta el pueblo en leguas.

■ ¿Qué unidad es mayor, la vara o el métro? Calcula la equivalencia entre ambas.

TE CONVIENE RECORDAR

LAS EQUIVALENCIAS ENTRE LOS DISTINTOS ÓRDENES DE UNIDADES DEL SISTEMA DE NUMERACIÓN DECIMAL

UM	C	D	U	d	c	m
		1	0	0	0	
				1	0	0

1 decena = 1 000 centésimas

1 décima = 100 milésimas

1 a) **¿Cuántas centésimas tiene una centena?**

b) **¿Cuántas milésimas hay en una decena?**

c) **¿Cuántas décimas hay en un millar?**

2 **Completa:** $3,2 \text{ U} = \ldots \text{ d}$

$0,5 \text{ D} = \ldots \text{ U}$

$0,3 \text{ C} = \ldots \text{ c}$

CÓMO SE MULTIPLICA O SE DIVIDE POR LA UNIDAD SEGUIDA DE CEROS

$25,8 \cdot 1\,000 = 25\,800 \rightarrow$ La coma se desplaza tres lugares a la derecha.

$8,3 : 100 = 0,083 \rightarrow$ La coma se desplaza dos lugares a la izquierda.

3 **Calcula:**

a) $2,875 \cdot 100$

b) $4,3 \cdot 1\,000$

c) $0,02 \cdot 100$

4 **Calcula:**

a) $543,8 : 10$

b) $58,43 : 100$

c) $2,6 : 1\,000$

CÓMO SE LEEN MEDICIONES EN LA CINTA MÉTRICA

$A \rightarrow \begin{cases} 160,8 \text{ cm} \\ 1,608 \text{ m} \end{cases}$

$F \rightarrow \begin{cases} 173,3 \text{ cm} \\ 1,733 \text{ m} \end{cases}$

5 **Expresa en metros y en centímetros las lecturas B, C, D y E de la cinta métrica.**

CÓMO SE APROXIMAN CANTIDADES POR REDONDEO

1 legua = 5,58 km $\rightarrow$ 1 km = 1 : 5,58 leguas $\rightarrow$ { > |£ ¢}

1 km $\approx$ 0,18 leguas

6 a) **Sabiendo que 1 milla = 1 609,34 m, expresa un kilómetro en millas.**

b) **Sabiendo que 1 yarda = 0,9144 m, expresa un metro en yardas.**

1 LAS MAGNITUDES Y SU MEDIDA

Para recopilar y transmitir información relativa a los objetos nos fijamos en sus cualidades.

EJEMPLO

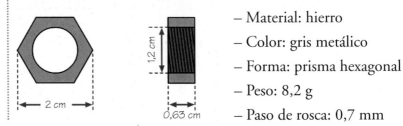

- Material: hierro
- Color: gris metálico
- Forma: prisma hexagonal
- Peso: 8,2 g
- Paso de rosca: 0,7 mm

Algunas de esas cualidades se pueden medir y cuantificar de forma numérica. Son las **magnitudes**.

Son ejemplos de magnitudes las siguientes: peso, longitud, superficie, capacidad, temperatura, etc.

¿QUÉ ES MEDIR UNA MAGNITUD?

Medir una cantidad de una magnitud es compararla con otra cantidad fija llamada **unidad de medida**.

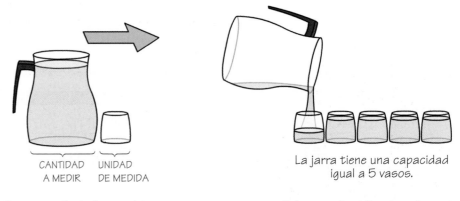

CANTIDAD A MEDIR   UNIDAD DE MEDIDA

La jarra tiene una capacidad igual a 5 vasos.

Para que la información que aporta una medida sea significativa, la unidad utilizada ha de ser conocida y aceptada por todos los miembros de la comunidad. Es decir, debe ser una **unidad convencional estandarizada**.

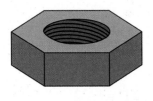

Mi jarra tiene 5 vasos.

Ya, pero... ¿con qué vaso has medido?

ACTIVIDADES

1 Escribe el nombre de un par de unidades de medida para cada una de estas magnitudes:

| CAPACIDAD | LONGITUD |

| TEMPERATURA |

| SUPERFICIE | PESO |

2 ¿Qué magnitud se mide con cada una de estas unidades?

| cm^2 | PALMO | BIT | VOLTIO |

| MINUTO | GRADO SEXAGESIMAL |

3 Tomando como unidad de longitud tu lapicero, mide el ancho y el largo de tu mesa de clase.

2 EL SISTEMA MÉTRICO DECIMAL: ORIGEN Y SIGNIFICADO

A lo largo de la historia, cada grupo social, cada región, cada país, ha adoptado sus propias unidades de medida, diferentes en cada caso.

La diversidad de unidades dificulta enormemente la comunicación entre las distintas comunidades. Así surgió la necesidad de crear un sistema de medidas que fuera conocido y adoptado por todos los países. A finales del siglo XVIII (en 1792) la Academia de Ciencias de París propuso para tal fin el **Sistema Métrico Decimal**.

El **Sistema Métrico Decimal** es un conjunto de unidades de medida relacionadas por las magnitudes fundamentales:

MAGNITUD	UNIDAD	
LONGITUD	→ EL METRO →	Es la diezmillonésima parte de un cuadrante del meridiano terrestre.
CAPACIDAD	→ EL LITRO →	Es la capacidad de un cubo de un decímetro de arista.
PESO	→ EL GRAMO →	Es el peso de un centímetro cúbico de agua.

Además, cada unidad posee un juego de múltiplos y submúltiplos que se designan por los siguientes prefijos:

MÚLTIPLOS			UNIDAD	SUBMÚLTIPLOS		
KILO	HECTO	DECA		DECI	CENTI	MILI
1 000 U	100 U	10 U	1 U	0,1 U	0,01 U	0,001 U

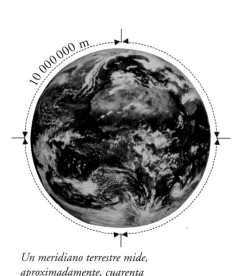

10 000 000 m

Un meridiano terrestre mide, aproximadamente, cuarenta millones de metros.

ACTIVIDADES

1 Razona y contesta:

a) ¿Cuántos metros hay en un decámetro?

b) ¿Cuántos decagramos hay en un kilogramo?

c) ¿Cuántos hectolitros hay en un kilolitro?

2 Piensa y contesta:

a) ¿Cuántos mililitros tiene un litro?

b) ¿Cuántos centímetros tiene un decímetro?

c) ¿Cuántos miligramos hay en un decigramo?

3 MEDIDA DE LA LONGITUD

◼ UNIDADES DE LONGITUD DEL SISTEMA MÉTRICO DECIMAL

Como sabes, la unidad principal de medida de longitudes es el **metro**. Recuerda ahora sus múltiplos y submúltiplos:

km	hm	dam	m	dm	cm	mm
⇩	⇩	⇩		⇩	⇩	⇩
1 000 m	100 m	10 m		0,1 m	0,01 m	0,001 m

Observa que: 10 m = 1 dam   10 dam = 1 hm   10 hm = 1 km

1 m = 10 dm   1 dm = 10 cm   1 cm = 10 mm

Es decir, diez unidades que un orden cualquiera hacen una unidad del orden inmediato superior. Por eso decimos que las unidades de longitud *van de diez en diez.*

◼ CAMBIOS DE UNIDAD

Para razonar con unidades de longitud y cambiar de unas a otras, conviene que actúes ordenadamente sobre una tabla de múltiplos y divisores.

EJEMPLOS

1. *a) Pasar 0,0086 km a centímetros.*

b) Pasar 3 dam 8 m 5 dm a hectómetros.

c) Pasar a forma compleja 0,89003 hm.

km	hm	dam	m	dm	cm	mm
0 ,	0	0	8	6	0	
	0 ,	3	8	5		
		0 ,	8	9	0	0	3

0,0086 km ⟶ ⟶ 860 cm

3 dam 8 m 5 dm ⟶ ⟶ 0,385 hm

0,89003 hm ⟶ ⟶ 8 dam 9 m 3 mm

2. *Calcular (3 km 8 m 5 cm) + 23 890 mm y dar el resultado en decímetros.*

km	hm	dam	m	dm	cm	mm
3	0	0	8	0	5	
+		2	3	8	9	0
3	0	3	1	9 ,	4	0

⟶ 30 319,4 dm

UNIDADES TRADICIONALES

Pulgada =		≈ 2,3 cm
Palmo	= 9 pulgadas	≈ 20,9 cm
Pie	= 12 pulgadas	≈ 27,9 cm
Vara	= 3 pies = 4 palmos	≈ 83,6 cm
Paso	= 5 pies	≈ 1,39 m
Milla	= 1 000 pasos	≈ 1,39 km
Legua	= 4 millas	≈ 5,58 km

ACTIVIDADES

1 Expresa en centímetros:

a) 0,0045 km   b) 34 000 mm

c) (3 dam 8 m 5 cm) − 35 943 mm

2 Descompón en distintas unidades (pasa a forma compleja):

a) 8,59403 km   b) 0,3496 hm × 4

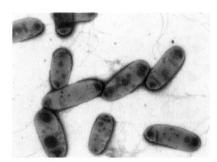

Células de Chromatium sp.
Longitud ≈ 3,5 µm.

LONGITUDES MUY PEQUEÑAS Y LONGITUDES MUY GRANDES

Hay unidades de longitud más pequeñas que el milímetro:

- 1 **micra** = 1 µm = 0,001 mm (milésima de milímetro).
  Se utiliza para medir microorganismos (microbios, bacterias, etc.).

- 1 **nanómetro** = 1 nm = 0,000001 mm (una millonésima de milímetro).

- 1 **ángstrom** = 1 Å = 0,000000001 mm.
  Se usa para medir distancias atómicas.

Y hay otras unidades que son superiores al kilómetro y sirven para medidas astronómicas:

- La **unidad astronómica** (UA) se utiliza para medir distancias entre planetas. Se toma como unidad la distancia media de la Tierra al Sol.

  1 **UA** = 150 millones de kilómetros.

- El **año luz** se usa para medir distancias a estrellas y galaxias. Un año luz es la distancia que recorre la luz en un año.

  1 **año luz** ≈ 9,5 billones de kilómetros.

Telescopio.

INSTRUMENTOS PARA MEDIR LONGITUDES

Además de los usuales (cintas métricas, reglas…), hay instrumentos de precisión (el calibrador o "pie de rey", el calibre sonda…) y otros mucho más sofisticados: el sonar, el rádar, etc.

Calibrador.

Con los instrumentos de medida solo se consiguen buenas aproximaciones. Incluso los instrumentos de precisión nos proporcionan únicamente mejores aproximaciones, pero no la medida exacta. Por ejemplo, con el calibrador se pueden apreciar hasta las décimas de milímetro.

ACTIVIDADES

3 Añade la unidad en la que creas que están expresadas las siguientes medidas:

   a) Distancia entre León y Salamanca → 200 ☐

   b) Grosor de una hoja de papel → 0,1 ☐

   c) Tamaño del *Guernica* → 351 ☐ × 782 ☐

   d) Distancia mínima de Venus a Marte → 0,8 ☐

   e) Distancia del Sol a la estrella Sirio → 9 ☐

4 a) Calcula cuántos segundos tiene un año.

   b) Teniendo en cuenta que la luz recorre 300 000 km cada segundo, calcula cuántos kilómetros tiene un año luz.

   c) Calcula cuántas UA tiene un año luz.

5 La distancia aproximada de Saturno al Sol es de 9,5 UA. ¿Cuántos kilómetros son?

4 MEDIDA DE LA CAPACIDAD

La unidad principal de medida de capacidades es el **litro**, que coincide con la capacidad de un cubo de un decímetro de arista.

Recuerda los múltiplos y los submúltiplos del litro.

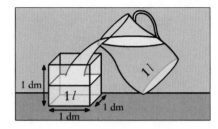

UNIDADES TRADICIONALES

CÁNTARA → 16,13 l

CELEMÍN (castellano) → 4,625 l

CUARTILLO → 1/4 DE CELEMÍN

FANEGA → 12 CELEMINES

kl	hl	da$l$	l	dl	cl	ml
⇩	⇩	⇩		⇩	⇩	⇩
1 000 l	100 l	10 l		0,1 l	0,01 l	0,001 l

Igual que las de longitud, las unidades de capacidad *aumentan y disminuyen de diez en diez.*

■ CAMBIOS DE UNIDAD

Para cambiar de unidad cantidades de capacidad, o para operar con ellas, actuaremos como lo hacíamos con las longitudes.

EJEMPLOS

a) Expresar 2 700 dl en hectolitros.

b) Pasar 38,04 dal a forma compleja.

c) Calcular, en litros, (3 l 7 cl 2 ml) × 25.

Almud, medida de capacidad para áridos.

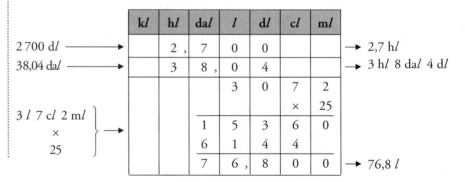

2 700 dl → → 2,7 hl

38,04 da$l$ → → 3 hl 8 da$l$ 4 dl

3 l 7 cl 2 ml × 25 →

→ 76,8 l

kl	hl	da$l$	l	dl	cl	ml
	2 ,	7	0	0		
	3	8 ,	0	4		
			3	0	7	2
					×	25
			1	5	3	6	0
		6	1	4	4	
		7	6 ,	8	0	0

ACTIVIDADES

1 Pasa a decalitros:

a) 0,35 kl 　　　 b) 8,42 hl

c) 175 l 　　　 d) 240 dl

2 Expresa en centilitros:

a) 2 da$l$ 5 l 　　　 b) 8 dl 6 cl

c) 7 dl 3 cl 5 ml 　　　 d) 8 l 3 dl 7 ml

3 Pasa a forma compleja:

a) 38,25 da$l$ 　　　 b) 53 084 cl

4 Calcula en litros:

a) 6 hl 5 da$l$ 8 l + 4 da$l$ 5 l 3 dl

b) 648 da$l$ + 21,6 hl + 0,82 kl

c) (5 hl 3 da$l$ 7 l) × 13

Romana. Instrumento tradicional
de medida de peso.

Arroba, antigua unidad de medida de peso.

5 MEDIDA DEL PESO

La unidad principal de medida de peso es el **gramo**, que coincide con el peso del agua que cabe en un cubo de un centímetro de arista.

Igual que en las unidades de longitud y de capacidad, los múltiplos y submúltiplos del gramo *aumentan y disminuyen de diez en diez*.

kg ⇩	hg ⇩	dag ⇩	g	dg ⇩	cg ⇩	mg ⇩
1 000 g	100 g	10 g		0,1 g	0,01 g	0,001 g

■ CAMBIOS DE UNIDADES Y OPERACIONES

Para calcular con cantidades de peso, actuaremos de la misma forma que con la longitud y la superficie.

EJEMPLOS

a) Expresar 2 340 cg en decagramos.

b) Expresar en gramos (5 hg 3 g 8 dg) + (6 dag 8 g 7 dg).

c) Calcular, en hectogramos, (3 dag 7 g 2 dg) × 250.

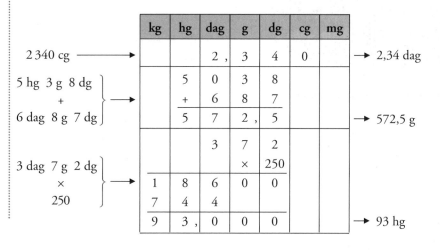

	kg	hg	dag	g	dg	cg	mg	
2 340 cg →				2 ,	3	4	0		→ 2,34 dag
5 hg 3 g 8 dg		5	0	3	8			
+		+	6	8	7			
6 dag 8 g 7 dg		5	7	2 ,	5			→ 572,5 g
				3	7	2		
					×	250		
3 dag 7 g 2 dg	1	8	6	0	0			
×	7	4	4					
250	9	3 ,	0	0	0			→ 93 hg

ACTIVIDADES

1 Expresa en miligramos:

a) 8,35 g

b) 25,36 cg

c) 6 g 3 dg

d) 5 dag 8 dg

2 Calcula en gramos:

a) 2 648 dg + (5 hg 6 dag 3 dg 8 cg)

b) (6 dag 7 dg 5 cg) × 40

6 | MEDIDA DE LA SUPERFICIE

Para conocer la cantidad de tela necesaria en la confección de un traje, la cantidad de moqueta que se utiliza para cubrir el suelo de una habitación o la extensión de un terreno en venta, mediremos sus respectivas superficies.

Veamos ahora cómo se mide una superficie y el tipo de unidades que se utilizan.

◼ MEDIDA DIRECTA DE SUPERFICIES

Para medir superficies elegiremos como unidad una cantidad de superficie con forma de cuadrado (**unidad cuadrada**). Así, medir una superficie será averiguar cuántas unidades cuadradas contiene.

MEDIDA APROXIMADA DE UNA SUPERFICIE IRREGULAR

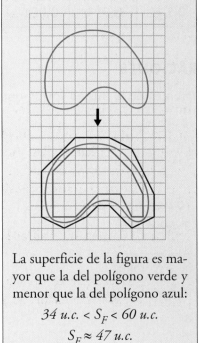

La superficie de la figura es mayor que la del polígono verde y menor que la del polígono azul:

$$34 \ u.c. < S_F < 60 \ u.c.$$

$$S_F \approx 47 \ u.c.$$

EJEMPLOS

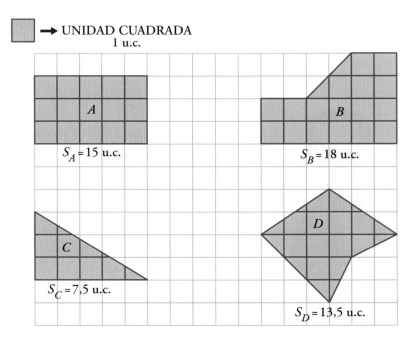

UNIDAD CUADRADA
1 u.c.

$S_A = 15$ u.c.

$S_B = 18$ u.c.

$S_C = 7,5$ u.c.

$S_D = 13,5$ u.c.

ACTIVIDADES

1 Calcula la superficie de estas figuras tomando como unidad el cuadrado de la cuadrícula.

◻ → 1 u.c.

A   *B*   *C*

2 Calcula la superficie del polígono azul y del polígono rojo.

Estima un valor aproximado de la superficie del círculo.

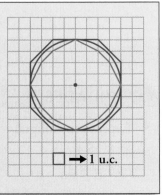

◻ → 1 u.c.

◼ UNIDADES DE SUPERFICIE DEL SISTEMA MÉTRICO DECIMAL

La unidad principal de medida de superficie es el **metro cuadrado**, que va acompañado de sus correspondientes múltiplos y submúltiplos.

km^2 ⬇	hm^2 ⬇	dam^2 ⬇	m^2	dm^2 ⬇	cm^2 ⬇	mm^2 ⬇
$1\,000\,000\ m^2$	$10\,000\ m^2$	$100\ m^2$		$0,01\ m^2$	$0,0001\ m^2$	$0,000001\ m^2$
	ha	a	ca			

Para comprender la relación que existe entre todas estas unidades, observa la siguiente figura que representa un metro cuadrado y su descomposición en decímetros cuadrados:

España tiene una superficie aproximada de $500\,000\ km^2 = 50\,000\,000$ ha.

• El metro cuadrado se ha dividido en 10 filas de 1 dm de altura.

• Cada fila contiene 10 dm^2.

Por tanto:

$$1\ m^2 = 10 \times 10\ dm^2 = 100\ dm^2$$

Lo mismo pasa con cada unidad respecto a la siguiente. Por eso, decimos que las unidades de superficie *aumentan y disminuyen de cien en cien.*

◼ Para medir superficies de campos, se utilizan las llamadas **unidades agrarias** (agro = campo).

Las más usadas son el **área**, la **hectárea** y la **centiárea**, que coinciden, respectivamente, con el decámetro cuadrado, el hectómetro cuadrado y el metro cuadrado.

área ⟶ 1 a = 100 m^2 = 1 dam^2

hectárea ⟶ 1 ha = 10 000 m^2 = 1 hm^2

centiárea ⟶ 1 ca = 1 m^2

ACTIVIDADES

3 Di qué unidades utilizarías para medir las siguientes superficies:

a) El continente americano.

b) Una hoja de papel.

c) La porción de terreno que ocupa una piscina.

d) Un terreno de olivos.

4 Transforma en metros cuadrados las siguientes unidades agrarias:

a) 5 ha   b) 7 a

c) 4,2 ha   d) 25 ca

5 Pasa a metros cuadrados:

a) 7 km^2 b) 70 dm^2

c) 4,3 hm^2 d) 2 500 dam^2

■ PASO DE UNA UNIDAD A OTRA

Para razonar con unidades de superficie y pasar de unas a otras, es muy conveniente la siguiente disposición, que tiene en cuenta el hecho de que "las unidades de superficie aumentan y disminuyen de 100 en 100".

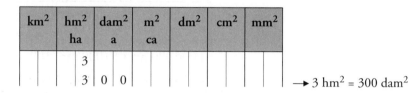

→ 3 hm² = 300 dam²

Para expresar una medida, solo se pone una cifra en cada casillero.

EJEMPLOS

Pasar: **17 dam² 81 m² 6 dm² a metros cuadrados.**

　　　　0,86945 km² a forma compleja.

　　　　350 ha a forma compleja.

　　　　0,004 km² a áreas.

　　　　2 km² 72 dam² 40 m² + 43,570 a a hectáreas.

　　　　3 m² 26 dm² 50 cm² × 200 a decímetros cuadrados.

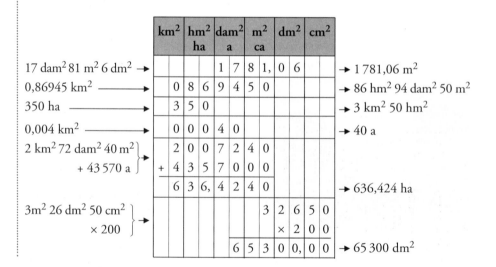

ACTIVIDADES

6 Expresa en hectáreas:
a) 356 800 m²
b) 8,4 km²
c) 3 980 a

7 Suma 0,85943 m² y 3 594 cm² y expresa el resultado en forma compleja.

8 Multiplica 3 km² 17 hm² 50 dam² por 0,04 y expresa el resultado en áreas.

9 Para construir una carretera, se han expropiado tres parcelas. Las indemnizaciones han sido:

	SUPERFICIE	INDEMNIZACIÓN
I	0,03 km²	0,65 €/m²
II	47 ha 11 a	0,47 €/m²
III	23,8 dam²	9,5 €/m²

Averigua el coste total de las indemnizaciones.

■ UNIDADES TRADICIONALES DE SUPERFICIE

En principio, la mejor forma de definir unidades de superficie es a partir de las correspondientes unidades lineales.

Pulgada cuadrada	=		$\approx$ 5,3 cm^2
Pie cuadrado	=	144 pulgadas^2	$\approx$ 7,8 dm^2
Vara cuadrada	=	9 pies^2	$\approx$ 0,7 m^2

Sin embargo, como el principal uso que se hacía de las medidas de superficie era medir tierras de labor, y debido a que sus formas muy irregulares complicaban mucho la obtención de sus áreas, se inventaron curiosos métodos para evaluar superficies.

MÉTODO DE LA SEMBRADURA

Como resultaba muy sencillo, cómodo y preciso definir unidades de capacidad para granos (semillas) –*cuartillo, celemín, fanega*–, se definían las correspondientes unidades de superficie como aquellas que se podían sembrar con esa cantidad de grano.

Con este celemín de trigo siembro una superficie de un celemín.

Cuartillo de tierra	$\approx$ 135 m^2
Celemín de tierra	= 4 cuartillos $\approx$
	$\approx$ 540 m^2
Fanega de tierra	= 12 celemines $\approx$
	$\approx$ 6 500 m^2

El terreno que aro en un día, de sol a sol, es una yugada.

MÉTODO DEL TRABAJO EN UN DÍA

Se definía la unidad de terreno mediante la extensión de este que se podía arar a lo largo de un día.

Por ejemplo:

$$1 \text{ yugada (o día de bueyes)} \approx 1\,250 \text{ m}^2$$

La definición a partir del trabajo se traducía, después, en sembradura, y, finalmente, se expresaba en unidades cuadradas.

ACTIVIDADES

10 En tu región, las unidades tradicionales de superficie pueden ser distintas.

Intenta enterarte de las que se utilizan en tu localidad y sus equivalencias con el Sistema Métrico Decimal. Compáralas con las que se describen aquí.

11 Teniendo en cuenta las equivalencias anteriores, calcula:

a) ¿Cuántas fanegas de tierra hay en una hectárea?

b) ¿Cuántos días tardaría una yunta de bueyes en arar una hectárea?

7 MEDIDA DEL VOLUMEN

El volumen de un cuerpo es la cantidad de espacio que ocupa.

Así, para calcular la cantidad de arena que transporta un camión, la cantidad de aire que ha de calentar la calefacción de un edificio o el número de contenedores que caben en un almacén, hemos de medir sus respectivos volúmenes.

▣ MEDIDA DIRECTA DEL VOLUMEN

Para medir el volumen, tomaremos como unidad una porción de espacio con forma de cubo (**unidad cúbica**).

De esta forma, medir el volumen de un objeto será calcular cuántas unidades cúbicas contiene o en cuántas unidades cúbicas se puede descomponer.

MEDIDA DEL VOLUMEN DE UN SÓLIDO IRREGULAR

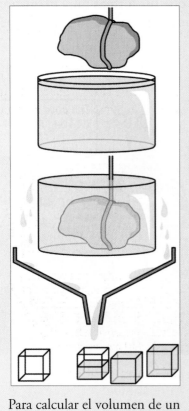

Para calcular el volumen de un sólido irregular, se lo sumerge en un recipiente lleno de agua y se mide el volumen de agua desalojada.

EJEMPLOS

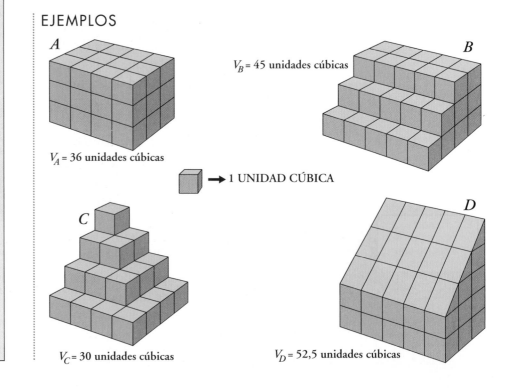

V_A = 36 unidades cúbicas

V_B = 45 unidades cúbicas

→ 1 UNIDAD CÚBICA

V_C = 30 unidades cúbicas

V_D = 52,5 unidades cúbicas

ACTIVIDADES

1 Calcula el volumen de estos cuerpos tomando como unidad el cubo unitario A:

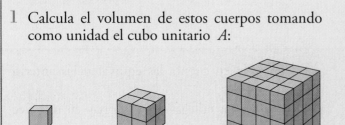

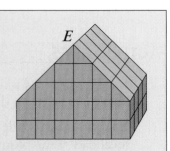

¿Cuál sería el volumen de las figuras C y D, tomando como unidad la figura B?

■ UNIDADES DE VOLUMEN DEL SISTEMA MÉTRICO DECIMAL

La unidad principal de volumen del S.M.D. es el **metro cúbico**.

> Un **metro cúbico** es el volumen de un cubo de un metro de arista.

El metro cúbico se acompaña de sus correspondientes múltiplos y submúltiplos.

km^3	hm^3	dam^3	m^3	dm^3	cm^3	mm^3
⇓	⇓	⇓		⇓	⇓	⇓
1 000 000 000 m^3	1 000 000 m^3	1 000 m^3		0,001 m^3	0,000001 m^3	0,000000001 m^3

Para comprender la relación que existe entre estas unidades, observa la siguiente figura que representa un metro cúbico y su relación con el decímetro cúbico:

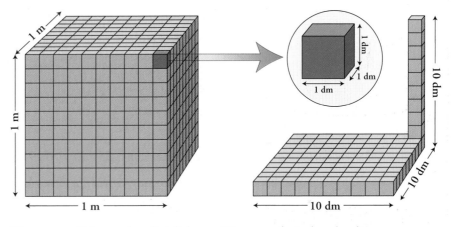

- El metro cúbico se ha dividido en 10 capas de 1 dm de altura.
- Cada capa contiene $10 \times 10 = 100$ dm^3.

Por tanto: 1 $m^3 = 10 \times 10 \times 10 = 1\,000$ dm^3

Y lo mismo ocurre con cada unidad respecto a la siguiente. Por eso decimos que las unidades de volumen *aumentan y disminuyen de mil en mil.*

1 $km^3 = 1\,000$ hm^3 $\qquad 1$ $hm^3 = 1\,000$ dam^3 $\qquad 1$ $dam^3 = 1\,000$ m^3

1 $m^3 = 1\,000$ dm^3 $\qquad 1$ $dm^3 = 1\,000$ cm^3 $\qquad 1$ $cm^3 = 1\,000$ mm^3

ACTIVIDADES

2 Di qué unidades utilizarías para medir el volumen de:
- La arena que se gasta en la construcción de una vivienda.
- El agua contenida en un embalse.
- El líquido contenido en un frasco de perfume.

3 Expresa en dm^3:

a) 1 hm^3 b) 1 dam^3 c) 1 cm^3

4 Expresa en dam^3:

a) 5 000 m^3 b) 8 500 000 dm^3 c) 7 hm^3

■ PASO DE UNA UNIDAD A OTRA

Para efectuar cambios de unidades y operar con cantidades de volumen, resulta de gran ayuda la siguiente disposición, que tiene en cuenta el hecho de que "las unidades de volumen aumentan y disminuyen de mil en mil".

km³	hm³	dam³	m³	dm³	cm³	mm³
		7				
		7 0 0 0				

$$7 \text{ hm}^3 = 7\,000 \text{ dam}^3$$

EJEMPLOS

1. a) Pasar 48,72 hm³ a dam³.

b) Pasar 17 920 000 dam³ a km³.

c) Expresar (51 hm³ 240 dam³) + 2 860 dm³ en hm³.

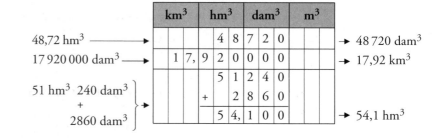

2. *a) Pasar 5m³ 287 dm³ 600 cm³ a dm³.*

b) Expresar en forma compleja 3 008 035 000 mm³.

c) Calcular (3 dm³ 75 cm³) × 24 y dar el resultado en dm³.

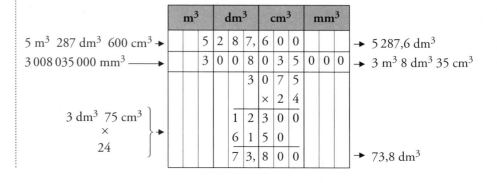

ACTIVIDADES

5 Expresa en decámetros cúbicos:

   a) 3 400 m³   b) 0,028 hm³

   c) 250 hm³ 823 dam³ 3 500 m³

6 Expresa en forma compleja:

   a) 3 528 564 cm³   b) 3 584,025 m³

   c) 8 487 009 m³   d) 28 754 310 dm³

7 Calcula y expresa el resultado en dm³:

   a) (2 m³ 48 dm³) + 7 300 cm³

   b) 6 328 000 dm³ – (6 dam³ 310 m³ 500 dm³)

8 Calcula y expresa el resultado en m³:

   a) (32 dm³ 800 cm³) × 500

   b) (48 hm³ 680 dam³) : 20 000

☐ VOLUMEN Y CAPACIDAD

Aunque se suele pensar en la capacidad como una magnitud asociada a los líquidos y en el volumen como una magnitud para medir el espacio que ocupan los sólidos, en realidad ambos conceptos son idénticos; es decir, en ambos casos hablamos de la misma magnitud.

Recuerda que el litro es la capacidad de un cubo de un decímetro de arista.

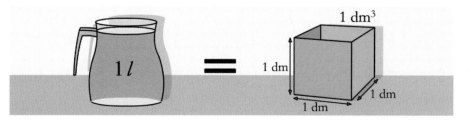

☐ EQUIVALENCIAS ENTRE LOS MÚLTIPLOS Y LOS SUBMÚLTIPLOS DEL LITRO Y DEL METRO CÚBICO

Teniendo en cuenta que 1 l = 1 dm^3 y que los múltiplos y los submúltiplos del litro aumentan de diez en diez, mientras que los del metro cúbico lo hacen de mil en mil, obtenemos:

m^3			dm^3			cm^3		
		1	0	0	0			
					1			
					0	0	0	1
		kl	hl	da$l$	l	dl	cl	ml

1 kl = 1 000 l = 1 m^3

1 l = 1 dm^3

1 ml = 0,001 l = 1 cm^3

EJEMPLOS

a) Expresar 2,45 dm^3 en mililitros.

b) Expresar 3 dal 5 l 2 dl 7 cl en decímetros cúbicos.

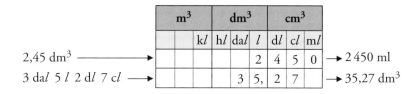

	m^3			dm^3			cm^3		
			kl	hl	da$l$	l	dl	cl	ml
2,45 dm^3 ⟶						2	4	5	0	⟶ 2 450 ml
3 da$l$ 5 l 2 dl 7 cl ⟶						3	5,	2	7	⟶ 35,27 dm^3

ACTIVIDADES

9 Copia y completa las tablas:

	dm^3
1 kl	
1 hl	
1 da$l$	
1 l	1

	cm^3
1 l	
1 dl	
1 cl	
1 ml	1

10 Expresa en litros:

a) 5,1 dm^3 b) 800 cm^3

c) 0,85 m^3 d) 2 m^3 58 dm^3 700 cm^3

11 Expresa en centímetros cúbicos:

a) 42 l b) 5 dl

c) 6 dl 2 cl d) 4 l 5 dl 7 cl

EJERCICIOS DE LA UNIDAD

▷ **Unidades de longitud, capacidad y peso**

1 ▲△△ Pasa a metros:

a) 4,72 km   b) 21,3 hm

c) 720 dm   d) 3 540 mm

2 ▲△△ Expresa en metros:

a) 5 km 2 hm 7 dam

b) 5 m 2 cm 4 mm

c) 27, 46 dam + 436,9 dm

d) 38 600 mm + 9 540 cm

e) 0,83 hm + 9,4 dam + 3 500 cm

3 ▲△△ Expresa en centímetros:

a) 2 dam 7 m 5 dm 4 cm 3 mm

b) 3 hm 4 m 2 mm

c) 0,092 km + 3,06 dam + 300 mm

d) 0,000624 km – 0,38 m

4 ▲△△ Pasa a centilitros:

a) 0,04 hl b) 0,52 da$l$ c) 5,7 l

d) 0,3 l e) 51 dl f) 420 ml

5 ▲△△ Traduce a litros:

a) 3 kl 5 hl 4 l

b) 3 hl 8 da$l$ 6 l 5 dl

c) 6 da$l$ 5 l 8 dl 7 cl

d) 42 dl 320 cl 2 600 ml

6 ▲△△ Pasa a gramos:

a) 0,25 kg   b) 1,04 kg   c) 48 hg

d) 58 dag   e) 6,71 dag   f) 5,3 dg

g) 635 dg   h) 720 cg   i) 7 400 mg

7 ▲△△ Calcula y expresa el resultado en forma compleja:

a) 0,96241 km + 2 537 mm

b) 375,2 dam – 16 593 cm

c) (0,84963 km) × 42

d) (324,83 hm) : 11

8 ▲△△ Calcula y expresa el resultado en litros:

a) (8 hl 5 da$l$ 7 l 3 dl) + 36 070 cl

b) 325 da$l$ – (4 hl 5 da$l$ 8 l)

c) (2 dl 5 cl 4 ml) × 25

d) (5 hl 4 da$l$ 3 l 4 dl): 13

▷ **Unidades de superficie**

9 ▲△△ Pasa a decímetros cuadrados:

a) 0,083 dam^2 b) 5,2 m^2 c) 0,87 m^2

d) 4 500 cm^2 e) 237 cm^2 f) 80 000 mm^2

10 ▲△△ Expresa en metros cuadrados:

a) 4 hm^2 34 dam^2 30 dm^2 86 cm^2

b) 0,00496 km^2 + 3 800 cm^2

c) 0,036 hm^2 – 3,401 m^2

d) (3 200 cm^2) × 6 200

e) (324 dam^2) : 18

11 ▲▲△ Calcula y expresa el resultado en forma compleja:

a) 0,04698 km^2 + 36,42 ha + 5 000 a

b) 136,72 m^2 – 0,485 dam^2

c) (27 dam^2 43 m^2 50 cm^2) × 40

d) (845 527,11 m^2): 20

12 ▲▲△ Expresa en hectáreas:

a) 384 943 a

b) 386 500 m^2

c) (0,846 km^2) × 50

d) (5 km^2 23 hm^2 40 dam^2) × 0,02

e) (43 m^2 11 dm^2 10 cm^2) × 20 000

▷ **Unidades de volumen**

13 ▲△△ Pasa a metros cúbicos:

a) 0,000005 hm^3 b) 52 dam^3

c) 749 dm^3 d) 450 000 cm^3

14 ▲△△ Expresa en centímetros cúbicos:

a) 8,23 dm^3 b) 5 800 mm^3

c) 9,4 dl d) 32 cl

15 ▲▲△ Expresa en litros:

a) $5,2 \text{ m}^3$ b) $0,08 \text{ m}^3$

c) $3,4 \text{ dm}^3$ d) $2\,600 \text{ cm}^3$

16 ▲▲△ Calcula y expresa el resultado en metros cúbicos:

a) $6\,400 \text{ dm}^3 + (2,5 \text{ m}^3 \quad 3\,600 \text{ dm}^3)$

b) $0,008 \text{ hm}^3 - (5,3 \text{ dm}^3 \quad 780 \text{ m}^3)$

c) $(6,2 \text{ cm}^2 \quad 1\,800 \text{ mm}^3) \times 2\,000$

▷ **Problemas**

17 ▲△△ ¿Cuál es la longitud de un meridiano terrestre?

18 ▲△△ ¿Cuál es el peso de la carga de un depósito que contiene 8 dam^3 de agua?

19 ▲▲△ ¿Cuántas botellas de 750 cm^3 se necesitan para envasar 300 litros de refresco?

20 ▲▲△ Un terreno de 5,3 ha se vende a $4,8 \text{ €/m}^2$. ¿Cuál es el precio total del terreno?

21 ▲△△ Una bodega vende vino al por mayor a $1,45 \text{ €/}l$. ¿Cuál es el coste de un camión cisterna que transporta 5 m^3 de ese vino?

22 ▲▲△ Un camión transporta 50 cajas con botellas llenas de agua.

Cada caja contiene 20 botellas de litro y medio.

Una caja vacía pesa 1 500 g, y una botella vacía, 50 g.

¿Cuál es el peso total de la carga?

PROBLEMAS DE ESTRATEGIA

23 Estás junto a una fuente y tienes dos cántaros, uno de 7 litros y otro de 5 litros. ¿Qué harías para medir 4 litros?

24 Un comerciante vende el arroz envasado en bolsas de 1 kg, de 2 kg, de 5kg, y de 10 kg.

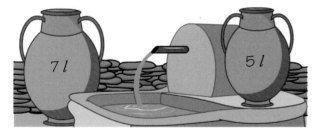

¿De cuántas formas distintas, en cuanto a las bolsas elegidas, puede un cliente llevarse 15 kg de arroz?

25 Calcula, en centímetros cuadrados, la superficie de estas figuras:

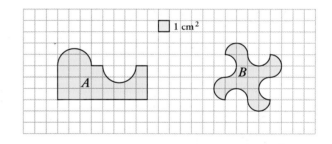

26 Calcula, en centímetros cúbicos, el volumen de estas figuras:

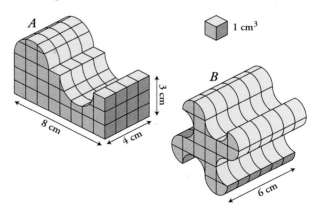

HAZ UN ESQUEMA

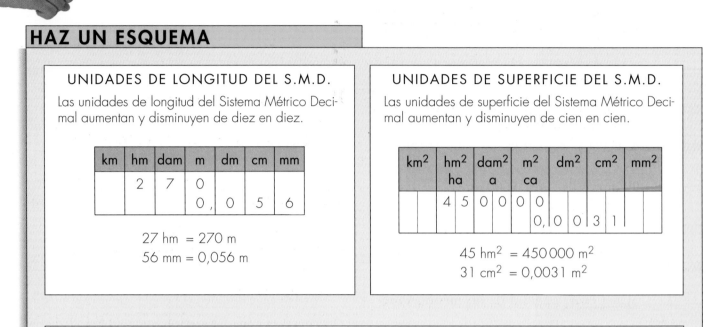

UNIDADES DE LONGITUD DEL S.M.D.

Las unidades de longitud del Sistema Métrico Decimal aumentan y disminuyen de diez en diez.

km	hm	dam	m	dm	cm	mm
	2	7	0			
			0,	0	5	6

27 hm = 270 m
56 mm = 0,056 m

UNIDADES DE SUPERFICIE DEL S.M.D.

Las unidades de superficie del Sistema Métrico Decimal aumentan y disminuyen de cien en cien.

km²	hm² ha	dam² a	m² ca	dm²	cm²	mm²
	4	5 0	0 0	0 0		
				0,0	0 3	1

$45 \ hm^2 = 450\,000 \ m^2$
$31 \ cm^2 = 0,0031 \ m^2$

UNIDADES DE VOLUMEN Y DE CAPACIDAD DEL S.M.D.

Las unidades de volumen del Sistema Métrico Decimal aumentan y disminuyen de mil en mil, y las de capacidad, de diez en diez.

La capacidad y el volumen son una única magnitud.

km³			hm³			dam³			m³			dm³			cm³			mm³		
											kl	hl	dal	l	dl	cl	ml			
						7	5	0	0	0	0									
											0,	0	2	5						
															5	4	0			

$750 \ dam^3 = 750\,000 \ m^3$
$25 \ dm^3 = 25 \ l = 0,025 \ m^3$
$54 \ cl = 540 \ cm^3$

AUTOEVALUACIÓN

1 Pasa 2 dam 7 m 4 dm 5 mm a centímetros.

2 Expresa en forma compleja 2 048,6 decilitros.

3 Calcula y expresa el resultado en gramos:
   3 kg 5 dag 8 g + 8 hg 2 dag 5 g

4 ¿Cuánto pesan 320 decilitros de agua?

5 Expresa en metros cuadrados:
   $3 \ hm^2 \ 25 \ dam^2 \ 8 \ m^2 \ 57 \ dm^2$

6 Expresa en hectáreas: $51 \ km^2 \ 47 \ hm^2 \ 25 \ dam^2$

7 Pasa a metros cúbicos: $42 \ dam^3 \ 133 \ m^3 \ 73 \ dm^3$

8 Calcula y expresa el resultado en centímetros cúbicos:
   $2,6 \ dm^3 + 84 \ cl$

JUEGOS PARA PENSAR

Medir con varas

Con dos varas no graduadas que miden 70 cm y 60 cm, ¿cómo medirías una longitud de 1 m?

Medir sin instrumentos

Anselmo y Antonio tienen un barrilete lleno de vino y lo quieren repartir a partes iguales, pero no tienen ningún instrumento de medida (ni para longitudes ni para volúmenes).

Solo disponen de otro recipiente en el que cabe, sobradamente, la mitad del líquido.

¿Cómo hacen el reparto?

¡Menudo lío!

Beatriz necesita averiguar la longitud del cable que hay en esta maraña. ¿Cómo conseguirlo sin tener que empezar por enderezarlo todo él?

▶ *Se puede usar una balanza.*

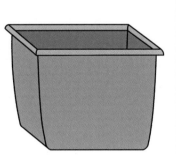

Medir con una balanza

El procedimiento anterior para medir la longitud de una maraña de cable puede utilizarse para hallar el área de una figura muy irregular.

Se dibuja en cartulina o en chapa y se recorta.

Se pesa en una balanza de precisión y se compara con el peso de una unidad de superficie recortada sobre el mismo material.

REFLEXIONA

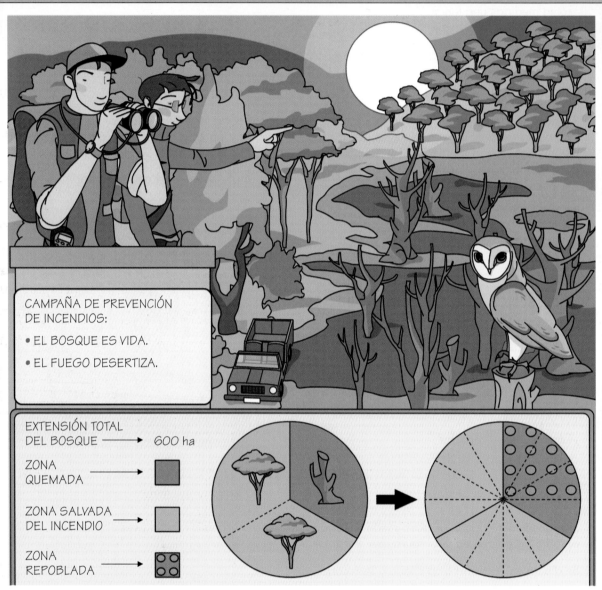

CAMPAÑA DE PREVENCIÓN DE INCENDIOS:

• EL BOSQUE ES VIDA.

• EL FUEGO DESERTIZA.

EXTENSIÓN TOTAL DEL BOSQUE → 600 ha

ZONA QUEMADA →

ZONA SALVADA DEL INCENDIO →

ZONA REPOBLADA →

Además de los números decimales, para expresar unidades incompletas, o partes de la unidad, utilizamos las fracciones.

Las fracciones son números que nos permiten expresar porciones de un todo dividido en partes y realizar cálculos con esas porciones.

◼ ¿Qué parte del bosque se ha quemado? ¿Qué parte se ha salvado?
¿Cuántas hectáreas se han quemado?

◼ El servicio forestal estima que en el incendio se quemaron 40 000 árboles.
¿Cuántos árboles había en el bosque antes del incendio?

◼ En el gráfico puedes apreciar que ya se han repoblado 3/4 de la parte quemada.
¿Qué fracción del total del bosque supone la parte repoblada?
¿Qué fracción del total del bosque falta por repoblar?

TE CONVIENE RECORDAR

CÓMO SE EXPRESAN CON FRACCIONES ALGUNAS SITUACIONES

La parte de tarta consumida se expresa con una fracción: $\dfrac{1}{3}$

De las tres partes en que está dividida la tarta, se ha consumido una.

1 ¿Qué parte de la tarta anterior no ha sido consumida?

2 ¿Cuánto suman la fracción consumida y la no consumida?

Dos kilos de arroz cuestan tres euros.

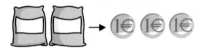

Un kilo de arroz cuesta un euro y medio.

3 ¿Qué fracción expresa el precio de un kilo de arroz?

4 Expresa con una fracción la cantidad de arroz que se puede comprar con un euro.

CUÁNDO UNA FRACCIÓN ES MENOR, IGUAL O MAYOR QUE LA UNIDAD

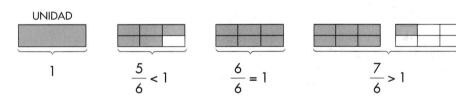

UNIDAD

$1 \qquad \dfrac{5}{6} < 1 \qquad \dfrac{6}{6} = 1 \qquad \dfrac{7}{6} > 1$

5 Encierra en un círculo las fracciones menores que la unidad; en un cuadrado, las mayores que la unidad, y tacha las iguales a la unidad:

$$\dfrac{4}{4} \;;\; \dfrac{2}{3} \;;\; \dfrac{5}{7} \;;\; \dfrac{5}{5} \;;\; \dfrac{8}{7} \;;\; \dfrac{5}{4} \;;\; \dfrac{2}{2} \;;\; \dfrac{7}{10} \;;\; \dfrac{7}{5}$$

CÓMO SE COMPARAN FRACCIONES DE IGUAL DENOMINADOR O DE IGUAL NUMERADOR

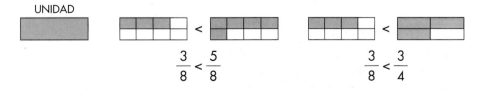

UNIDAD

$\dfrac{3}{8} < \dfrac{5}{8} \qquad\qquad \dfrac{3}{8} < \dfrac{3}{4}$

6 Ordena de menor a mayor:

$$\dfrac{3}{5} \;;\; \dfrac{6}{6} \;;\; \dfrac{7}{5} \;;\; \dfrac{7}{3} \;;\; \dfrac{4}{5} \;;\; \dfrac{7}{6} \;;\; \dfrac{1}{5}$$

1 LOS TRES SIGNIFICADOS DE UNA FRACCIÓN

Ahora vas a revisar tus conocimientos sobre los números fraccionarios, profundizando en los conceptos y en las relaciones que los ligan. Para empezar, reflexiona sobre los distintos significados que puede adoptar una fracción.

■ 1. UNA FRACCIÓN ES UNA PARTE DE LA UNIDAD

Un todo se toma como unidad. La fracción expresa un valor en relación con ese todo.

Por ejemplo, si consideramos el depósito como unidad:

Aquí hay $\dfrac{2}{5}$ de unidad.

← Aquí hay $\dfrac{7}{5}$ de unidad.

■ 2. UNA FRACCIÓN ES UN OPERADOR

Una fracción es un número que opera a una cantidad y la transforma.

Por ejemplo, si el depósito tiene una capacidad de 20 litros:

← Aquí hay $\dfrac{2}{5}$ de 20 litros

$\dfrac{1}{5}$ de 20 = 20 : 5 = 4

$\dfrac{2}{5}$ de 20 = 4 · 2 = 8

$\dfrac{2}{5}$ de 20 litros → (20 : 5) · 2 = 8 litros

> Para calcular la **fracción de un número**, se divide el número por el denominador, y el resultado se multiplica por el numerador.

EJEMPLO

Calcular $\dfrac{3}{8}$ de 400.

$\dfrac{1}{8}$ de 400 = 400 : 8 = 50

$\dfrac{3}{8}$ de 400 = 50 · 3 = 150

$\dfrac{3}{8}$ de 400 = (400 : 8) · 3 = 50 · 3 = 150

ACTIVIDADES

1 ¿Qué fracción de rectángulo se ha coloreado en cada caso?

2 Calcula:

a) $\dfrac{2}{3}$ de 60   b) $\dfrac{3}{5}$ de 40   c) $\dfrac{3}{4}$ de 100

d) $\dfrac{2}{7}$ de 21   e) $\dfrac{5}{6}$ de 42   f) $\dfrac{5}{8}$ de 72

3. UNA FRACCIÓN ES EL COCIENTE INDICADO DE DOS NÚMEROS

Supón que con dos bidones de agua se ha dado de beber a cinco caballos. ¿Qué parte de depósito le ha correspondido a cada uno?

■ El reparto se resuelve con una división → 2 : 5

Pero este resultado también se puede expresar con una fracción → $\dfrac{2}{5}$

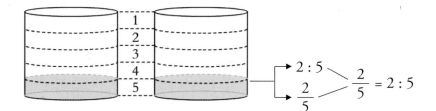

■ Observa que las dos expresiones siguientes tienen el mismo valor decimal:

$$\frac{2}{5} = \frac{4}{10} \text{ (cuatro décimas)} = 0{,}4$$

Obtenemos el mismo valor si dividimos numerador entre denominador. $\Big\}$ 2 : 5 = 0,4

$$\begin{array}{r|l} 2,0 & 5 \\ \hline 0 & 0{,}4 \end{array}$$

Paso de fracción a decimal

Para transformar una fracción en un número decimal, se divide el numerador entre el denominador.

EJEMPLOS

1. Expresar en forma decimal $\dfrac{17}{20}$.

$$\frac{17}{20} = 17 : 20 = 0{,}85$$

$$\begin{array}{r|l} 1\,7,0 & 2\,0 \\ 1\ 0\ 0 & 0{,}8\,5 \\ 0\ 0 & \end{array}$$

2. Expresar en forma de fracción el decimal 1,3.

$$1{,}3 = 13 : 10 = \frac{13}{10}$$

ACTIVIDADES

3 Pasa a forma decimal:

a) $\dfrac{1}{2}$ b) $\dfrac{3}{4}$ c) $\dfrac{1}{3}$

d) $\dfrac{13}{15}$ e) $\dfrac{9}{16}$ f) $\dfrac{12}{25}$

4 Pasa a forma fraccionaria los siguientes decimales exactos:

a) 0,25   b) 0,7   c) 2,4

d) 1,12   e) 0,03   f) 1,005

2 FRACCIONES EQUIVALENTES

Llamamos **fracciones equivalentes** a las que tienen el mismo valor numérico.

Tomemos como ejemplo las fracciones 3/4, 6/8 y 9/12.

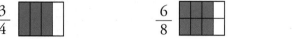 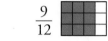

Estas fracciones son equivalentes porque expresan la misma porción de la unidad, esto es, tienen el mismo valor numérico:

$$\frac{3}{4} = 3 : 4 = 0,75 \qquad \frac{6}{8} = 6 : 8 = 0,75 \qquad \frac{9}{12} = 9 : 12 = 0,75$$

■ RELACIÓN ENTRE LOS TÉRMINOS DE DOS FRACCIONES EQUIVALENTES

Observa:

$$\frac{3}{4} = \frac{6}{8} \begin{cases} 3 \cdot 8 = 24 \\ 6 \cdot 4 = 24 \end{cases} \qquad \frac{9}{12} = \frac{3}{4} \begin{cases} 9 \cdot 4 = 36 \\ 12 \cdot 3 = 36 \end{cases}$$

Esta relación se da siempre entre términos de dos fracciones equivalentes y la generalizamos así:

Si dos fracciones son equivalentes, se verifica la siguiente igualdad:

$$\frac{a}{b} = \frac{c}{d} \leftrightarrow a \cdot d = b \cdot c$$

■ CÓMO OBTENER FRACCIONES EQUIVALENTES A UNA DADA

Volviendo a los ejemplos anteriores, observa que:

$$\frac{3}{4} = \frac{3 \cdot 2}{4 \cdot 2} = \frac{6}{8} \qquad \frac{9}{12} = \frac{9 : 3}{12 : 3} = \frac{3}{4}$$

Esto nos lleva a descubrir una propiedad que debes recordar, ya que tiene muchas aplicaciones en el cálculo con números fraccionarios.

Propiedad fundamental de las fracciones

Si se multiplican (o se dividen) los dos términos de una fracción por el mismo número, se obtiene una fracción equivalente a la primitiva. Es decir, el valor de la fracción no varía.

ACTIVIDADES

1 Escribe seis fracciones equivalentes a cada una de las siguientes, tres con los términos más grandes, y tres con los términos más pequeños:

a) $\frac{8}{16}$ b) $\frac{24}{36}$ c) $\frac{100}{200}$

2 Busca:

a) Una fracción equivalente a $\frac{1}{2}$ que tenga 5 por numerador.

b) Una fracción equivalente a $\frac{3}{4}$ que tenga 12 por denominador.

◻ SIMPLIFICACIÓN DE FRACCIONES

Simplificar una fracción es sustituirla por otra equivalente con los términos más sencillos.

Eso es posible gracias a la propiedad vista en la página anterior, que nos permite dividir el numerador y el denominador por el mismo número sin que cambie el valor de la fracción.

$\dfrac{20}{30}$

$\dfrac{10}{15}$

$\dfrac{2}{3}$

EJEMPLO

Simplificar la fracción $\dfrac{20}{30}$.

Dividimos arriba y abajo por 2:

$$\frac{20}{30} = \frac{20:2}{30:2} = \frac{10}{15}$$

La fracción obtenida se puede simplificar otra vez dividiendo por 5:

$$\frac{10}{15} = \frac{10:5}{15:5} = \frac{2}{3}$$

$$\frac{20}{30} = \frac{10}{15} = \frac{2}{3}$$

Observa que en ambos pasos hemos dividido los dos términos de la fracción por un divisor común.

La fracción $\dfrac{2}{3}$ ya no se puede simplificar más porque 2 y 3 no tienen divisores comunes. Decimos entonces que $\dfrac{2}{3}$ es una **fracción irreducible**.

- Para simplificar una fracción, se dividen el numerador y el denominador por un divisor común de ambos términos.

- Una fracción que no se puede simplificar se dice que es **irreducible**.

◻ AMPLIFICACIÓN DE FRACCIONES

Amplificar una fracción es sustituirla por otra equivalente que resulta de multiplicar el numerador y el denominador por un mismo número.

Por ejemplo:

$$\frac{2}{3} = \frac{2 \cdot 6}{3 \cdot 6} = \frac{12}{18}$$

ACTIVIDADES

3 Simplifica estas fracciones:

a) $\dfrac{4}{8}$ b) $\dfrac{3}{9}$ c) $\dfrac{9}{12}$

d) $\dfrac{15}{20}$ e) $\dfrac{12}{18}$ f) $\dfrac{30}{36}$

4 Busca:

a) Una fracción equivalente a $\dfrac{10}{15}$ cuyo denominador sea 12.

b) Una fracción equivalente a $\dfrac{10}{14}$ cuyo denominador sea 21.

◼ REDUCCIÓN DE FRACCIONES A COMÚN DENOMINADOR

Algunos procesos matemáticos con fracciones (ordenar, sumar…) resultan muy sencillos cuando estas tienen el mismo denominador y, por el contrario, se complican cuando los denominadores son diferentes.

Así, por ejemplo, es sencillo ordenar de menor a mayor las siguientes fracciones: $\dfrac{2}{7}$, $\dfrac{-4}{7}$, $\dfrac{5}{7}$, $\dfrac{3}{7}$ → $\dfrac{-4}{7} < \dfrac{2}{7} < \dfrac{3}{7} < \dfrac{5}{7}$.

Sin embargo, ordenar estas otras, $\dfrac{3}{8}$, $\dfrac{5}{6}$, $\dfrac{3}{4}$, $\dfrac{7}{12}$ no es fácil a simple vista. Se hace necesario reducir a común denominador.

> **Reducir fracciones a común denominador** es sustituirlas por otras equivalentes con el mismo denominador.

◼ MÉTODO PARA REDUCIR FRACCIONES A COMÚN DENOMINADOR

En el ejemplo que ponemos a continuación se reducen a común denominador las fracciones $\dfrac{3}{8}$, $\dfrac{5}{6}$, $\dfrac{3}{4}$ y $\dfrac{7}{12}$.

Es importante que razones y comprendas cada uno de los pasos del proceso seguido.

EJEMPLO

► Se calcula el mínimo común múltiplo, m, de los denominadores.

► Se transforma cada fracción en otra equivalente que tenga por denominador m.

Para ello, se multiplican los dos miembros de cada fracción por el número que resulta de dividir m por el denominador.

m.c.m. $(8, 6, 4, 12) = 24$

$$\dfrac{3}{8} \qquad \dfrac{5}{6} \qquad \dfrac{3}{4} \qquad \dfrac{7}{12}$$

$$24:8 \qquad 24:6 \qquad 24:4 \qquad 24:12$$

$$\dfrac{3 \cdot 3}{8 \cdot 3} \qquad \dfrac{5 \cdot 4}{6 \cdot 4} \qquad \dfrac{3 \cdot 6}{4 \cdot 6} \qquad \dfrac{7 \cdot 2}{12 \cdot 2}$$

$$\dfrac{9}{24} \qquad \dfrac{20}{24} \qquad \dfrac{18}{24} \qquad \dfrac{14}{24}$$

ACTIVIDADES

5 Reduce a común denominador poniendo el denominador que se indica en cada caso:

a) $\dfrac{1}{2}$, $\dfrac{1}{4}$, $\dfrac{1}{8}$ (Denominador común: 8)

b) $\dfrac{3}{4}$, $\dfrac{2}{3}$, $\dfrac{5}{6}$ (Denominador común: 12)

c) $\dfrac{3}{5}$, $\dfrac{3}{10}$, $\dfrac{1}{4}$ (Denominador común: 20)

d) $\dfrac{5}{6}$, $\dfrac{7}{12}$, $\dfrac{4}{9}$ (Denominador común: 36)

6 Reduce a común denominador cada grupo de fracciones:

a) $\dfrac{1}{2}$, $\dfrac{1}{3}$

b) $\dfrac{3}{7}$, $\dfrac{5}{14}$

c) $\dfrac{5}{6}$, $\dfrac{4}{9}$

d) $\dfrac{1}{2}$, $\dfrac{2}{3}$, $\dfrac{3}{5}$

e) $\dfrac{2}{5}$, $\dfrac{3}{10}$, $\dfrac{7}{20}$

f) $\dfrac{3}{4}$, $\dfrac{7}{10}$, $\dfrac{3}{5}$

g) $\dfrac{1}{4}$, $\dfrac{3}{5}$, $\dfrac{7}{20}$, $\dfrac{5}{10}$

h) $\dfrac{3}{2}$, $\dfrac{5}{3}$, $\dfrac{7}{10}$, $\dfrac{2}{9}$

☐ COMPARACIÓN DE FRACCIONES

Para comparar fracciones, podemos seguir dos procedimientos: pasarlas a forma decimal o reducirlas a común denominador.

Veamos cómo se aplica cada uno de esos procedimientos para ordenar las fracciones $\dfrac{2}{3}$, $\dfrac{3}{5}$, $\dfrac{5}{6}$ y $\dfrac{7}{10}$.

■ PRIMER MÉTODO: PASAR A FORMA DECIMAL

Recordando que una fracción es un cociente indicado:

$$\dfrac{2}{3} = 2 : 3 = 0,\widehat{6}$$

$$\dfrac{3}{5} = 3 : 5 = 0,6$$

$$\dfrac{5}{6} = 5 : 6 = 0,8\widehat{3}$$

$$\dfrac{7}{10} = 7 : 10 = 0,7$$

$$0,6 < 0,\widehat{6} < 0,7 < 0,8\widehat{3}$$
$$\downarrow \quad \downarrow \quad \downarrow \quad \downarrow$$
$$\dfrac{3}{5} < \dfrac{2}{3} < \dfrac{7}{10} < \dfrac{5}{6}$$

$$0,6 < 0,\widehat{6} < 0,7 < 0,8\widehat{3}$$

COMPARACIÓN DE DECIMALES

Compara $0,\widehat{6}$ y $0,6$.

	D	U	d	c	m	...
$0,\widehat{6} \rightarrow$	0,	6	6	6	6	...
$0,6 \rightarrow$	0,	6	0	0	0	...

$$0,6 < 0,\widehat{6}$$

■ SEGUNDO MÉTODO: REDUCIR A COMÚN DENOMINADOR

Si sustituimos cada fracción por otra equivalente, de forma que todas tengan el mismo denominador, la comparación resultará muy sencilla:

[Pongamos como denominador: m.c.m. (3, 5, 6, 10) = 30]

$$\dfrac{2}{3} = \dfrac{2 \cdot 10}{3 \cdot 10} = \dfrac{20}{30}$$

$$\dfrac{3}{5} = \dfrac{3 \cdot 6}{5 \cdot 6} = \dfrac{18}{30}$$

$$\dfrac{5}{6} = \dfrac{5 \cdot 5}{6 \cdot 5} = \dfrac{25}{30}$$

$$\dfrac{7}{10} = \dfrac{7 \cdot 3}{10 \cdot 3} = \dfrac{21}{30}$$

$$\dfrac{18}{30} < \dfrac{20}{30} < \dfrac{21}{30} < \dfrac{25}{30}$$
$$\downarrow \quad \downarrow \quad \downarrow \quad \downarrow$$
$$\dfrac{3}{5} < \dfrac{2}{3} < \dfrac{7}{10} < \dfrac{5}{6}$$

CÁLCULO DEL M.C.M.

$$\left.\begin{array}{l} 3 = 3 \\ 5 = 5 \\ 6 = 2 \cdot 3 \\ 10 = 2 \cdot 5 \end{array}\right\} \begin{array}{l} \text{m.c.m. } (3, 5, 6, 10) = \\ = 2 \cdot 3 \cdot 5 = 30 \end{array}$$

ACTIVIDADES

7 Compara **mentalmente**, sin hacer ninguna operación, y ordena de menor a mayor:

a) $\dfrac{1}{5}$, $\dfrac{1}{6}$, $\dfrac{1}{3}$, $\dfrac{1}{7}$

b) $\dfrac{2}{9}$, $\dfrac{5}{9}$, $\dfrac{1}{9}$, $\dfrac{7}{9}$

c) $\dfrac{3}{5}$, $\dfrac{3}{7}$, $\dfrac{3}{4}$, $\dfrac{3}{2}$

d) $\dfrac{3}{5}$, $\dfrac{5}{4}$, $\dfrac{4}{5}$, $\dfrac{7}{4}$

8 Pasa a forma decimal y ordena de menor a mayor:

a) $\dfrac{5}{6}$, $\dfrac{3}{4}$, $\dfrac{10}{13}$, $\dfrac{11}{10}$, $\dfrac{8}{7}$

b) $\dfrac{7}{10}$, $\dfrac{8}{9}$, $\dfrac{3}{2}$, $\dfrac{5}{7}$, $\dfrac{8}{10}$

9 Reduce a común denominador y ordena:

a) $\dfrac{3}{5}$, $\dfrac{5}{8}$, $\dfrac{7}{10}$, $\dfrac{17}{20}$

b) $\dfrac{3}{2}$, $\dfrac{3}{4}$, $\dfrac{7}{8}$, $\dfrac{13}{16}$

3 SUMA Y RESTA DE FRACCIONES

■ CON IGUAL DENOMINADOR

Recuerda que para sumar o restar fracciones de igual denominador, se suman o se restan los numeradores, dejando el mismo denominador.

Por ejemplo:

$$\frac{3}{9} + \frac{7}{9} - \frac{4}{9} = \frac{3+7-4}{9} = \frac{6}{9} = \frac{2}{3}$$

■ CON DISTINTO DENOMINADOR

Para sumar o restar fracciones con denominadores distintos, empezaremos por reducirlas a común denominador.

RECUERDA

Cuando sumemos o restemos números enteros con fracciones, trataremos a estos como fracciones de denominador uno.

Es lo que se ha hecho en el primer paso del ejemplo que aparece a la derecha.

EJEMPLO

$$2 - \frac{3}{10} - \frac{1}{2} = \frac{2}{1} - \frac{3}{10} - \frac{1}{2} = \quad \text{(Elegimos el 10 como denominador común).}$$

$$= \frac{2 \cdot 10}{1 \cdot 10} - \frac{3}{10} - \frac{1 \cdot 5}{2 \cdot 5} = \frac{20}{10} - \frac{3}{10} - \frac{5}{10} = \text{(Operamos y simplificamos).}$$

$$= \frac{20-3-5}{10} = \frac{20-(3+5)}{10} = \frac{20-8}{10} = \frac{12}{10} = \frac{6}{5}$$

Para sumar o restar fracciones:

• Se reducen, primero, a común denominador. (Si hay algún sumando entero, se le trata como una fracción de denominador uno).

• Se suman o se restan los numeradores. (Todo lo que sabes sobre números positivos y números negativos puedes aplicarlo en el cálculo con fracciones).

ACTIVIDADES

1 **Calcula mentalmente:**

a) $1 - \dfrac{1}{2}$ b) $1 + \dfrac{1}{2}$ c) $\dfrac{1}{2} - \dfrac{1}{4}$

d) $\dfrac{1}{2} + \dfrac{1}{4}$ e) $2 + \dfrac{3}{4}$ f) $\dfrac{1}{2} + \dfrac{1}{3}$

2 **Calcula:**

a) $\dfrac{5}{6} - \dfrac{4}{9}$ b) $\dfrac{1}{2} + \dfrac{1}{4} + \dfrac{1}{8}$

c) $\dfrac{1}{2} - \dfrac{2}{3} + \dfrac{3}{5}$ d) $\dfrac{3}{4} - \dfrac{7}{10} + \dfrac{3}{5} - \dfrac{13}{20}$

3 **Calcula:**

a) $\left(\dfrac{1}{2} + \dfrac{1}{3} \right) - \left(\dfrac{1}{2} - \dfrac{1}{3} \right)$

b) $\dfrac{2}{5} + \left(\dfrac{3}{4} - 1 \right) - \left(\dfrac{3}{10} - 1 \right)$

4 En una población de 3 000 habitantes, 1/5 son varones menores de 20 años y 1/6 son mujeres menores de 20 años.

¿Qué fracción de la población tiene menos de 20 años? ¿Cuántos son?

4 PRODUCTO DE FRACCIONES

Observa e interpreta los siguientes gráficos:

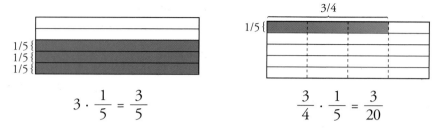

$$3 \cdot \frac{1}{5} = \frac{3}{5} \qquad\qquad \frac{3}{4} \cdot \frac{1}{5} = \frac{3}{20}$$

La forma rápida de llegar a los mismos resultados, sin la ayuda de los gráficos, sería:

$$3 \cdot \frac{1}{5} = \frac{3}{1} \cdot \frac{1}{5} = \frac{3 \cdot 1}{1 \cdot 5} = \frac{3}{5} \qquad\qquad \frac{3}{4} \cdot \frac{1}{5} = \frac{3 \cdot 1}{4 \cdot 5} = \frac{3}{20}$$

Para multiplicar fracciones:

$$\frac{a}{b} \cdot \frac{c}{d} = \frac{a \cdot c}{b \cdot d}$$

← Se multiplican los numeradores.
← Se multiplican los denominadores.

◼ FRACCIONES INVERSAS

Si tomamos una fracción cualquiera $\left(\frac{3}{5}\text{, por ejemplo}\right)$, existe otra $\left(\frac{5}{3}\right)$ que multiplicada por la primera nos da la unidad:

$$\frac{3}{5} \cdot \frac{5}{3} = \frac{3 \cdot 5}{5 \cdot 3} = \frac{15}{15} = 1$$

Diremos que $\frac{3}{5}$ es inversa de $\frac{5}{3}$, y viceversa.

TEN EN CUENTA

Observa que el único número que no tiene inverso es el cero.

El inverso de $\frac{0}{1}$ sería $\frac{1}{0}$, que no tiene significado en matemáticas.

Las **fracciones** $\frac{a}{b}$ y $\frac{b}{a}$ son **inversas**. Su producto es la unidad. $\qquad \frac{a}{b} \cdot \frac{b}{a} = \frac{a \cdot b}{b \cdot a} = 1$

ACTIVIDADES

1 Expresa con una fracción:
a) La mitad de la mitad.
b) La mitad de un cuarto.
c) La cuarta parte de la mitad.
d La cuarta parte de un octavo.

2 Calcula:
a) $5 \cdot \frac{2}{3}$ b) $\frac{3}{4} \cdot (-4)$
c) $\frac{-2}{3} \cdot \frac{6}{5}$ d) $\frac{1}{2} \cdot \frac{1}{5}$

3 En una ciudad viven 200 000 personas, 1/5 de las cuales son inmigrantes, y 3/4 de los inmigrantes son jóvenes.

¿Qué fracción de la población representa a los inmigrantes jóvenes? ¿Cuántos son?

4 Calcula x en cada caso:
a) $\frac{3}{4} \cdot x = \frac{12}{20}$ b) $\frac{2}{5} \cdot x = \frac{2}{15}$
c) $4 \cdot x = \frac{4}{3}$ d) $\frac{2}{5} \cdot x = 3$

5 COCIENTE DE FRACCIONES

Dividir dos números equivale a multiplicar el primero por el inverso del segundo.

Observa los siguientes ejemplos.

■ DIVISIÓN DE DOS NÚMEROS ENTEROS

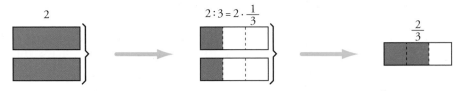

Como ves, dividir entre 3 es lo mismo que multiplicar por $\dfrac{1}{3}$.

FRACCIÓN ENTRE UN ENTERO

Para dividir una fracción entre un número entero a, se multiplica a por el denominador de la fracción.

$$\frac{3}{4} : a = \frac{3}{4} \cdot \frac{1}{a} = \frac{3}{4 \cdot a}$$

■ DIVISIÓN DE UNA FRACCIÓN ENTRE UN ENTERO

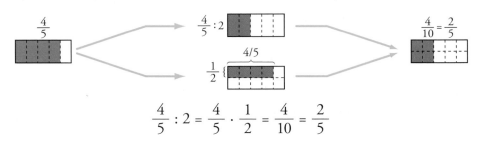

$$\frac{4}{5} : 2 = \frac{4}{5} \cdot \frac{1}{2} = \frac{4}{10} = \frac{2}{5}$$

■ DIVISIÓN DE DOS FRACCIONES

Actuando de la misma forma que en los casos anteriores, para dividir dos fracciones, multiplicaremos la primera por la inversa de la segunda.

$$\frac{3}{4} : \frac{5}{2} = \frac{3}{4} \cdot \frac{2}{5} = \frac{6}{20} = \frac{3}{10}$$

Para dividir dos fracciones:

$$\frac{a}{b} \times \frac{c}{d} = \frac{a \cdot d}{b \cdot c} \qquad \text{Se multiplican los términos cruzados.}$$

ACTIVIDADES

1 Opera:

a) $5 : \dfrac{1}{2}$ b) $\dfrac{1}{2} : 5$

c) $\dfrac{2}{7} : \dfrac{3}{4}$ d) $\dfrac{4}{3} : \dfrac{2}{6}$

e) $\dfrac{1}{2} : \dfrac{1}{5}$ f) $\dfrac{2}{5} : \dfrac{4}{10}$

g) $\dfrac{2}{3} : \dfrac{4}{6}$ h) $\dfrac{3}{7} : \dfrac{5}{2}$

2 Calcula x en cada caso:

a) $\dfrac{2}{5} : x = \dfrac{8}{15}$ b) $\dfrac{1}{2} : x = \dfrac{3}{2}$

c) $\dfrac{4}{3} : x = \dfrac{2}{3}$ d) $x : \dfrac{1}{3} = 1$

3 Con una jarra de zumo de 3/4 de litro se llenan 5 vasos.

¿Qué fracción de litro entra en un vaso?

6 HISTORIA DE LOS NÚMEROS FRACCIONARIOS

En las culturas más primitivas solo se encuentra la idea de número natural. Lo que interesaba era contar el número de días, de personas, de animales en la manada… Pero con la complejidad que aparece en los pueblos más organizados, resultó necesario empezar a considerar repartos, divisiones, herencias…, lo que condujo a la idea de fracción.

◻ EGIPTO

Ya en el siglo XX a.C., los egipcios manejaban las fracciones. Curiosamente, solo escribían directamente las que tienen numerador 1, poniendo el denominador con un punto encima (o bien con el símbolo $\bigcirc$ encima):

$$\overset{\bigcirc}{||} = \frac{1}{2} \qquad \overset{||}{|\,||} = \frac{1}{5} \qquad \overset{\bigcirc}{\cap} = \frac{1}{10} \qquad \overset{\bigcirc}{9} = \frac{1}{100}$$

Las fracciones con numeradores distintos de 1 las expresaban como suma de las anteriores, intentando empezar con las de denominadores tan pequeños como fuese posible. Por ejemplo:

Para poner $\dfrac{2}{5}$ hacían: $\qquad \left(\dfrac{1}{3} + \dfrac{1}{15} = \dfrac{2}{5} \right)$

Para poner $\dfrac{4}{5}$ hacían: $\qquad \left(\dfrac{1}{2} + \dfrac{1}{5} + \dfrac{1}{10} = \dfrac{4}{5} \right)$

Representación de números egipcios sobre un obelisco de Luxor.

◻ GRECIA

Para los griegos, entre los siglos V y III a.C., las fracciones no eran propiamente números, sino relaciones entre números naturales.

Pitágoras y sus seguidores encontraron interesantes relaciones entre la música y los números:

• Si pulsas una cuerda de una guitarra, obtienes un sonido.

• Si pisas la cuerda en el punto medio y la pulsas, obtienes un sonido armonioso con el anterior. Otro tanto ocurre cuando pisas la cuerda en puntos situados a $\dfrac{2}{3}$ y a $\dfrac{3}{4}$ de la longitud total.

• Este fue el origen de las notas musicales.

Los griegos heredaron el tratamiento egipcio de las fracciones. Pero también conocían el sistema sexagesimal babilonio, con el que las operaciones con fracciones eran tan sencillas como ahora.

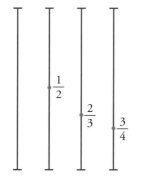

ACTIVIDADES

1 Escribe, utilizando la notación egipcia, las siguientes fracciones:

$$\frac{2}{3} \qquad \frac{3}{4} \qquad \frac{3}{5} \qquad \frac{5}{6}$$

2 Escribe los siguientes números decimales utilizando la notación egipcia para las fracciones:

$$0,1 \qquad 0,01 \qquad 0,21 \qquad 0,22 \qquad 0,001$$

EJERCICIOS DE LA UNIDAD

▷ **Fracciones: significado y representación**

1 ▲△△ ¿Qué fracción se ha representado en cada una de estas figuras?

2 ▲△△ Colorea en cada triángulo la fracción que se indica:

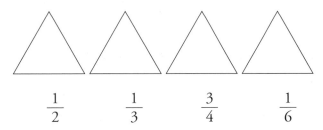

$\frac{1}{2}$ $\qquad$ $\frac{1}{3}$ $\qquad$ $\frac{3}{4}$ $\qquad$ $\frac{1}{6}$

3 ▲△△ Calcula mentalmente:

a) $\frac{3}{4}$ de 400 $\qquad$ b) $\frac{5}{8}$ de 800

c) $\frac{3}{4}$ de 1 000 $\qquad$ d) $\frac{5}{6}$ de 60

e) $\frac{2}{7}$ de 14 $\qquad$ f) $\frac{3}{5}$ de 25

4 ▲△△ Calcula mentalmente en el orden en que aparecen:

a) $\frac{1}{4}$ de 20 $\qquad$ b) $\frac{3}{4}$ de 20

c) $\frac{1}{5}$ de 30 $\qquad$ d) $\frac{3}{5}$ de 30

e) $\frac{1}{6}$ de 42 $\qquad$ f) $\frac{5}{6}$ de 42

g) $\frac{1}{7}$ de 28 $\qquad$ h) $\frac{3}{7}$ de 28

5 ▲△△ Calcula:

a) $\frac{2}{7}$ de 735 $\qquad$ b) $\frac{5}{13}$ de 104

c) $\frac{5}{6}$ de 498 $\qquad$ d) $\frac{3}{8}$ de 1 160

e) $\frac{4}{9}$ de 153 $\qquad$ f) $\frac{7}{11}$ de 1 650

6 ▲▲△ Calcula mentalmente y completa:

a) Los $\frac{3}{4}$ de .... valen 15.

b) Los $\frac{2}{3}$ de .... valen 8.

c) Los $\frac{4}{5}$ de .... valen 20.

7 ▲▲△ EJERCICIO RESUELTO

Busca el número de la casilla:

$$\frac{3}{7} \ de \ \boxed{?} = 48$$

Resolución

$\frac{3}{7}$ de $\boxed{?}$ = 48

$\frac{1}{7}$ de $\boxed{?}$ = 48 : 3 = 16

$\boxed{?}$ = $\frac{7}{7}$ de $\boxed{?}$ = 16 · 7 = 112

El número que buscábamos es 112.

8 ▲▲△ Completa el número que falta en cada casilla:

a) $\frac{1}{3}$ de $\boxed{?}$ = 20 $\qquad$ b) $\frac{2}{3}$ de $\boxed{?}$ = 40

c) $\frac{1}{5}$ de $\boxed{?}$ = 8 $\qquad$ d) $\frac{3}{5}$ de $\boxed{?}$ = 24

e) $\frac{5}{6}$ de $\boxed{?}$ = 65 $\qquad$ f) $\frac{3}{8}$ de $\boxed{?}$ = 36

9 ▲▲△ Transforma cada una de estas fracciones en un número decimal:

a) $\frac{3}{10}$ $\qquad$ b) $\frac{25}{1\,000}$ $\qquad$ c) $\frac{145}{10}$

d) $\frac{4}{5}$ $\qquad$ e) $\frac{5}{4}$ $\qquad$ f) $\frac{5}{8}$

g) $\frac{1}{3}$ $\qquad$ h) $\frac{6}{25}$ $\qquad$ i) $\frac{17}{50}$

10 ▲△△ Expresa estos decimales en forma de fracción:

a) 0,1 $\qquad$ b) 0,7 $\qquad$ c) 0,02

d) 0,005 $\qquad$ e) 0,0003 $\qquad$ f) 0,000001

11 ▲△△ Expresa en forma de fracción:

a) 1,2 $\qquad$ b) 0,12 $\qquad$ c) 5,03

d) 0,024 $\qquad$ e) 2,400 $\qquad$ f) 15,7

▷ Equivalencia, comparación y ordenación de fracciones

12 ▲△△ Escribe tres fracciones equivalentes en cada caso:

a) $\dfrac{2}{3}$ b) $\dfrac{3}{5}$ c) $\dfrac{4}{8}$

13 ▲△△ Busca pares de fracciones equivalentes:

$$\dfrac{2}{3};\ \dfrac{9}{15};\ \dfrac{2}{7};\ \dfrac{6}{18};\ \dfrac{3}{5};\ \dfrac{10}{15};\ \dfrac{6}{21};\ \dfrac{1}{3}$$

14 ▲△△ EJERCICIO RESUELTO

Encuentra la fracción irreducible de $\dfrac{48}{60}$.

Resolución

$$\dfrac{48}{60} \overset{:2}{=} \dfrac{24}{30} \overset{:2}{=} \dfrac{12}{15} \overset{:3}{=} \dfrac{4}{5}$$

La fracción $\dfrac{4}{5}$ es irreducible porque 4 y 5 no tienen factores primos comunes.

15 ▲△△ Simplifica:

a) $\dfrac{4}{8}$ b) $\dfrac{6}{8}$ c) $\dfrac{7}{21}$

d) $\dfrac{6}{18}$ e) $\dfrac{15}{25}$ f) $\dfrac{12}{16}$

g) $\dfrac{18}{27}$ h) $\dfrac{25}{75}$ i) $\dfrac{75}{100}$

16 ▲▲△ EJERCICIO RESUELTO

Busca una fracción equivalente a $\dfrac{6}{9}$ que tenga 12 por denominador.

Dos formas de resolución

a) Simplificando y amplificando:

$$\dfrac{6}{9} \overset{:3}{=} \dfrac{2}{3} \overset{\cdot4}{=} \dfrac{8}{12}$$

b) Por la igualdad de productos cruzados:

$$\dfrac{6}{9} = \dfrac{\boxed{?}}{12} \to 6 \cdot 12 = 9 \cdot \boxed{?} \to 72 = 9 \cdot \boxed{?} \to$$
$$\to \boxed{?} = 72 : 9 = 8 \to \text{La fracción buscada es } \dfrac{8}{12}.$$

17 ▲▲△ Busca:

a) Una fracción equivalente a $\dfrac{2}{3}$ que tenga 12 por denominador.

b) Una fracción equivalente a $\dfrac{3}{5}$ que tenga 9 de numerador.

c) Una fracción equivalente a $\dfrac{10}{15}$ cuyo denominador sea 18.

18 ▲△△ Simplifica:

a) $\dfrac{100}{200}$ b) $\dfrac{126}{180}$ c) $\dfrac{273}{546}$

19 ▲△△ Completa el término que falta:

a) $\dfrac{2}{5} = \dfrac{4}{\boxed{?}}$ b) $\dfrac{5}{7} = \dfrac{\boxed{?}}{21}$

c) $\dfrac{2}{6} = \dfrac{5}{\boxed{?}}$ d) $\dfrac{6}{15} = \dfrac{\boxed{?}}{10}$

20 ▲△△ Calcula x en cada caso:

a) $\dfrac{1}{2} = \dfrac{x}{6}$ b) $\dfrac{3}{5} = \dfrac{24}{x}$

c) $\dfrac{15}{20} = \dfrac{x}{8}$ d) $\dfrac{10}{x} = \dfrac{14}{21}$

21 ▲▲△ Reduce a común denominador y ordena:

a) $\dfrac{3}{4},\ \dfrac{1}{2},\ \dfrac{5}{8}$

b) $\dfrac{1}{2},\ \dfrac{3}{5},\ \dfrac{7}{10}$

c) $\dfrac{3}{4},\ \dfrac{4}{5},\ \dfrac{7}{10}$

d) $\dfrac{7}{2},\ \dfrac{8}{3},\ \dfrac{9}{5}$

22 ▲▲△ Ordena de menor a mayor:

a) $\dfrac{3}{4},\ \dfrac{5}{8},\ \dfrac{11}{16},\ \dfrac{7}{8}$

b) $\dfrac{3}{5},\ \dfrac{13}{20},\ \dfrac{7}{10},\ \dfrac{3}{4}$

c) $\dfrac{1}{2},\ \dfrac{1}{3},\ \dfrac{5}{6},\ \dfrac{7}{12}$

▷ Suma y resta de fracciones

23 ▲△△ Calcula mentalmente:

a) $\dfrac{1}{2} + \dfrac{1}{2}$ b) $1 - \dfrac{1}{2}$

c) $\dfrac{1}{2} + \dfrac{1}{4}$ d) $\dfrac{3}{4} - \dfrac{1}{2}$

24 ▲△△ Calcula:

a) $\dfrac{1}{2} - \dfrac{1}{3}$ b) $\dfrac{2}{3} + \dfrac{3}{5}$ c) $\dfrac{5}{6} - \dfrac{2}{3}$

25 ▲△△ Opera:

a) $2 - \dfrac{3}{7}$ b) $\dfrac{5}{3} - 1$ c) $\dfrac{2}{3} - 2$

26 ▲▲△ Calcula:

a) $\dfrac{1}{2} - \dfrac{1}{4} + \dfrac{1}{8}$ b) $\dfrac{1}{3} - \dfrac{8}{9} + \dfrac{24}{27}$

c) $2 - \dfrac{3}{2} - \dfrac{5}{6}$ d) $\dfrac{7}{8} - 1 + \dfrac{5}{3}$

27 ▲▲△ Calcula:

a) $\dfrac{3}{4} - 1 - \dfrac{1}{3} + \dfrac{5}{9}$

b) $\dfrac{1}{2} - \dfrac{2}{5} + \dfrac{3}{4} - \dfrac{7}{10} + \dfrac{7}{20}$

28 ▲▲▲ EJERCICIO RESUELTO

Calcular $\left(1 - \dfrac{1}{3}\right) - \left(\dfrac{1}{2} - \dfrac{1}{5}\right)$

Dos formas de resolución

a) $\left(1 - \dfrac{1}{3}\right) - \left(\dfrac{1}{2} - \dfrac{1}{5}\right) =$

$= \left(\dfrac{3}{3} - \dfrac{1}{3}\right) - \left(\dfrac{5}{10} - \dfrac{2}{10}\right) =$

$= \dfrac{2}{3} - \dfrac{3}{10} = \dfrac{20}{30} - \dfrac{9}{30} = \dfrac{11}{30}$

b) $\left(1 - \dfrac{1}{3}\right) - \left(\dfrac{1}{2} - \dfrac{1}{5}\right) = 1 - \dfrac{1}{3} - \dfrac{1}{2} + \dfrac{1}{5} =$

$= \dfrac{30}{30} - \dfrac{10}{30} - \dfrac{15}{30} + \dfrac{6}{30} = \dfrac{36 - 25}{30} = \dfrac{11}{30}$

29 ▲▲▲ Realiza estas operaciones:

a) $\left(2 + \dfrac{3}{5}\right) - \left(3 - \dfrac{1}{3}\right)$

b) $1 - \left(\dfrac{1}{2} + \dfrac{1}{3} - \dfrac{1}{4}\right)$

c) $\left(\dfrac{5}{3} + \dfrac{3}{4}\right) - \left(1 - \dfrac{2}{3} + \dfrac{3}{4}\right)$

d) $\dfrac{3}{4} - \left[1 - \left(\dfrac{1}{3} + \dfrac{1}{4}\right)\right]$

▷ Multiplicación y división de fracciones

30 ▲▲△ Calcula y simplifica:

a) $3 \cdot \dfrac{1}{6}$ b) $5 \cdot \dfrac{3}{10}$ c) $\dfrac{2}{3} \cdot 6$

d) $5 \cdot \dfrac{4}{15}$ e) $\dfrac{3}{5} \cdot 10$ f) $\dfrac{3}{8} \cdot 2$

31 ▲▲△ Calcula y reduce:

a) $\dfrac{2}{3} \cdot \dfrac{3}{4}$ b) $\dfrac{1}{2} \cdot \dfrac{4}{5}$ c) $\dfrac{5}{12} \cdot \dfrac{3}{10}$

d) $\dfrac{3}{14} \cdot \dfrac{7}{9}$ e) $\dfrac{2}{5} \cdot \dfrac{15}{16}$ f) $\dfrac{4}{3} \cdot \dfrac{9}{8}$

32 ▲▲△ Calcula y reduce:

a) $1 : \dfrac{3}{4}$ b) $1 : \dfrac{5}{7}$ c) $\dfrac{1}{5} : 2$

d) $4 : \dfrac{2}{3}$ e) $2 : \dfrac{4}{3}$ f) $\dfrac{3}{5} : 6$

33 ▲▲△ Calcula y simplifica:

a) $\dfrac{1}{4} : \dfrac{1}{5}$ b) $\dfrac{1}{5} : \dfrac{1}{4}$ c) $\dfrac{1}{2} : \dfrac{3}{4}$

d) $\dfrac{3}{4} : \dfrac{1}{8}$ e) $\dfrac{3}{7} : \dfrac{9}{14}$ f) $\dfrac{3}{10} : \dfrac{9}{20}$

34 ▲▲△ Opera y reduce:

a) $\dfrac{4}{9} : \dfrac{1}{3} : 2$ b) $\dfrac{4}{9} : \left(\dfrac{1}{3} : 2\right)$

c) $\left(2 \cdot \dfrac{1}{4}\right) : \left(6 \cdot \dfrac{1}{3}\right)$ d) $2 \cdot \left(\dfrac{1}{4} : \dfrac{1}{3}\right) \cdot 6$

35 ▲▲▲ EJERCICIO RESUELTO

$$\left(\frac{3}{4}\right)^5 : \left(\frac{3}{4}\right)^3 = \left(\frac{3}{4}\right)^2 = \frac{3}{4} \cdot \frac{3}{4} = \frac{9}{16}$$

36 ▲▲▲ Calcula:

a) $\left(\frac{1}{2}\right)^3$ 　　　　 b) $\left(-\frac{1}{2}\right)^3$

c) $\left(\frac{1}{2}\right)^2 \cdot \left(\frac{3}{2}\right)^3$ 　　 d) $\left(\frac{5}{7}\right)^2 : \left(\frac{5}{7}\right)^3$

37 ▲▲▲ EJERCICIO RESUELTO

$$\left(\frac{3}{4} - 1\right) : \left(\frac{5}{8} - \frac{1}{2}\right) = \left(\frac{3}{4} - \frac{4}{4}\right) : \left(\frac{5}{8} - \frac{4}{8}\right) =$$

$$= \left(-\frac{1}{4}\right) : \left(\frac{1}{8}\right) = -\left(\frac{1}{4} : \frac{1}{8}\right) = -\frac{8}{4} = -2$$

38 ▲▲▲ Calcula:

a) $\left(\frac{1}{2} - \frac{1}{3}\right) : \left(1 - \frac{5}{6}\right)$ 　 b) $\left(1 - \frac{3}{2}\right) : \left(1 - \frac{4}{3}\right)$

c) $\left(1 - \frac{1}{3}\right) \cdot \left(1 - \frac{1}{4}\right) : \left(1 + \frac{1}{2}\right)$

39 ▲▲▲ EJERCICIO RESUELTO

$$\frac{1}{2} : \left[\frac{1}{3} - 2 \cdot \left(1 - \frac{3}{4}\right)\right] =$$

$$= \frac{1}{2} : \left[\frac{1}{3} - 2 \cdot \left(\frac{4}{4} - \frac{3}{4}\right)\right] =$$

$$= \frac{1}{2} : \left[\frac{1}{3} - 2 \cdot \frac{1}{4}\right] = \frac{1}{2} : \left[\frac{1}{3} - \frac{2}{4}\right] =$$

$$= \frac{1}{2} : \left[\frac{1}{3} - \frac{1}{2}\right] = \frac{1}{2} : \left[\frac{2}{6} - \frac{3}{6}\right] =$$

$$= \frac{1}{2} : \left[-\frac{1}{6}\right] = -\left[\frac{1}{2} : \frac{1}{6}\right] = -\frac{6}{2} = -3$$

40 ▲▲▲ Calcula:

a) $\frac{1}{5} : \left[\frac{2}{5} - 2 \cdot \left(1 - \frac{7}{10}\right)\right]$

b) $\frac{3}{4} \cdot \left[\frac{7}{3} - 3 \cdot \left(1 - \frac{1}{3}\right)\right]$

▷ **Problemas**

41 ▲▲▲ Contesta a las siguientes preguntas resolviendo **mentalmente**:

a) En una clase de 20 alumnos y alumnas, 2/5 son chicos. ¿Cuántas son las chicas?

b) En una población, el 20% de las personas está en el paro. ¿Qué fracción de la población no tiene trabajo?

c) Me he gastado, primero, la mitad de lo que llevaba y, después, la mitad de lo que me quedaba. ¿Qué fracción del total me he gastado?

d) Rafael tenía 50 € y se ha gastado 20 €. ¿Qué fracción le queda de lo que tenía?

e) ¿Qué fracción de bolas no son rojas?

¿Qué fracción de bolas "no rojas" son amarillas?

f) ¿Cuánto es un tercio de los dos tercios de nueve?

42 ▲△△ En una clase hay 10 chicas y 14 chicos. ¿Qué fracción de la clase representan las chicas? ¿Y los chicos?

43 ▲△△ De una tarta que pesaba 1,3 kg, ya se han consumido 3/8. ¿Cuánto pesa el trozo que queda?

44 ▲△△ Se han consumido los 5/6 de una caja de 30 bombones. ¿Qué fracción queda? ¿Cuántos bombones quedan?

45 ▲△△ Una huerta tiene una extensión de 8 000 m², de los que 3/5 están sembrados de maíz, y el resto, de alfalfa. ¿Cuántos metros cuadrados se han dedicado a cada cultivo?

46 ▲△△ En una huerta hay 4 800 m² dedicados al cultivo del maíz, lo que supone 3/5 de la superficie total. ¿Cuál es la superficie total de la huerta?

47 ▲△△ Un agricultor riega por la mañana 2/5 de un campo. Por la tarde riega el resto, que son 6 000 m². ¿Cuál es la superficie del campo?

48 ▲△△ Tres cuartos de kilo de queso cuestan 8,70 €. ¿Cuánto cuesta un kilo?

49 ▲▲▲ ¿Cuántos habitantes tiene una población sabiendo que los menores de quince años son 2 800 y suponen los 2/7 del total?

50 ▲▲▲ Se ha vendido por 12 000 € una parcela que ocupaba los 3/7 de un terreno. ¿Cuánto costaba el terreno completo?

51 ▲▲▲ PROBLEMA RESUELTO

La pureza del oro (la ley) se mide en quilates. Se dice que el oro puro al 100% tiene 24 quilates, lo que significa que de 24 partes, las 24 son de oro. ¿Cuántos gramos de oro puro hay en un collar de 18 quilates que pesa 30 gramos?

Resolución

18 quilates $\rightarrow \dfrac{18}{24}$ de pureza

$\dfrac{18}{24}$ de 30 = (30 : 24) · 18 = 1,25 · 18 =

$\qquad$ = 22,5 gramos de oro puro

52 ▲▲▲ ¿Cuántos gramos de oro puro hay en un colgante de 20 quilates que pesa 6 gramos?

53 ▲▲▲ ¿Cuántos gramos de oro puro hay en un lingote de un kilo de peso y 14 quilates de ley?

54 ▲▲▲ Con un recipiente que contenía 3/4 de litro de agua, hemos llenado un vaso de 2/5 de litro de capacidad.

¿Qué fracción de litro queda en el primer recipiente?

55 ▲▲▲ En una encuesta sobre consumo, 1/2 de las personas encuestadas afirman que les gusta el café; 1/3 declaran que no les gusta, y el resto, no contestan. ¿Qué fracción de los encuestados contestan? ¿Qué fracción no contestan?

56 ▲▲▲ Un estanque de riego se ha llenado por la noche. Por la mañana se consumen 3/8 de su capacidad, y por la tarde, 1/5 de ella. ¿Qué fracción de estanque se ha consumido en el día? ¿Qué fracción queda?

57 ▲▲▲ Un paseante recorre en la primera hora 3/7 del camino; en la segunda, 1/4 del camino, y en la tercera hora, el resto. ¿En cuál de las tres horas ha caminado más deprisa?

58 ▲▲▲ Un peregrino recorre en la primera semana 1/6 del camino, en la segunda, 1/3 del camino y en la tercera, 2/9 del camino. ¿Qué fracción del camino le queda por recorrer al principio de la cuarta semana?

59 ▲▲▲ Un tornillo avanza 2/5 de milímetro por vuelta. ¿Cuántos milímetros avanza en 20 vueltas?

60 ▲▲▲ Un tornillo penetra 8 mm en 20 vueltas. ¿Cuál es el paso de rosca? (El paso de rosca de un tornillo es la longitud que avanza en una vuelta).

61 ▲▲▲ Una camioneta transporta en cada viaje 3/4 de tonelada de arena. Si en un día hace 5 viajes, ¿cuántas toneladas transporta en 4 días?

62 ▲▲▲ Con una garrafa de 5 litros se llenan 30 vasos. Indica con una fracción la capacidad de un vaso.

63 ▲▲▲ De una botella de 3/4 de litro, se han consumido las dos quintas partes. ¿Qué fracción de litro queda?

64 ▲▲▲ Un pantano estaba lleno en enero. En mayo se habían consumido 2/7 de su capacidad. Durante el mes de junio se consume 1/5 de lo que quedaba.

¿Qué fracción del total del pantano se ha consumido en junio? ¿Qué fracción total se ha consumido en el primer semestre? ¿Qué fracción del pantano ocupa el agua que queda?

65 ▲▲▲ En una clase, 5/6 de los alumnos han aprobado un control de matemáticas. Si 1/5 de los aprobados tienen calificación de notable, ¿qué fracción del total son notables?

¿Cuántos han obtenido notable si la clase tiene 30 alumnos?

66 ▲▲▲ En una carrera ciclista, durante la primera semana se retiran 2/13 de los corredores. Durante la segunda semana abandonan 3/11 de los que quedaban.

¿Qué fracción de los ciclistas quedan en carrera después de los quince primeros días?

¿Cuántos quedan si inicialmente eran 107 los participantes?

67 ▲▲▲ Un depósito, de 1 500 litros de capacidad, está lleno de agua. Se sacan, primero, dos quintos de su contenido y, después, un tercio de lo que quedaba.

a) ¿Qué fracción de depósito se ha extraído?

b) ¿Qué fracción de depósito queda?

c) ¿Cuántos litros se han extraído?

d) ¿Cuántos litros quedan?

68 ▲▲▲ Una familia, cuyos ingresos mensuales son de 3 000 €, invierte las tres décimas partes de su presupuesto en comida, un quinto en ropa, un décimo en ocio y un cuarto en otros gastos. ¿Cuánto ahorra en un año?

69 ▲▲▲ Un agricultor dice:

• Las heladas me estropearon 3/10 de la cosecha.

• La sequía me hizo perder otros 3/10.

• Y luego, una vez recogida, la inundación me ha estropeado 4/10 de lo que tenía en el almacén.

• Por lo tanto (3/10 + 3/10 + 4/10 = 10/10), no me queda nada.

Un amigo le contesta:

• No exageres, has salvado casi la cuarta parte de la cosecha.

¿Cuál de los dos tiene razón? Justifica la respuesta.

PROBLEMAS DE ESTRATEGIA

70 Una cuadrilla de 4 segadores trabaja 4 horas por la mañana en un campo de trigo. Por la tarde se les unen otros 4 segadores y trabajan todos juntos otras cuatro horas. Al final del día se han segado tres quintas partes del campo.

¿Cuánto tardarán 4 segadores en rematar la faena?

APLICA ESTA ESTRATEGIA

Haz un dibujo.

4 segadores en 4 horas	8 segadores en 4 horas		4 segadores ¿Cuánto tiempo?	

71 Una cuadrilla de 3 segadores trabaja por la mañana 4 horas en un campo. Por la tarde se les unen otros 3 segadores y trabajan juntos otras cuatro horas. El resto del trabajo lo terminan 3 segadores en una mañana más.

¿Cuánto habría tardado un único segador en hacer, él solo, todo el trabajo?

72 Juan, José y Jacinto han trabajado buzoneando propaganda.

Si José hubiera hecho un tercio menos de trabajo, habría ganado lo mismo que Juan, y si hubiera hecho un tercio más, habría ganado lo mismo que Jacinto.

Sabiendo que todos han repartido un número exacto de paquetes y que estos son más de 25 pero menos de 30, ¿cuántos paquetes ha repartido cada uno?

HAZ UN ESQUEMA

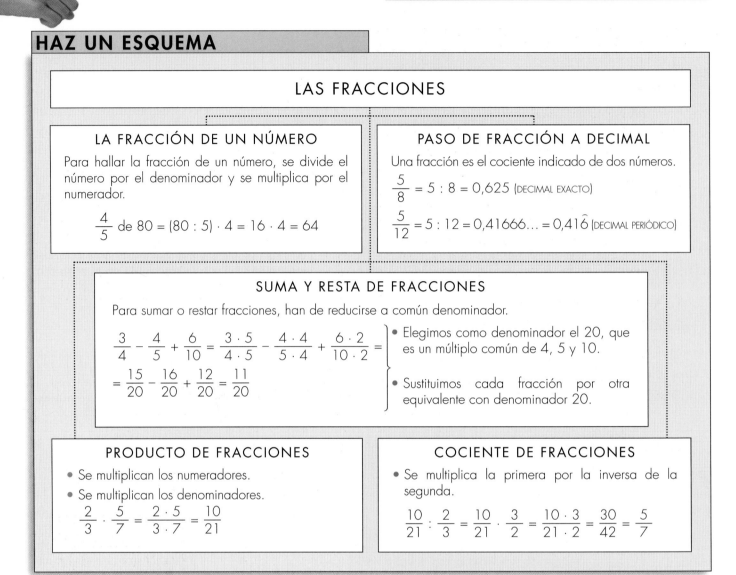

LAS FRACCIONES

LA FRACCIÓN DE UN NÚMERO

Para hallar la fracción de un número, se divide el número por el denominador y se multiplica por el numerador.

$$\frac{4}{5} \text{ de } 80 = (80 : 5) \cdot 4 = 16 \cdot 4 = 64$$

PASO DE FRACCIÓN A DECIMAL

Una fracción es el cociente indicado de dos números.

$$\frac{5}{8} = 5 : 8 = 0{,}625 \text{ (DECIMAL EXACTO)}$$

$$\frac{5}{12} = 5 : 12 = 0{,}41666\ldots = 0{,}41\hat{6} \text{ (DECIMAL PERIÓDICO)}$$

SUMA Y RESTA DE FRACCIONES

Para sumar o restar fracciones, han de reducirse a común denominador.

$$\frac{3}{4} - \frac{4}{5} + \frac{6}{10} = \frac{3 \cdot 5}{4 \cdot 5} - \frac{4 \cdot 4}{5 \cdot 4} + \frac{6 \cdot 2}{10 \cdot 2} =$$

$$= \frac{15}{20} - \frac{16}{20} + \frac{12}{20} = \frac{11}{20}$$

- Elegimos como denominador el 20, que es un múltiplo común de 4, 5 y 10.
- Sustituimos cada fracción por otra equivalente con denominador 20.

PRODUCTO DE FRACCIONES

- Se multiplican los numeradores.
- Se multiplican los denominadores.

$$\frac{2}{3} \cdot \frac{5}{7} = \frac{2 \cdot 5}{3 \cdot 7} = \frac{10}{21}$$

COCIENTE DE FRACCIONES

- Se multiplica la primera por la inversa de la segunda.

$$\frac{10}{21} : \frac{2}{3} = \frac{10}{21} \cdot \frac{3}{2} = \frac{10 \cdot 3}{21 \cdot 2} = \frac{30}{42} = \frac{5}{7}$$

AUTOEVALUACIÓN

1 Expresa:

a) $\dfrac{7}{8}$ en forma de número decimal.

b) 1,5 en forma de fracción.

2 Calcula $\dfrac{7}{10}$ de 250.

3 Escribe una fracción equivalente a $\dfrac{4}{6}$ cuyo denominador sea 15.

4 Calcula y simplifica:

$$1 - \frac{4}{5} + \frac{2}{3} - \frac{7}{10}$$

5 Calcula y simplifica:

a) $\dfrac{2}{5} \cdot \dfrac{3}{4}$ b) $\dfrac{4}{15} : \dfrac{2}{3}$

6 Una población tiene 6 000 habitantes, de los que 3/8 son hombres menores de 50 años, y 2/8, mujeres menores de 50 años. ¿Cuántos mayores de 50 años hay?

7 Un ciclista ha recorrido 30 km, lo que supone los 3/5 del total de su itinerario. ¿Cuántos kilómetros piensa recorrer en total?

8 De un bidón lleno de aceite se extraen, primero, 2/5 de su contenido y, después, un tercio de lo que queda. Si aún hay 12 litros, ¿cuál es su capacidad?

JUEGOS PARA PENSAR

Juego

Aquí tienes un tablero de 8 casillas.
Coloca tres fichas amarillas en las casillas 1, 2 y 3.
Coloca tres fichas verdes en las casillas 4, 5 y 6.
Ahora ya puedes jugar.

OBJETIVO: Poner las fichas verdes en el lugar de las amarillas, y las amarillas en el lugar de las verdes con el mínimo número de movimientos.

REGLAS: Una ficha se puede desplazar a una casilla contigua, si está vacía. Los desplazamientos se realizan en horizontal o en vertical, nunca en diagonal.

PASOS QUE CONVIENE QUE SIGAS:

- Primero, juega unas cuantas veces.
- Después, encuentra el mínimo número de movimientos.
- Por último, expresa por escrito tu solución.

(Nota: Te será de gran utilidad emplear algún código para expresar los movimientos de las casillas. Por ejemplo, 5 → 7 puede significar el movimiento de una ficha de la casilla nº 5 a la casilla nº 7).

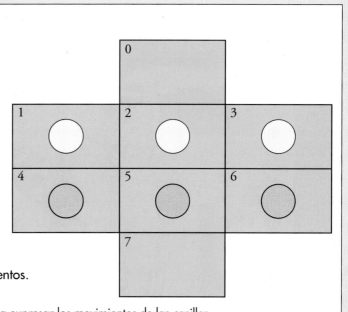

Cada uno a su lugar

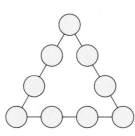

Coloca los números del 1 al 9, uno en cada círculo, de forma que todos los lados del triángulo sumen 20.

Cortar y recomponer

Busca la forma de cortar la figura A para después componer, con los trozos, la figura B.

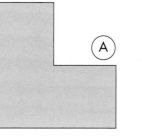
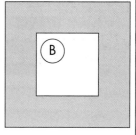

El ladrón goloso

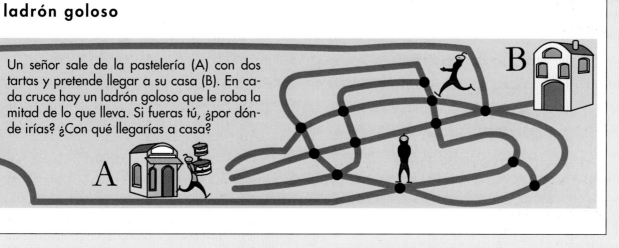

Un señor sale de la pastelería (A) con dos tartas y pretende llegar a su casa (B). En cada cruce hay un ladrón goloso que le roba la mitad de lo que lleva. Si fueras tú, ¿por dónde irías? ¿Con qué llegarías a casa?

8 PROPORCIONALIDAD

PERSONAL DE TALLERES

HOMBRES

MUJERES

Datos recogidos en una fábrica de confección para el trabajo: «DIFERENCIAS SEXISTAS».

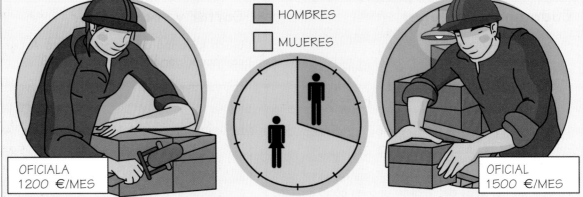

OFICIALA
1200 €/MES

OFICIAL
1500 €/MES

En esta unidad vas a estudiar las relaciones de proporcionalidad, que te ayudarán a superar muchos problemas aritméticos de los que se presentan todos los días.

■ Completa la tabla comparando los ingresos de un oficial y una oficiala:

INGRESOS	1 MES	2 MESES	3 MESES	6 MESES	1 AÑO
OFICIAL	1 500				
OFICIALA	1 200				
DIFERENCIA					

¿Qué conclusiones sacas?

■ En los talleres trabajan 500 personas.

— ¿Cuántas son mujeres? ¿Y hombres? (Observa el diagrama de sectores).

— ¿Cuál es el porcentaje de mujeres? ¿Y el de hombres?

TE CONVIENE RECORDAR

CÓMO SE OPERA CON NÚMEROS ENTEROS Y DECIMALES

a) CALCULAR EL VALOR DE VARIOS
CONOCIDO EL VALOR DE UNO

Un rotulador cuesta 0,95 €. ¿Cuánto cuesta una caja de 15 rotuladores?

$$\begin{array}{r} 0,95 \\ \times\ 15 \\ \hline 475 \\ 95 \\ \hline 14,25 \end{array}$$

$0,95 \cdot 15 = 14,25$ €

b) CALCULAR EL VALOR DE UNO
CONOCIDO EL VALOR DE VARIOS

Una caja de 15 rotuladores cuesta 14,25 €. ¿A cuánto sale cada rotulador?

$$\begin{array}{r|l} 14,25 & 15 \\ 0\ 75 & \overline{0,95} \\ 0 & \end{array}$$

$14,25 : 15 = 0,95$

1 **¿Cuánto cuestan 4 cajas de los rotuladores del ejemplo anterior?**

2 **Calcula:**

a) 0,25 · 9   b) 2,25 : 9   c) 5,625 : 1,5

CÓMO SE MULTIPLICA Y SE DIVIDE POR LA UNIDAD SEGUIDA DE CEROS

Para multiplicar por 10, 100, 1000, ... se desplaza la coma a la derecha uno, dos, tres, ... lugares.

$$10 \cdot 5,75 = 57,5 \qquad\qquad 0,25 \cdot 1000 = 250$$

Para dividir por 10, 100, 1000, ... se desplaza la coma a la izquierda uno, dos, tres, ... lugares.

$$15 : 10 = 1,5 \qquad\qquad 2,6 : 1000 = 0,0026$$

3 **Calcula: a) 18 · 100   b) 5,4 : 100   c) 16 : 100   d) 3,5 : 100**

CÓMO SE RELACIONAN DECIMALES Y FRACCIONES

$$0,75 = \frac{75}{100} = \frac{3}{4} \qquad \frac{2}{5} = 2 : 5 = 0,4$$

4 **Expresa en forma decimal:**

a) $\dfrac{5}{100}$ b) $\dfrac{3}{5}$ c) $\dfrac{1}{4}$

5 **Expresa en forma de fracción:**

a) 0,15   b) 0,08   c) 1,25

CÓMO SE CONSTRUYEN FRACCIONES EQUIVALENTES A UNA DADA

a) AMPLIFICANDO   b) SIMPLIFICANDO

$$\frac{2}{3} = \frac{2 \cdot 2}{3 \cdot 2} = \frac{4}{6} \qquad \frac{4}{6} = \frac{4 : 2}{6 : 2} = \frac{2}{3}$$

6 **Amplifica y simplifica las siguientes fracciones:**

a) $\dfrac{6}{9}$ b) $\dfrac{10}{15}$ c) $\dfrac{12}{14}$

LA RELACIÓN ENTRE LOS TÉRMINOS DE DOS FRACCIONES EQUIVALENTES

$$\frac{a}{b} = \frac{c}{d} \leftrightarrow a \cdot d = b \cdot c \qquad \frac{2}{3} = \frac{4}{6} \leftrightarrow 2 \cdot 6 = 3 \cdot 4$$

7 **Empareja las fracciones equivalentes:**

$$\frac{1}{2} \ ; \ \frac{2}{5} \ ; \ \frac{2}{3} \ ; \ \frac{4}{10} \ ; \ \frac{10}{15} \ ; \ \frac{6}{12}$$

8 **Busca el valor de x en cada caso:**

a) $\dfrac{2}{3} = \dfrac{x}{9}$ b) $\dfrac{4}{12} = \dfrac{1}{x}$ c) $\dfrac{6}{10} = \dfrac{15}{x}$

1 RELACIÓN DE PROPORCIONALIDAD ENTRE MAGNITUDES

Llamamos **magnitud** a cualquier cualidad de los objetos que se pueda medir. Así, la longitud, el peso, el precio o el tiempo son ejemplos de magnitudes.

A veces, entre las magnitudes se dan relaciones muy útiles para la resolución de problemas, como la relación de proporcionalidad que vas a ver a continuación en sus dos modalidades: directa e inversa.

■ RELACIÓN DE PROPORCIONALIDAD DIRECTA

Observa la ilustración y calcula mentalmente los datos desconocidos:

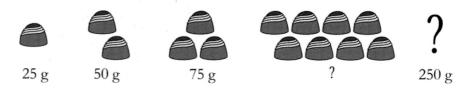

| 25 g | 50 g | 75 g | ? | 250 g |

Aquí aparecen dos magnitudes $\begin{cases} \text{número de chocolatinas} \\ \text{peso (en gramos)} \end{cases}$

y podemos construir una tabla con los valores correspondientes de ambas:

Nº DE CHOCOLATINAS	1	2	3	…	8	…	?
PESO (en gramos)	25	50	75	…	?	…	250

Es evidente que hay una relación entre estas magnitudes, relación que nos permite completar los valores desconocidos de la tabla. Diremos que esta relación es de **proporcionalidad directa**.

Dos magnitudes son **directamente proporcionales** cuando:
- Al aumentar una (doble, triple, …), la otra aumenta de igual manera (doble, triple, …).
- Al disminuir una (mitad, tercio, …), la otra disminuye de la misma forma (mitad, tercio, …).

ACTIVIDADES

1 Di cuáles de los siguientes pares de magnitudes son directamente proporcionales:

a) El peso de las naranjas compradas y el dinero pagado por ellas.

b) La edad de un chico y su altura.

c) El espacio recorrido por un camión que va a 80 km/h y el tiempo que tarda en recorrerlo.

d) La talla de un pantalón y su precio.

e) El tiempo que permanece abierto un grifo y la cantidad de agua que arroja.

f) El grosor de un libro y su precio.

2 En una pastelería se venden caramelos en cajas de peso fijo. Se sabe que cuatro cajas pesan dos kilos. Completa esta tabla de valores:

Nº DE CAJAS	1	2	3	4	5	6	10	15	20
PESO (en kilos)				2					

3 Fernando ha pagado 30 céntimos por cinco fotocopias. Sabiendo que cada copia tiene un precio fijo, completa la siguiente tabla:

Nº DE COPIAS	1	2	3	4	5	…	10	…	20
COSTE (€)					0,3				

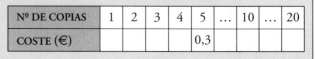

■ RELACIÓN DE PROPORCIONALIDAD INVERSA

Fíjate ahora en la relación que existe entre el número de miembros de una familia y los días que les dura una caja de manzanas (suponemos que todas estas personas comen manzanas al mismo ritmo):

4 personas
15 días

2 personas
30 días

1 persona
? días

6 personas
? días

3 personas
? días

Observa que **cuantas más** personas hay en la familia, **menos** dura la caja de fruta y **cuantos menos** son, **más** dura.

Completa esta tabla en tu cuaderno teniendo en cuenta la relación que existe entre el número de personas y el número de días.

Nº DE PERSONAS	4	2	1	3	6
Nº DE DÍAS	15	30	?	?	?

Diremos que esta relación es de **proporcionalidad inversa**.

Dos magnitudes son **inversamente proporcionales** cuando:
- Al aumentar una (doble, triple, ...), disminuye la otra (mitad, tercio, …).
- Al disminuir una (mitad, tercio, ...), la otra aumenta (doble, triple, ...).

ACTIVIDADES

4 Di cuáles de los siguientes pares de magnitudes son inversamente proporcionales:

a) La velocidad de un coche y el tiempo que tarda en cubrir la distancia entre dos ciudades.

b) La edad de una persona y su peso.

c) El precio de las naranjas y los kilos que puedo comprar con seis euros.

d) El número de operarios que descargan un camión y el tiempo que tardan.

5 Una cuadrilla de cinco agricultores recolecta la cosecha de un campo de tulipanes en doce horas.

Completa la tabla con los tiempos que tardarían en hacer ese mismo trabajo distintos grupos de personas:

Nº DE PERSONAS	1	2	3	5	10	20	30
Nº DE HORAS				12			

2 PROBLEMAS DE PROPORCIONALIDAD DIRECTA

Muchos problemas que surgen en la vida real contienen magnitudes que son directamente proporcionales. En este apartado veremos dos métodos para resolverlos: el método de *reducción a la unidad* y el método de la *regla de tres*.

■ MÉTODO DE REDUCCIÓN A LA UNIDAD

Sigue atentamente los pasos que se indican en los ejemplos siguientes.

REDUCIR A LA UNIDAD

EJEMPLOS

PROBLEMA 1. Tres cajas iguales de caramelos de café con leche pesan 1,5 kg. ¿Cuánto pesarán cinco cajas iguales a las anteriores?

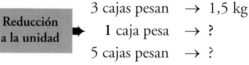

Reducción a la unidad	
3 cajas pesan	→ 1,5 kg
1 caja pesa	→ ?
5 cajas pesan	→ ?

Escribe las operaciones necesarias para calcular los valores que faltan.

Nº DE CAJAS	3	1	5
PESO (en kilos)	1,5	?	?

Solución: Cinco cajas pesan 2,5 kg.

PROBLEMA 2. Un manantial arroja un caudal de 6 litros por minuto. ¿Cuánto tardará en llenar una garrafa de 20 litros?

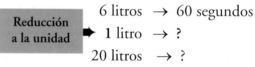

Reducción a la unidad	
6 litros	→ 60 segundos
1 litro	→ ?
20 litros	→ ?

Escribe las operaciones necesarias para calcular los valores que faltan.

Nº DE LITROS	6	1	20
TIEMPO (en segundos)	60	?	?

Solución: 200 s = 3 min 20 s

Método de reducción a la unidad

Consiste en calcular, primero, el valor asociado a la unidad.

Conociendo ese valor, es fácil completar cualquier par de valores correspondientes.

ACTIVIDADES

1 Un grifo abierto durante 5 minutos hace que el nivel de un depósito suba 20 cm. ¿Cuánto subirá el nivel si el grifo se abre durante 7 minutos?

2 Tres kilos de naranjas cuestan 3,60 €. ¿Cuánto cuestan 5 kg?

3 Ayer, por tres horas de aparcamiento, pagué 2,4 €. ¿Cuánto pagaré hoy si he dejado el coche a las 9 de la mañana y lo recogeré a las 5 de la tarde?

4 Si 150 gramos de jamón cuestan 6 €, ¿cuánto costarán 250 gramos?

☐ FRACCIONES EQUIVALENTES EN LAS TABLAS DE VALORES DIRECTAMENTE PROPORCIONALES

En una tabla de valores directamente proporcionales se pueden obtener distintos pares de fracciones equivalentes.

Tomemos, por ejemplo, la siguiente tabla, que relaciona el número de cajas de caramelos de café con leche y su coste en euros.

NÚMERO DE CAJAS	COSTE (en euros)
1	5
2	10
3	15
4	20

Fíjate en que con dos parejas de valores correspondientes se pueden obtener dos fracciones equivalentes:

$$\frac{1}{2} = \frac{5}{10} \leftrightarrow 1 \cdot 10 = 2 \cdot 5$$

$$\frac{3}{4} = \frac{15}{20} \leftrightarrow 3 \cdot 20 = 4 \cdot 15$$

☐ REGLA DE TRES DIRECTA

La relación observada más arriba y lo que sabemos sobre fracciones equivalentes nos permiten resolver con comodidad problemas de proporcionalidad directa.

REGLA DE TRES DIRECTA

Consiste en formar una pareja de fracciones equivalentes con tres datos y la incógnita.

MAGNITUD 1	MAGNITUD 2
a →	m
b →	x

$$\frac{a}{b} = \frac{m}{x}$$

$$a \cdot x = b \cdot m \rightarrow x = \frac{b \cdot m}{a}$$

EJEMPLO

PROBLEMA: *Tres cajas de caramelos de café con leche cuestan 15 €. ¿Cuánto cuestan 5 cajas?*

Si 3 cajas ──cuestan──→ 15 €   3 → 15
5 cajas ──costarán──→ ?   5 → x

Con los tres datos conocidos y el desconocido formamos una pareja de fracciones equivalentes:

$$\frac{3}{5} = \frac{15}{x} \rightarrow 3 \cdot x = 5 \cdot 15 \rightarrow 3 \cdot x = 75 \rightarrow x = 25 €$$

Solución: Cinco cajas de caramelos cuestan 25 €.

ACTIVIDADES

5 En una cadena de montaje se tarda una hora en fabricar 20 piezas de cierto tipo.
¿Cuánto se tardará en fabricar 150 piezas?

6 Cuatro ensaimadas cuestan 3,6 €.
¿Cuánto cuestan siete ensaimadas?
¿Cuánto cuestan tres ensaimadas?

7 Un coche ha recorrido 12 km en los últimos 9 minutos. Si sigue a la misma velocidad, ¿cuántos kilómetros recorrerá en los próximos 30 minutos?

8 El otro día pagué 3,45 € por 300 gramos de queso. ¿Cuánto pagaré por un trozo del mismo queso que pesa 280 gramos?

3 PROBLEMAS DE PROPORCIONALIDAD INVERSA

Para resolver problemas de proporcionalidad inversa, usaremos, con pequeñas variaciones, los mismos métodos que en la proporcionalidad directa.

■ MÉTODO DE REDUCCIÓN A LA UNIDAD

EJEMPLO

PROBLEMA: *Tengo tres grifos iguales y un depósito. Si abro uno de los grifos, el depósito se llena en 12 minutos. ¿Cuánto tardará en llenarse con dos grifos abiertos? ¿Y con los tres grifos abiertos?*

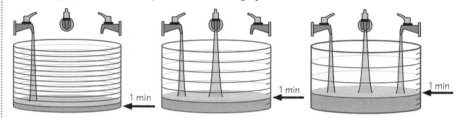

Cuantos más grifos haya abiertos, menos tarda en llenarse el depósito.

Nº DE GRIFOS	1	2	3
TIEMPO (en minutos)	12	?	?

Escribe las operaciones necesarias para completar los valores desconocidos.

En el problema anterior teníamos la ventaja de conocer, en la tabla, el valor asociado a la unidad. Cuando no lo conozcamos, tendremos que calcularlo como paso previo a la resolución del problema.

EJEMPLO

PROBLEMA: *Tres segadores cortan un campo de heno en 2 horas. ¿Cuánto tardarán en hacerlo cuatro segadores?*

3 segadores en 2 horas

Fijándote en los gráficos de la derecha, calcula:

3 segadores → tardan 2 horas

1 segador en 2 horas

1 segador → tardará 3 · 2 h = 6 h

4 segadores → tardarán ?

1 segador en 1 hora

RECUERDA

Para dividir 6 horas entre 4:

```
6 h │ 4
2 h   1 h
```

El resto se pasa a minutos

2 h × 60 = 120 min

y se sigue dividiendo:

```
    6 h │ 4
    2 h   1 h 30 min
  × 60
  ─────
  120 min
    00
```

6 h : 4 = 1 h 30 min

ACTIVIDADES

1 Para descargar un camión en una hora son necesarios cuatro operarios.

¿Cuántos operarios se necesitan para descargarlo en 1/2 hora?

¿Y para descargarlo en 20 minutos?

2 Si cinco obreros tardan 6 horas en construir una tapia, ¿cuánto tardarán dos obreros?

3 Un depósito tiene tres desagües iguales. Si se abren dos, el depósito se vacía en media hora.

¿Cuánto tardará en vaciarse si se abren los tres?

■ FRACCIONES EQUIVALENTES EN LAS TABLAS DE VALORES INVERSAMENTE PROPORCIONALES

En las tablas de valores inversamente proporcionales también podemos construir fracciones equivalentes.

Tomemos, por ejemplo, la siguiente tabla que relaciona el caudal de un grifo y el tiempo que tarda en llenar un depósito.

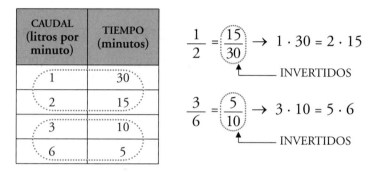

CAUDAL (litros por minuto)	TIEMPO (minutos)
1	30
2	15
3	10
6	5

$$\frac{1}{2} = \frac{15}{30} \rightarrow 1 \cdot 30 = 2 \cdot 15$$
INVERTIDOS

$$\frac{3}{6} = \frac{5}{10} \rightarrow 3 \cdot 10 = 5 \cdot 6$$
INVERTIDOS

Observa que para formar las fracciones equivalentes se ha invertido el orden de los valores correspondientes a una de las magnitudes.

■ REGLA DE TRES INVERSA

También aquí, la relación observada anteriormente nos facilitará la resolución de ciertos problemas.

REGLA DE TRES INVERSA

Para formar las fracciones equivalentes, se ha de invertir el orden de los valores de una de las magnitudes.

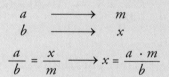

MAGNITUD 1	MAGNITUD 2
a	m
b	x

$$\frac{a}{b} = \frac{x}{m} \longrightarrow x = \frac{a \cdot m}{b}$$

EJEMPLO

PROBLEMA: **Un grifo que tiene un caudal de 3 litros por minuto tarda 10 minutos en llenar cierto depósito. ¿Cuánto tardaría si el caudal fuera de 5 litros por minuto?**

CAUDAL (l/min)	TIEMPO (min)
3	10
5	x

$$\frac{3}{5} = \frac{x}{10} \rightarrow 5 \cdot x = 3 \cdot 10 \rightarrow 5 \cdot x = 30 \rightarrow$$
$$\rightarrow x = 30 : 5 = 6 \text{ min}$$

Solución: Si el caudal fuera de 5 litros por minuto, tardaría 6 minutos.

ACTIVIDADES

4 Un surtidor que tiene un caudal de 3 litros por minuto tarda 10 minutos en llenar cierto depósito.

a) ¿Cuánto tardaría en llenar el mismo depósito si el caudal fuera de 12 l/min?

b) ¿Y si el caudal fuera de 2 l/min?

5 Una furgoneta, que marcha a una velocidad de 100 km/h, tarda 5 horas en ir de la ciudad A a la ciudad B.

a) ¿Cuánto tardará un camión que va a una velocidad de 50 km/h?

b) ¿Cuánto tardará un coche que va a una velocidad de 120 km/h?

4 PORCENTAJES

Seguramente habrás escuchado frases como "el veinte por ciento de trescientos vale sesenta", o habrás leído cosas como "rebajas del 20%". Son expresiones muy usadas en el lenguaje corriente y, sobre todo, en el mundo comercial.

▨ CONCEPTO DE TANTO POR CIENTO

Tomar un determinado tanto por ciento de una cantidad equivale a partir la cantidad en paquetes de 100 y tomar, de cada paquete, el tanto indicado.

EJEMPLO

PROBLEMA: *En un rebaño de 300 ovejas, el veinte por ciento son negras. ¿Cuántas ovejas negras hay?*

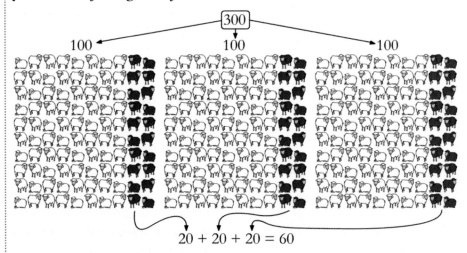

$$300$$
$$100 \qquad 100 \qquad 100$$
$$20 + 20 + 20 = 60$$

Para calcular el 20%, partimos el rebaño en paquetes de 100 ovejas y, de cada paquete, tomamos 20.

$$\left.\begin{array}{l}\end{array}\right\} \quad \dfrac{300}{100} = 3 \;\rightarrow\; 3 \cdot 20 = 60$$

- El símbolo % se lee **por ciento**. 20% → veinte **por ciento**.
- Para **calcular** un determinado **tanto por ciento** de una cantidad, dividimos la cantidad entre 100 y multiplicamos por el *tanto*.

ACTIVIDADES

1 **Calcula mentalmente** los porcentajes que se dan a continuación:

a) 20% de 100   b) 20% de 200

c) 20% de 50   d) 20% de 250

e) 30% de 500   f) 30% de 1 000

g) 50% de 800   h) 50% de 60

i) 25% de 400   j) 25% de 40

2 Calcula con lápiz y papel:

a) 12% de 225   b) 15% de 930

c) 80% de 1 560   d) 3% de 2 400

e) 48% de 1 750   f) 6,5% de 800

3 En una población de 2 000 habitantes, el 40% viven de la agricultura y el 30%, de la ganadería. ¿Cuántos viven de la agricultura? ¿Cuántos viven de la ganadería?

20%

$\dfrac{20}{100}$ } De 100 partes tomamos 20.

— Dividimos el rebaño en 100 partes.

— Cada parte son 3 ovejas.

— En 20 partes hay 60 ovejas.

■ OTRAS FORMAS DE VER LOS PORCENTAJES

Ahora que ya conoces los porcentajes, vamos a contemplarlos desde otros puntos de vista, que te ayudarán a fijar el concepto y te ampliarán los recursos de cálculo.

■ UN PORCENTAJE ES UNA FRACCIÓN

Recuerda que para calcular el 20% del rebaño tomábamos 20 de cada 100 ovejas; esto es, tomábamos $\dfrac{20}{100}$ del rebaño. O, lo que es lo mismo: dividido el rebaño en 100 partes, 20 de esas partes están formadas por ovejas negras.

$$20\% \text{ de } 300 = \underbrace{\dfrac{20}{100} \text{ de } 300}_{\text{Hay 60 ovejas negras}}$$

Visto así, calcular un tanto por ciento es calcular la fracción de un número.

■ PARA UN DETERMINADO TANTO POR CIENTO: CADA TOTAL ES DIRECTAMENTE PROPORCIONAL AL RESULTADO DE APLICAR EL PORCENTAJE

Tomemos, por ejemplo, el 20% de distintas cantidades:

TOTALES	20% DEL TOTAL
De 100 ⟶	20
De 200 ⟶	40
De 300 ⟶	60

} $\dfrac{100}{300} = \dfrac{20}{60} \longrightarrow 100 \cdot 60 = 20 \cdot 300$

Esto nos permite utilizar la *regla de tres* que ya conocemos para resolver problemas de porcentajes.

EJEMPLO

Calcular el 20% de 1 635.

TOTAL	% PARTE
100 ⟶	20
1 635 ⟶	x

} $\dfrac{100}{1\,635} = \dfrac{20}{x} \rightarrow 100 \cdot x = 1\,635 \cdot 20$

$x = \dfrac{1\,635 \cdot 20}{100} = 327$

ACTIVIDADES

4 Completa las siguientes tablas de valores proporcionales:

TOTAL	100	200	300	500	50	25	10
12%	12						

TOTAL	100	400	250	200	40	10	30
25%	25						

5 Calcula:

a) 50% de 400   b) $\dfrac{50}{100}$ de 400   c) $\dfrac{1}{2}$ de 400

d) 10% de 300   e) $\dfrac{10}{100}$ de 300   f) $\dfrac{1}{10}$ de 300

g) 20% de 400   h) $\dfrac{20}{100}$ de 400   i) $\dfrac{1}{5}$ de 400

■ CÁLCULO RÁPIDO DE PORCENTAJES

Con un poco de ingenio, el cálculo de algunos porcentajes te resultará muy fácil.

Veamos algunos ejemplos:

$$50\% \rightarrow \frac{50}{100} = \frac{1}{2} = 0,5$$

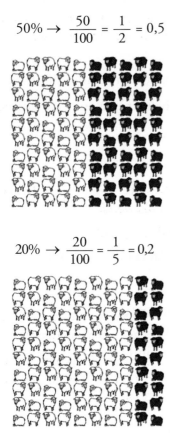

$$20\% \rightarrow \frac{20}{100} = \frac{1}{5} = 0,2$$

a) Ya te habrás dado cuenta de que para calcular el 50% simplemente se divide entre dos (o se multiplica por 0,5):

$$50\% \text{ de } 80 \rightarrow \frac{50}{100} \text{ de } 80 \rightarrow \frac{1}{2} \text{ de } 80 = 40$$

No podía ser de otra manera, pues el 50% de algo es su mitad.

Hallar el 50%	es lo mismo que	Dividir entre 2	es lo mismo que	Multiplicar por 0,5

b) Para calcular el 20% dividimos entre 5 (o multiplicamos por 0,2):

$$20\% \text{ de } 45 \rightarrow \frac{20}{100} \text{ de } 45 \rightarrow \frac{1}{5} \text{ de } 45 = 9$$

Hallar el 20%	es lo mismo que	Dividir entre 5	es lo mismo que	Multiplicar por 0,2

El uso de este tipo de recursos es cuestión de entrenamiento. Para empezar a practicar, busca trucos parecidos para calcular el 25%, el 75%, el 40%, el 80%, etc.

■ USO DE LA CALCULADORA

Con la calculadora también puedes obtener tantos por ciento, aunque de momento solo debes utilizarla para comprobar los resultados obtenidos con el cálculo mental o escrito.

Para ello, utiliza la tecla % de la siguiente manera:

- Introduce el total.
- Pulsa la tecla ×.
- Introduce el porcentaje.
- Pulsa la tecla %.

Para calcular el 20% de 300:

$$300 \times 20 \% \rightarrow \boxed{6\ 0}$$

NOTA

No todas las calculadoras funcionan de la misma manera. Antes de utilizar la tuya, lee el manual.

ACTIVIDADES

6 Reflexiona y justifica los cálculos realizados para obtener los porcentajes que se presentan a continuación:

a) 25% de 1 200 → 1 200 : 4 = 300

b) 75% de 1 200 → (1 200 : 4) · 3 = 900

c) 20% de 400 → 400 : 5 = 80

d) 40% de 400 → (400 : 5) · 2 = 160

e) 80% de 400 → (400 : 5) · 4 = 320

Comprueba, con la calculadora, todos los porcentajes anteriores.

7 Calcula mentalmente:

a) 50% de 18   b) 50% de 1 800

c) 25% de 1 200   d) 75% de 1 200

e) 25% de 36   f) 75% de 36

8 Calcula por el método más rápido que conozcas:

a) 50% de 2 796   b) 25% de 720

c) 75% de 720   d) 20% de 475

5 PROBLEMAS DE PORCENTAJES

Los porcentajes dan lugar a muy diferentes situaciones problemáticas. Veamos algunas de esas situaciones que se dan con mayor frecuencia.

■ CÁLCULO DE PORCENTAJES

Conocidos el total y la parte, calcular el tanto por ciento que la parte supone del total.

EJEMPLO

PROBLEMA: Un hotel dispone de 400 camas, de las que 280 están ocupadas. ¿Cuál es el porcentaje de ocupación del hotel?

Nos preguntan cuántas camas hay ocupadas de cada 100.

- **Primer camino:** Simplemente, pensando.

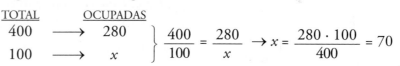

Vemos que de cada 100 camas 70 están ocupadas.

Solución: El porcentaje de ocupación del hotel es del 70%.

- **Segundo camino:** Regla de tres.

$$\begin{array}{ccc} \text{TOTAL} & & \text{OCUPADAS} \\ 400 & \longrightarrow & 280 \\ 100 & \longrightarrow & x \end{array} \Bigg\} \quad \frac{400}{100} = \frac{280}{x} \rightarrow x = \frac{280 \cdot 100}{400} = 70$$

CALCULAR EL PORCENTAJE

$$\boxed{?}\% \text{ de } 260 = 39$$

$$\begin{array}{cc} \text{TOTAL} & \text{PARTE} \\ 260 & \longrightarrow 39 \\ 100 & \longrightarrow x \end{array} \Bigg\} \; \frac{260}{100} = \frac{39}{x}$$

$$x = \frac{39 \cdot 100}{260} = 15\%$$

■ CÁLCULO DEL TOTAL

Conocidos el porcentaje y la parte, ¿cuál es el total?

EJEMPLO

PROBLEMA: Los 12 chicos de una clase representan el 40% del total. Entre alumnos y alumnas, ¿cuántos son en la clase?

- **Primer camino:** Simplemente, pensando.

De cada 100 → 40 son chicos ⎫ La décima parte

De cada 10 → 4 son chicos ⎬

De cada 30 → 12 son chicos ⎭ El triple

Solución: En la clase hay 30 chicos y chicas.

- **Segundo camino:** Regla de tres.

$$\begin{array}{ccc} \text{TOTAL} & & \text{CHICOS} \\ 100 & \longrightarrow & 40 \\ x & \longrightarrow & 12 \end{array} \Bigg\} \; \frac{100}{x} = \frac{40}{12} \rightarrow x = \frac{100 \cdot 12}{40} = 30$$

CALCULAR EL TOTAL

$$15\% \text{ de } \boxed{?} = 39$$

$$\begin{array}{cc} \text{TOTAL} & \text{PARTE} \\ 100 & \longrightarrow 15 \\ x & \longrightarrow 39 \end{array} \Bigg\} \; \frac{100}{x} = \frac{15}{39}$$

$$x = \frac{100 \cdot 39}{15} = 260$$

☐ AUMENTO PORCENTUAL

¿En qué se convierte una cantidad tras aumentarla en un cierto porcentaje?

EJEMPLO

PROBLEMA: *El precio de una bicicleta, que costaba 400 € el año pasado, ha subido un 20%. ¿Cuál es el precio actual?*

- **Primer camino:** Calculamos el aumento y lo sumamos al precio antiguo.

  PRECIO ANTIGUO ⟶ 400 €

  AUMENTO ⟶ 20% de 400 = $\dfrac{20 \cdot 400}{100}$ = 80 €

  | PRECIO NUEVO | = | PRECIO ANTIGUO | + | AUMENTO | → 400 + 80 = 480 € |

- **Segundo camino:** Regla de tres.

  PRECIO ANTIGUO — PRECIO NUEVO

  $\begin{array}{ll} 100 \longrightarrow & 120 \\ 400 \longrightarrow & x \end{array}\Big\}$ $\dfrac{100}{400} = \dfrac{120}{x} \rightarrow x = \dfrac{400 \cdot 120}{100} = 480$ €

☐ DISMINUCIÓN PORCENTUAL

¿En qué se convierte una cantidad tras disminuirla en cierto porcentaje?

EJEMPLO

PROBLEMA: *Una cadena musical costaba 800 €, pero me hacen una rebaja del 15%. ¿Cuánto debo pagar por la cadena?*

- **Primer camino:** Calculamos la rebaja y la restamos al precio.

  PRECIO SIN REBAJA ⟶ 800 €

  REBAJA ⟶ 15% de 800 = $\dfrac{15 \cdot 800}{100}$ = 120 €

  | DEBO PAGAR | = | PRECIO | − | REBAJA | → 800 − 120 = 680 € |

- **Segundo camino:** Regla de tres.

  Observa que de cada 100 €, solo pago 85.

  SIN REBAJA — CON REBAJA

  $\begin{array}{ll} 100 \longrightarrow & 85 \\ 800 \longrightarrow & x \end{array}\Big\}$ $\dfrac{100}{800} = \dfrac{85}{x} \rightarrow x = \dfrac{800 \cdot 85}{100} = 680$ €

ACTIVIDADES

1 Estos artículos se van a subir un 10%. ¿Cuánto costarán?

2 Estos artículos se van a rebajar un 15%. ¿Cuánto costarán?

EJERCICIOS DE LA UNIDAD

▷ Las relaciones de proporcionalidad

1 ▲▲△ Indica los pares de magnitudes que son directamente proporcionales (D), los que son inversamente proporcionales (I) y los que no guardan relación de proporcionalidad (X).

a) El gasto de energía de una bombilla y el tiempo que está encendida.

b) La velocidad de un tren y el tiempo que tarda en cubrir el trayecto entre dos ciudades.

c) El número de asistentes a una excursión y la cantidad que aporta cada uno para pagar el autobús.

d) El diámetro de la rueda de un coche y la velocidad que este alcanza.

e) El precio de un coche y el número de asientos que lleva.

f) El número de horas trabajadas y el salario percibido.

2 ▲▲△ Completa estas tablas y di cuáles contienen pares de valores proporcionales:

a)
1	2	3	4
0,2	0,4	0,6	?

b)
1	2	3	4
1	8	27	?

c)
1	2	3	4	9	12
36	18	12	9	?	?

d)
0	3	10	11	20	21
5	8	15	16	25	?

3 ▲△△ Completa las tablas de forma que los pares de valores correspondientes sean directamente proporcionales:

a)
3	6	9	21	30
5				

b)
3	6	9	18	36
1				

4 ▲▲△ Completa las tablas para que los pares de valores sean inversamente proporcionales:

a)
10	20	30	5
6			

b)
15	30	60	5
12			

5 ▲▲▲ Calcula en cada caso el término desconocido siguiendo el mismo proceso que en el ejemplo resuelto:

a) $\dfrac{12}{20} = \dfrac{15}{x} \rightarrow 12 \cdot x = 15 \cdot 20$

$12 \cdot x = 300 \rightarrow x = 300 : 12 = 25$

b) $\dfrac{35}{40} = \dfrac{28}{x}$

c) $\dfrac{13}{25} = \dfrac{52}{x}$

d) $\dfrac{65}{39} = \dfrac{x}{21}$

e) $\dfrac{x}{63} = \dfrac{52}{78}$

f) $\dfrac{31}{x} = \dfrac{44}{176}$

g) $\dfrac{x}{12} = \dfrac{12}{16}$

6 ▲▲▲ Completa esta tabla de valores directamente proporcionales.

2	3	4
6	9	?

Escribe con ellos tres pares de fracciones equivalentes.

7 ▲▲▲ Completa esta tabla de valores inversamente proporcionales.

2	6	10
15	5	?

Escribe con ellos tres pares de fracciones equivalentes.

▷ Problemas de proporcionalidad

8 ▲△△ **Resuelve mentalmente:**

a) Por tres horas de trabajo, Alberto ha cobrado 60 €. ¿Cuánto cobrará por 5 horas?

b) Tres obreros descargan un camión en dos horas. ¿Cuánto tardarán dos obreros?

c) Trescientos gramos de queso curado cuestan 600 céntimos. ¿Cuánto cuestan doscientos gramos?

d) Un camión, a 60 km/h, tarda 40 minutos en cubrir cierto recorrido. ¿Cuánto tardará un coche a 120 km/h?

9 ▲▲▲ EJERCICIO RESUELTO

Con un depósito de agua se abastece una cuadra de 20 caballos durante 15 días. ¿Cuánto durará el depósito si se venden 8 caballos?

Resolución

Los problemas de proporcionalidad has de resolverlos ordenadamente:

• Identifica si las magnitudes son directa o inversamente proporcionales y ordena los datos:

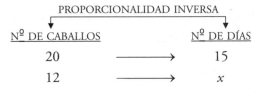

PROPORCIONALIDAD INVERSA

Nº DE CABALLOS		Nº DE DÍAS
20	→	15
12	→	x

• Resuelve por alguno de los métodos estudiados:

REGLA DE TRES INVERSA

$$\frac{20}{12} = \frac{x}{15} \rightarrow 12 \cdot x = 20 \cdot 15 \rightarrow x = \frac{20 \cdot 15}{12} = 25$$

• Expresa la solución con claridad:

Solución: El depósito abastece a los 12 caballos restantes durante 25 días.

10 ▲▲▲ Por 5 días de trabajo he ganado 390 €. ¿Cuánto ganaré por 18 días?

11 ▲▲▲ Tres cajas de cereales pesan dos kilos y cuarto. ¿Cuánto pesarán cinco cajas iguales a las anteriores?

12 ▲▲▲ Dos palas excavadoras hacen la zanja de una conducción de cable telefónico en 10 días. ¿Cuánto tardarían en hacer la zanja cinco palas?

13 ▲▲▲ Una fábrica de automóviles ha producido 8 100 vehículos en 60 días. Si se mantiene el ritmo de producción, ¿cuántas unidades fabricará en un año?

14 ▲▲▲ Un camión que carga 3 toneladas necesita 15 viajes para transportar cierta cantidad de arena. ¿Cuántos viajes necesita para hacer el mismo porte otro camión que carga 5 toneladas? (1 t = 1 000 kg)

15 ▲▲▲ Un conductor invierte tres horas y media en un recorrido de 329 km. ¿Cuánto tiempo invertirá en otro recorrido, en condiciones similares al anterior, de 282 km de longitud?

16 ▲▲▲ Un taxi que va a 100 km/h necesita 20 minutos para cubrir la distancia entre dos pueblos. ¿Cuánto tardaría si fuera a 80 km/h?

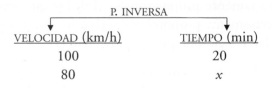

P. INVERSA

VELOCIDAD (km/h)	TIEMPO (min)
100	20
80	x

17 ▲▲▲ Un camión, a una media de 70 km/h, ha tardado tres cuartos de hora en ir de la ciudad A hasta la ciudad B. ¿Cuál ha sido la velocidad media de un coche que ha invertido 35 minutos en el mismo recorrido?

18 ▲▲▲ En el plano de una casa, el salón mide 10 cm de largo y 7 cm de ancho. Si en la realidad el salón tiene 5 metros de largo, ¿cuál es su ancho real?

19 ▲▲▲ Una máquina embotelladora llena 240 botellas en 20 minutos. ¿Cuántas botellas llenará en hora y media?

20 ▲▲▲ ¿Cuántos metros por segundo recorre un coche que va a 120 kilómetros por hora?

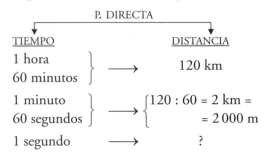

P. DIRECTA

TIEMPO	DISTANCIA
1 hora 60 minutos	120 km
1 minuto 60 segundos	120 : 60 = 2 km = = 2 000 m
1 segundo	?

21 ▲▲▲ Un ciclista recorre 4 m en un segundo. ¿Cuál es su velocidad en kilómetros por hora?

22 ▲▲▲ Dos ciudades, A y B, separadas 85 km en la realidad, están a 34 cm de distancia en un plano. ¿Cuál será la distancia real entre otras dos, M y N, separadas 12 cm en el plano?

23 ▲▲▲ En un concurso televisivo, cada participante recibe una cantidad de dinero inversamente proporcional al número de fallos cometidos.

Un concursante que cometió cinco fallos se llevó 1 000 €. ¿Cuánto se llevará uno que solamente haya cometido dos fallos?

8

24 ▲△△ Un padre les da la paga a sus tres hijas, de forma que a cada una le corresponde una cantidad directamente proporcional a su edad.

La mayor tiene 20 años y recibe 50 €. ¿Cuánto corresponderá a la mediana y a la menor, que tienen, respectivamente, 15 y 8 años?

25 ▲▲▲ En una granja, 20 vacas han consumido 1 000 kg de pienso en un mes.

a) ¿Cuánto pienso consumirán 10 vacas en dos meses?

b) ¿Cuánto pienso consumirán 10 vacas en cinco meses?

26 ▲▲▲ PROBLEMA RESUELTO

Seis trabajadores forestales limpian 4 hectáreas de bosque en 12 días. ¿Cuántos días tardarán 9 trabajadores en limpiar 10 hectáreas?

Resolución

Utilizaremos el método de *reducción a la unidad.*

P. INVERSA

P. DIRECTA

TRABAJADORES		HECTÁREAS		DÍAS
6	limpian	4	en	12 días
1	limpia	4	en	12 · 6 = 72 días
1	limpia	1	en	72 : 4 = 18 días
9	limpian	1	en	18 : 9 = 2 días
9	limpian	10	en	2 · 10 = 20 días

27 ▲▲▲ Con 60 kg de pienso se puede alimentar a 5 caballos durante 4 días. ¿Cuánto tiempo se puede alimentar a 2 caballos con 120 kg de pienso?

▷ **Porcentajes**

28 ▲△△ Calcula mentalmente:

a) 10% de 2 500   b) 10% de 250

c) 10% de 25   d) 12% de 200

e) 12% de 50   f) 12% de 250

g) 12% de 25   h) 12% de 125

i) 12% de 150   j) 30% de 500

k) 30% de 50   l) 30% de 20

29 ▲△△ Calcula con lápiz y papel y después comprueba con la calculadora:

a) 15% de 380   b) 13% de 25 000

c) 120% de 450   d) 70% de 2 350

e) 6% de 65   f) 150% de 400

30 ▲▲△ Calcula (si el resultado no es exacto, redondea a las unidades):

a) 18% de 3 250   b) 12% de 17 000

c) 84% de 3 675   d) 3% de 27 200

e) 16% de 325   f) 11% de 1 386

g) 73% de 2 648   h) 67% de 5 680

31 ▲△△ Completa:

a) Para calcular el 50% dividimos entre …

b) Para calcular el 25% dividimos entre …

c) Para calcular el 20% dividimos entre …

d) Para calcular el 10% dividimos entre …

e) Para calcular el 5% dividimos primero entre 10 y después entre …

32 ▲▲△ Completa con el porcentaje adecuado en cada caso:

a) $\boxed{50}$ % de 500 = 250

b) $\boxed{?}$ % de 180 = 90

c) $\boxed{?}$ % de 160 = 40

d) $\boxed{?}$ % de 140 = 14

e) $\boxed{?}$ % de 83 = 8,3

f) $\boxed{?}$ % de 25 = 5

g) $\boxed{?}$ % de 400 = 300

33 ▲△△ EJERCICIO RESUELTO

El 28% de un número es 350. ¿Cuál es el número?

Resolución

Aplicaremos la *regla de tres.*

P. DIRECTA

TOTAL	PARTE
100	28
x	350

$\dfrac{100}{x} = \dfrac{28}{350} \rightarrow$

$\rightarrow x = \dfrac{350 \cdot 100}{28} = 1\,250$

34 ▲▲▲ El 12% de un número es 42,6. ¿Cuál es el número?

35 ▲▲▲ El 27% de un número es 621. ¿Cuál es el número?

36 ▲▲▲ Completa:

a) 15% de … = 63   b) 17% de … = 76,5
c) 80% de … = 140   d) 72% de … = 522

▷ **Problemas de porcentajes**

37 ▲△△ En una clase de 30 alumnos, el 60% son chicos, y el 40%, chicas. ¿Cuántos chicos y cuántas chicas hay en la clase?

38 ▲△△ En una ciudad de dos millones de habitantes, el 82% son europeos; el 9%, africanos; el 6%, asiáticos, y el resto, americanos. ¿Cuál es el porcentaje de americanos? ¿Cuántos hay en cada grupo?

39 ▲▲△ Los habitantes de cierta ciudad se distribuyen según esta tabla:

EUROPEOS	880 000
AFRICANOS	60 000
AMERICANOS	50 000
ASIÁTICOS	10 000

¿Qué porcentaje supone cada grupo, respecto del total?

40 ▲▲△ Actualmente me dan 15 € mensuales de paga, pero he convencido a mis padres para que me suban el 15%. ¿Cuál será mi paga a partir de ahora?

41 ▲▲△ Una cinta de música cuesta 11,35 €. ¿Cuánto pagaré si me hacen una rebaja del 40%?

42 ▲▲△ Un pantano contenía el mes pasado tres millones y medio de metros cúbicos de agua. ¿Cuál es su contenido actual si con las últimas lluvias ha ganado un 20%?

43 ▲▲▲ En una granja, el 15% de los animales son vacas. Sabiendo que hay 30 vacas, ¿cuál es el número total de animales?

44 ▲▲▲ Ayer la barra de pan subió un 10%. Si ahora cuesta 55 céntimos, ¿cuál era el precio anterior?

45 ▲▲▲ Un jersey, rebajado en un 20%, me ha costado 40 €. ¿Cuánto costaba antes de la rebaja?

46 ▲▲▲ Un jersey costaba 50 € y he pagado 40 €. ¿Qué porcentaje me han rebajado?

▷ **Otros problemas**

47 ▲△△ Por 3 kg de melocotones y 4 kg de peras he pagado 5 €. Si las peras están a 0,8 €/kg, ¿cuánto cuestan 2 kg de melocotones y uno de peras?

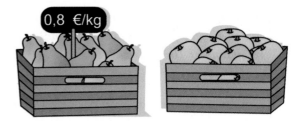

0,8 €/kg

48 ▲△△ Un trabajador cobra 60 € cada vez que trabaja de día, y 90 € cada vez que trabaja de noche.

Si el próximo mes tiene 22 días hábiles y quiere ganar más de 1 800 €, ¿cuántas jornadas de noche debe trabajar, como mínimo?

49 ▲▲△ En un supermercado se venden naranjas a 1,5 €/kg, pero por cada cinco kilos que compres y pagues, te regalan un kilo extra.

El dueño de un restaurante se lleva 12 kg de naranjas. ¿Cuánto habrá pagado por ellas? ¿Y si se hubiera llevado 30 kilos?

50 ▲▲△ Por 200 gramos de jamón y tres cajas de quesitos he pagado 6,8 €. Si la caja de quesitos está a 1,2 €, ¿a cuánto sale el kilo de jamón?

51 ▲▲▲ Un granjero, cuando está solo, tarda una hora y cuarto en dar de comer a su ganado.

¿Cuánto tardará si le ayuda su hijo, sabiendo que, en el mismo tiempo, el hijo hace la mitad de trabajo que su padre?

PROBLEMAS DE ESTRATEGIA

52 Ana, Rosa, Marta y Pilar son cuatro amigas que en su tiempo libre practican distintas aficiones: música, senderismo, jardinería y fotografía.

Sabemos que:

a) Cada una practica dos de esas actividades.

b) Ninguna hace el par *senderismo-música* ni tampoco el par *fotografía-jardinería*.

c) Todas practican pares diferentes de aficiones.

d) Marta y Pilar no coinciden en sus gustos.

e) A Pilar no le gusta nada la jardinería.

f) Ana no es aficionada a la música, pero le encanta la jardinería.

¿Cuál es el par de actividades que practica cada una?

APLICA ESTA ESTRATEGIA

Organiza los datos en una tabla que te permita manejarlos globalmente y te ayude a establecer relaciones.

	MÚSICA	SENDERISMO	JARDINERÍA	FOTOGRAFÍA
MÚSICA	✕	⊗		
SENDERISMO	✕	✕	ANA	
JARDINERÍA	✕	✕	✕	⊗
FOTOGRAFÍA	✕	✕	✕	✕

- Eliminamos las casillas de la diagonal y las de abajo, pues están repetidas. (✕)
- Eliminamos también las casillas que descarta la condición b) del enunciado. (⊗)
- Observando las casillas restantes y atendiendo a la última condición del enunciado f), deducimos que Ana practica senderismo y jardinería.

Termina tú de completar la tabla, atendiendo a las condiciones d) y e) que se dan en el enunciado.

---

53 Tres amigos motoristas, Roberto Rojo, Bartolomé Blanco y Genaro Gris, se disponen a salir de paseo:

- ¿Os habéis fijado —dice Roberto— en que una de nuestras motos es roja; otra, blanca, y otra, gris, pero en ningún caso el color coincide con el apellido del dueño?

- Pues no me había fijado —contesta el de la moto blanca—, pero tienes razón.

¿De qué color es la moto de cada uno?

HAZ UN ESQUEMA

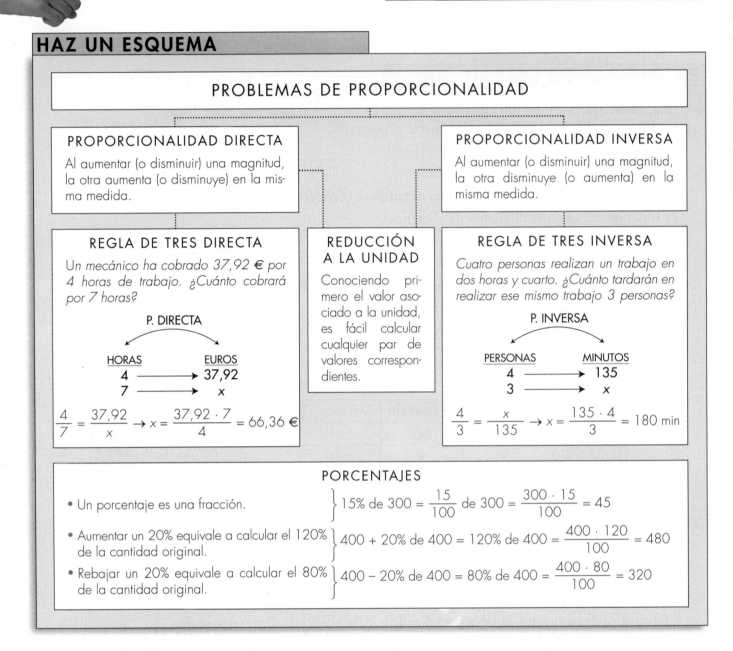

PROBLEMAS DE PROPORCIONALIDAD

PROPORCIONALIDAD DIRECTA

Al aumentar (o disminuir) una magnitud, la otra aumenta (o disminuye) en la misma medida.

PROPORCIONALIDAD INVERSA

Al aumentar (o disminuir) una magnitud, la otra disminuye (o aumenta) en la misma medida.

REGLA DE TRES DIRECTA

Un mecánico ha cobrado 37,92 € por 4 horas de trabajo. ¿Cuánto cobrará por 7 horas?

P. DIRECTA

HORAS → EUROS

| 4 | → | 37,92 |
| 7 | → | x |

$$\frac{4}{7} = \frac{37,92}{x} \rightarrow x = \frac{37,92 \cdot 7}{4} = 66,36 \text{ €}$$

REDUCCIÓN A LA UNIDAD

Conociendo primero el valor asociado a la unidad, es fácil calcular cualquier par de valores correspondientes.

REGLA DE TRES INVERSA

Cuatro personas realizan un trabajo en dos horas y cuarto. ¿Cuánto tardarán en realizar ese mismo trabajo 3 personas?

P. INVERSA

PERSONAS → MINUTOS

| 4 | → | 135 |
| 3 | → | x |

$$\frac{4}{3} = \frac{x}{135} \rightarrow x = \frac{135 \cdot 4}{3} = 180 \text{ min}$$

PORCENTAJES

- Un porcentaje es una fracción.

$$15\% \text{ de } 300 = \frac{15}{100} \text{ de } 300 = \frac{300 \cdot 15}{100} = 45$$

- Aumentar un 20% equivale a calcular el 120% de la cantidad original.

$$400 + 20\% \text{ de } 400 = 120\% \text{ de } 400 = \frac{400 \cdot 120}{100} = 480$$

- Rebajar un 20% equivale a calcular el 80% de la cantidad original.

$$400 - 20\% \text{ de } 400 = 80\% \text{ de } 400 = \frac{400 \cdot 80}{100} = 320$$

AUTOEVALUACIÓN

1 Resuelve por reducción a la unidad:
Tres kilos de avellanas cuestan 12 €.
¿Cuánto cuestan 5 kg?

2 Resuelve por reducción a la unidad:
Cuatro grifos iguales llenan un estanque en 6 horas.
¿Cuánto tardarán en llenar el estanque tres grifos?

3 Un cuarto de kilo de fresas me ha costado 1,6 €.
¿Cuánto pagaré por 300 gramos?

4 Un taxi, a 85 km/h, tarda 12 minutos en cubrir cierto recorrido.
¿Cuánto tardaría a 60 km/h?

5 Calcula el 32% de 260.

6 En una población de 8 000 habitantes, el 52% son mujeres.
¿Cuál es el porcentaje de hombres?
¿Cuántos hombres hay?

7 El 8% de las ovejas de un rebaño son negras.
¿Cuántas ovejas hay en total si las negras son 22?

8 Una camisa cuesta 30 €.
¿Cuánto pagaremos si nos hacen una rebaja del 15%?

JUEGOS PARA PENSAR

Usa tu ingenio

Prudencio, el equilibrista, quiere pasar a la isla (sin que se lo coman los cocodrilos, ¡claro!).

Solo dispone de una cuerda muy larga.

¿Cómo se las arreglará?

Busca, busca

Busca los cuatro números naturales más pequeños (A, B, C y D), que cumplan esta condición:

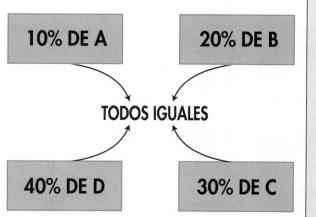

10% DE A	20% DE B
TODOS IGUALES	
40% DE D	30% DE C

¿Proporciones?

Un avión tarda una hora y veinte minutos de Madrid a París. ¿Cuánto tardarán en ese mismo recorrido dos aviones iguales?

Ya pica... ya pica...

A ver... a ver... déjame que piense.

Asociando imágenes

Asocia cada una de estas seis vistas a una de las figuras y dibújala en tu cuaderno con los colores que le corresponden.

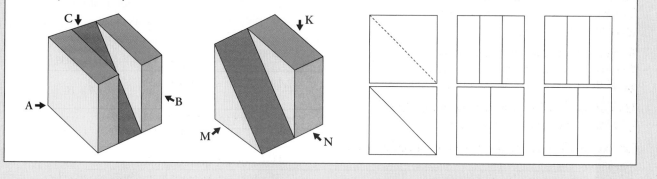

REFLEXIONA

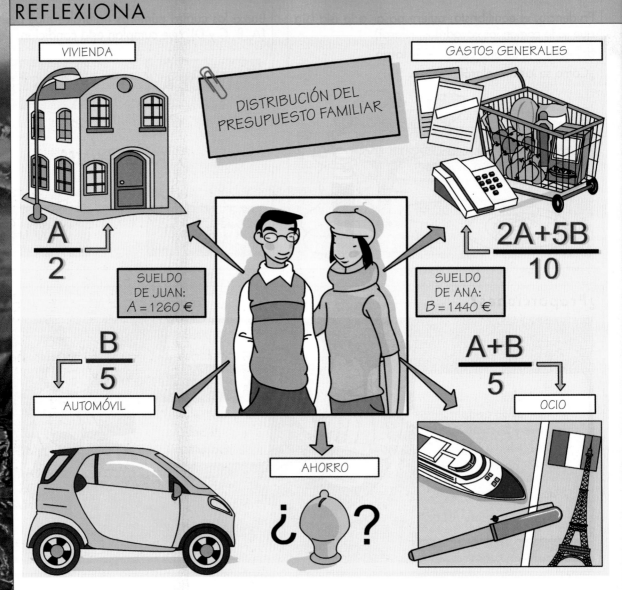

Ya habrás visto expresiones matemáticas en las que intervienen letras: fórmulas, presentación de propiedades numéricas, etc. Ahora vas a aprender a manejar estas expresiones iniciando el estudio de una parte nueva de las matemáticas: **el álgebra**.

En la clase de Educación para el Consumo se está analizando la distribución del gasto de la familia que aparece en la ilustración. Para ello, completa la siguiente tabla:

VIVIENDA	AUTOMÓVIL	OCIO	GASTOS GENERALES	AHORRO	TOTAL INGRESOS
$\dfrac{A}{2}$			$\dfrac{2A + 5B}{10}$		$A + B$
$\dfrac{1260}{2}$			$\dfrac{2 \cdot 1\,260 + 5 \cdot 1\,440}{10}$		
630			972		

TE CONVIENE RECORDAR

CÓMO SE TRANSFORMAN EXPRESIONES NUMÉRICAS...

Quitando paréntesis precedidos del signo + o −.

$$15 + (8 - 6) = 15 + 8 - 6$$
$$25 - (7 - 10) = 25 - 7 + 10$$

Aplicando la propiedad distributiva del producto:

$$3 \cdot (6 - 8) = 3 \cdot 6 - 3 \cdot 8$$
$$5 \cdot 4 + 2 \cdot 4 = (5 + 2) \cdot 4$$

1 Suprime paréntesis y después calcula:

$$3 + (6 - 7 + 1) - (8 - 4 - 6)$$

2 Quita paréntesis y después opera:

$$24 - 3 \cdot (5 + 3 - 6)$$

QUÉ HACER EN LAS OPERACIONES COMBINADAS

Operar la expresión $E = -(4 - 6) - 3 \cdot (5 - 6)$

Dos métodos:

a) $E = -(-2) - 3 \cdot (-1) = 2 + 3 = 5$

b) $E = -4 + 6 - 3 \cdot 5 + 3 \cdot 6 = -4 + 6 - 15 + 18 = 5$

3 Calcula:

a) $5 \cdot (2 - 5) - (3 - 18)$

b) $35 - 2 \cdot (1 - 6 + 2) - 3 \cdot (10 - 6)$

CÓMO SE SIMPLIFICAN FRACCIONES

$$\frac{15}{25} = \frac{3 \cdot \cancel{5}}{5 \cdot \cancel{5}} = \frac{3}{5}$$

$$\frac{16}{24} = \frac{\cancel{2} \cdot \cancel{2} \cdot \cancel{2} \cdot 2}{\cancel{2} \cdot \cancel{2} \cdot \cancel{2} \cdot 3} = \frac{2}{3}$$

4 Simplifica estas fracciones descomponiendo en factores:

a) $\dfrac{12}{16}$ b) $\dfrac{30}{45}$

CÓMO SE MULTIPLICA UNA FRACCIÓN POR UN NÚMERO

$$\frac{3}{5} \cdot 4 = \frac{3}{5} \cdot \frac{4}{1} = \frac{3 \cdot 4}{5 \cdot 1} = \frac{12}{5}$$

Se multiplica el número por el numerador.

5 Calcula y simplifica:

a) $\dfrac{5}{6} \cdot 3$ b) $\dfrac{3}{4} \cdot 6$ c) $\dfrac{1}{15} \cdot 10$

QUÉ LE OCURRE A UNA FRACCIÓN CUANDO SE MULTIPLICA POR UN MÚLTIPLO DEL DENOMINADOR

$$\frac{3}{4} \cdot 4 = \frac{12}{4} = 3 \qquad \frac{3}{5} \cdot 10 = \frac{30}{5} = 6$$

El resultado es un número entero.

6 Calcula y simplifica:

a) $\dfrac{2}{3} \cdot 6$ b) $\dfrac{3}{7} \cdot 7$ c) $\dfrac{5}{6} \cdot 12$

CÓMO SE EXPRESA LA LEY DE FORMACIÓN DE UNA SERIE

1	2	3	4	5	6	7	8	...
3	5	7	9	11	13	15	17	...

A cada número natural se le asocia su doble más uno.

$$n \longrightarrow 2n + 1$$

7 Completa la tabla y explica cómo se forma:

1	2	3	4	5	6	7	8	...
1	4	9	16	25				...

1 LETRAS EN VEZ DE NÚMEROS

Cuando se emplean claves, cuando se quiere operar con un número aún desconocido o cuando se utiliza un número cualquiera en vez de uno concreto, se suelen tomar las letras como sustitutos de los números. Veamos algunos casos.

■ PARA REPRESENTAR NÚMEROS EN CLAVE

71 **céntimos**

CLAVE	
$a \rightarrow 20$	$60 \rightarrow a + a + a$
$b \rightarrow 5$	$11 \rightarrow b + b + c$
$c \rightarrow 1$	$71 \rightarrow a + a + a + b + b + c$

■ PARA EXPRESAR UN NÚMERO AÚN DESCONOCIDO

Empleando una letra, podemos manejar cualquier número desconocido, operándolo o incluyéndolo en expresiones matemáticas. Esto facilita el camino para calcular su valor.

EJEMPLO

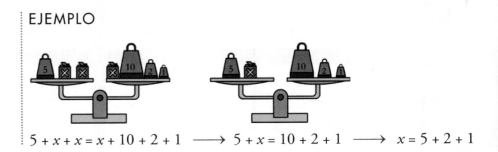

$$5 + x + x = x + 10 + 2 + 1 \longrightarrow 5 + x = 10 + 2 + 1 \longrightarrow x = 5 + 2 + 1$$

ACTIVIDADES

1 Expresa, en la clave que aparece a continuación y con la mínima cantidad de letras posible, los siguientes números:

a) 18   b) 76   c) 122

CLAVE
$a = 20$
$b = 5$
$c = 1$
$d = 50$

2 ¿Qué números representan estas expresiones en la clave del ejercicio anterior?

$a + c + c + c + c$ $a + b + c + d$ $a + b + d + d$

3 Calcula el valor de la letra x para que la suma sea correcta:

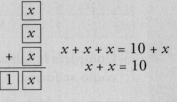

$$x + x + x = 10 + x$$
$$x + x = 10$$

■ PARA EXPRESAR UN NÚMERO CUALQUIERA

La máquina de la ilustración asocia a cada número su doble menos dos unidades.

$$n \longrightarrow 2n-2$$

15	28
2	2
6	10
7	12
11	20
1	0
5	8
3	4

OTRO EJEMPLO

$$n \rightarrow \frac{n+1}{3}$$

$$5 \rightarrow 2$$

$$8 \rightarrow \ ?$$

Vamos a comprobar algunos casos:

$$2 \xrightarrow{\ \times 2\ } \ 2 \cdot 2 = 4 \xrightarrow{\ -2\ } \ \ 4 - 2 = 2$$

$$7 \xrightarrow{\ \times 2\ } 7 \cdot 2 = 14 \xrightarrow{\ -2\ } 14 - 2 = 12$$

$$11 \xrightarrow{\ \times 2\ } 11 \cdot 2 = 22 \xrightarrow{\ -2\ } 22 - 2 = 20$$

Para expresar de forma general esta correspondencia, llamamos "n" a un número cualquiera.

$$n \longrightarrow 2n - 2$$
$$n \longrightarrow 2\,(n - 1)$$

■ PARA GENERALIZAR RELACIONES O PROPIEDADES NUMÉRICAS

■ El orden de los sumandos no altera la suma (propiedad conmutativa). $\Big\}$ $a + b = b + a$

■ Multiplicar un número por una suma equivale a multiplicar por cada sumando y sumar los productos parciales (propiedad distributiva). $\Big\}$ $a \cdot (b + c) = a \cdot b + a \cdot c$

• Cuando las letras expresan números, las trataremos como tales en cuanto a las operaciones y sus propiedades.

• La parte de las matemáticas que se ocupa de estudiar el comportamiento de las expresiones con letras y números se denomina **álgebra**.

ACTIVIDADES

4 Completa las tablas siguientes:

a)

1	3	5	10	12	15	...	n
1	9	25	100			...	

b)

1	2	3	4	5	10	...	n
2	5	10	17			...	

5 Expresa algebraicamente: "Al sumar un número, a, con su opuesto, $(-a)$, se obtiene el cero".

6 Expresa algebraicamente el siguiente proceso: Multiplicar por 2, sumar 4, multiplicar por 5 y dividir entre 10.

$$3 \xrightarrow{\ \times 2\ } 6 \xrightarrow{\ +4\ } 10 \xrightarrow{\ \times 5\ } 50 \xrightarrow{\ :10\ } 5$$

$$n \xrightarrow{\ \times 2\ } 2n \xrightarrow{\ +4\ } 2n + 4 \xrightarrow{\ \times 5\ } ? \xrightarrow{\ :10\ } ?$$

2 EXPRESIONES ALGEBRAICAS

Al utilizar letras para representar números desconocidos, las operaciones han de quedar necesariamente indicadas, dando lugar a expresiones algebraicas.

Son expresiones algebraicas:

$$2x - 4 \qquad x^2 + 5 \qquad \frac{a(b+1)}{3} \qquad \frac{5t^2}{4} \qquad \frac{a+y}{a}$$

donde las letras a, b, x, y, t son números cualesquiera o números cuyo valor, de momento, desconocemos.

> Las **expresiones algebraicas** surgen al traducir a lenguaje matemático situaciones o enunciados en los que aparecen datos desconocidos o indeterminados que se representan por letras.

EJEMPLOS

ENUNCIADOS	EXPRESIÓN ALGEBRAICA
El doble de un número a. $\longrightarrow$	$2a$
El triple de un número, más cinco. $\longrightarrow$	$3x + 5$
El triple del resultado de sumar cinco a un número. $\longrightarrow$	$3(x + 5)$
El número siguiente al número natural b. $\longrightarrow$	$b + 1$
Las dos quintas partes de un número x. $\longrightarrow$	$\dfrac{2x}{5}$

■ VALOR NUMÉRICO DE UNA EXPRESIÓN ALGEBRAICA

Una expresión algebraica toma un valor concreto cuando las letras, que se llaman **incógnitas**, se sustituyen por números. Veamos dos ejemplos:

a) El valor numérico de $3x^2 - 2x$, para $x = 5$, es 65, ya que:

para $x = 5 \rightarrow 3x^2 - 2x = 3 \cdot 5^2 - 2 \cdot 5 = 75 - 10 = 65$

b) El valor numérico de $4ab$ para $a = 2$ y $b = -1$ es -8, ya que:

para $a = 2$ y $b = -1 \rightarrow 4ab = 4 \cdot 2 \cdot (-1) = -8$

Evidentemente, el valor numérico de una expresión algebraica varía según los valores que tomen las incógnitas.

ACTIVIDADES

1 Llamando x a la edad de una persona, expresa algebraicamente:

a) La edad que tendrá dentro de quince años.

b) La edad que tenía el año pasado.

c) Los años que faltan para que cumpla 65.

d) La edad que tendrá cuando haya vivido otro tanto de lo vivido hasta ahora.

e) La edad que tendrá en el año 2010.

2 Calcula el valor numérico que toma cada expresión algebraica para los valores que se indican:

a) $\dfrac{3}{4}x$, para $x = 8$

b) $2x + 3y$, para $x = 5$, $y = -4$

c) $a + a^2 + a^3$, para $a = 2$

d) $3ab - \dfrac{1}{3}a^2$, para $a = -3$, $b = 2$

■ MONOMIOS

Las expresiones algebraicas más simples formadas por productos de letras y números se llaman **monomios**.

Un monomio consiste en el producto de un número conocido (**coeficiente**) por una o varias letras (**parte literal**).

EJEMPLOS

Generalmente, en los monomios no se suelen incluir los signos de producto. Así, cuando encontramos un número seguido de una o varias letras, entendemos que están multiplicados:

$$\frac{3}{4} \cdot a \cdot b^2 \xrightarrow{\text{se escribe}} \frac{3}{4} ab^2$$

Por esto, generalmente los monomios se escriben de esta forma:

$$5x \qquad -2x^2 \qquad \frac{3}{4}ab \qquad \frac{5}{3}x^3 \qquad \overset{\uparrow}{x^3}$$

(El coeficiente de x^3 es 1).

OTRO EJEMPLO

$$-6x^3y$$

Coeficiente: -6

Parte literal: x^3y

Grado: 4

■ El **grado** de una letra es el exponente al que está elevada.

Se llama **grado de un monomio** a la suma de los grados de las letras que lo forman:

$$\left.\begin{array}{l} 5x \\ 3a \end{array}\right\} \text{MONOMIOS DE PRIMER GRADO} \qquad \left.\begin{array}{l} 2x^2 \\ \frac{3}{4}ab \end{array}\right\} \text{MONOMIOS DE SEGUNDO GRADO} \qquad \left.\begin{array}{l} \frac{5}{3}x^3 \\ 2ab^2 \\ -abc \end{array}\right\} \text{MONOMIOS DE TERCER GRADO}$$

■ **Monomios semejantes**: son los que tienen la misma parte literal (las mismas letras con los mismos exponentes).

Por ejemplo:

Los monomios $\left\langle\begin{array}{l} 3a^2b \\ \frac{5}{3}a^2b \end{array}\right\}$ son semejantes.

ACTIVIDADES

3 Escribe dos monomios con la misma parte literal y distintos coeficientes. ¿Cómo son entre sí esos dos monomios?

4 Clasifica estos monomios según su grado:

a) $\dfrac{5}{3}a^2b$ b) $7a$ c) $3x$

d) $2ab^2$ e) $5xy$ f) $3xyz$

5 Copia y completa la tabla:

MONOMIO	COEFICIENTE	PARTE LITERAL	GRADO
$5x$		x	
$-x^3$	-1		
$4xy$			2
$\frac{2}{3}xy^2$			

3 PRIMERAS OPERACIONES CON EXPRESIONES ALGEBRAICAS

Como verás ahora, las expresiones algebraicas se operan atendiendo a las mismas reglas y propiedades que las expresiones numéricas.

◼ SUMA Y RESTA DE MONOMIOS

Recuerda que una suma repetida puede expresarse como un producto. Sigue paso a paso la secuencia que se expone a continuación:

a) $5 + 5 + 5 = 3 \cdot 5 = 15$

$a + a + a = 3a$

$b + b = 2b$

b) $\qquad 3a \qquad + \qquad 2b$

Esta suma no se puede reducir, pues a y b son números diferentes. La suma se deja indicada.

c) $\qquad 3a \qquad - \qquad 2a \quad = a$

En este caso, la resta de los dos monomios se reduce a un solo monomio.

d) $5^2 + 5^2 + 5^2 + 5^2 = 4 \cdot 5^2 = 100$

$\boxed{x^2} + \boxed{x^2} + \boxed{x^2} + \boxed{x^2} = 4\,\boxed{x^2}$

$x^2 + x^2 + x^2 + x^2 = 4x^2$

e) $\qquad 2x \qquad - \qquad 3x^2$

$\diagup + \diagup - (\,\square + \square + \square\,)$

Esta diferencia no se puede reducir, pues x y x^2 son valores diferentes. La resta se deja indicada.

La **suma (o resta) de dos monomios** solamente se puede simplificar cuando ambos monomios tienen la misma parte literal, es decir, cuando son semejantes.

Cuando la parte literal es diferente, la suma (o resta) se deja indicada.

ACTIVIDADES

1 Reduce estas expresiones:

a) $2x + x$

b) $7x - 4x$

c) $6a - 9a$

d) $2a + 7a - 5a$

e) $3ab + 2ab$

f) $5a^2b - 6a^2b + 2a^2b$

2 Reduce las siguientes expresiones:

a) $2x + 3x + x^2 + x^2$ b) $x^2 - x + 4x^2 + 3x$

3 Comprueba, dando los valores $a = 2$ y $b = 3$, que la siguiente igualdad es cierta:

$$5\,a^2b + 3\,a^2b = 8\,a^2b$$

MULTIPLICACIÓN DE UN MONOMIO POR UNA SUMA

> Cuando uno de los factores es una suma, aplicamos la propiedad distributiva, es decir, multiplicamos por cada sumando.
>
> EJEMPLOS
>
> a) $2 \cdot (a + 3b) = 2a + 6b$
>
> b) $3x \cdot (2x + y^2) = 6x^2 + 3xy^2$

◻ MULTIPLICACIÓN DE MONOMIOS

Un monomio es un producto. Por lo tanto, al multiplicar dos monomios obtendrás otro producto con más factores, es decir, otro monomio.

EJEMPLOS

a) $(2a) \cdot (3b) = 2 \cdot a \cdot 3 \cdot b = 2 \cdot 3 \cdot a \cdot b = 6ab$

b) $(2x) \cdot (-5x) = 2 \cdot x \cdot (-5) \cdot x = 2 \cdot (-5) \cdot x \cdot x = -10x^2$

c) $(2x) \cdot (4xy) = 2 \cdot x \cdot 4 \cdot x \cdot y = 2 \cdot 4 \cdot x \cdot x \cdot y = 8x^2y$

El **producto de dos monomios** es siempre otro monomio.

◻ DIVISIÓN DE MONOMIOS

Como verás en los siguientes ejemplos, seguimos aplicando lo que sabemos sobre operaciones con números, sin necesidad de aprender nuevos procedimientos.

EJEMPLOS

a) $(2x) : (6x) = \dfrac{2x}{6x} = \dfrac{2 \cdot x}{2 \cdot 3 \cdot x} = \dfrac{1}{3}$ El cociente es un número.

b) $(4a^2b) : (-4b) = \dfrac{2 \cdot 2 \cdot a \cdot a \cdot b}{(-1) \cdot 2 \cdot 2 \cdot b} = \dfrac{a^2}{-1} = -a^2$ El cociente es un monomio.

c) $(-5a^2) : (3ab) = \dfrac{(-5) \cdot a \cdot a}{3 \cdot a \cdot b} = -\dfrac{5a}{3b}$ ⎫
⎬ El cociente es una fracción
d) $(4x) : (x^2) = \dfrac{4 \cdot x}{x \cdot x} = \dfrac{4}{x}$ ⎭ algebraica.

FRACCIONES ALGEBRAICAS

> Una fracción algebraica es una fracción con letras en el denominador.

Al **dividir dos monomios**, se puede obtener:

- Un número.
- Otro monomio.
- Una fracción algebraica.

ACTIVIDADES

4 Opera y reduce:

a) $(3a) \cdot (3b)$

b) $(-2a) \cdot (-4b)$

c) $(4a) \cdot (5a^2)$

d) $(-3x^2) \cdot (4x)$

e) $(2x^2) \cdot (2x^2)$

f) $(2ab) \cdot (5ac)$

g) $\left(\dfrac{3}{2}a\right) \cdot \left(\dfrac{1}{2}b\right)$

h) $(2x^2y) \cdot \left(\dfrac{1}{2}x^2y^2\right)$

5 Quita paréntesis:

a) $5 \cdot (1 + 2x)$

b) $3x \cdot (2 + x)$

c) $2a \cdot (a + b)$

d) $a^2 \cdot (1 + a)$

6 Opera y simplifica:

a) $(3a) : (3b)$

b) $(9x^2) : (6x)$

c) $(10x^2) : (5x^3)$

d) $(-3x^4) : (3x^2)$

e) $(2a^2b) : (4a^2b)$

f) $(6xy^2) : (-9x^2y^2)$

4 ECUACIONES

Una **ecuación** es una igualdad entre expresiones algebraicas. Sin embargo, no todas las igualdades algebraicas son ecuaciones, como vas a ver a continuación.

▨ IGUALDADES ALGEBRAICAS: IDENTIDADES Y ECUACIONES

Observa la diferencia que existe entre las siguientes igualdades:

$$2a + 3a = 5a \qquad\qquad 2x + 1 = 7$$
$$\downarrow \qquad\qquad\qquad\qquad \downarrow$$

IDENTIDAD   ECUACIÓN

La igualdad se cumple para cualquier valor de a.   La igualdad se cumple solamente para $x = 3$.

- Una **ecuación** es una igualdad entre expresiones algebraicas que se cumple solamente para ciertos valores de las letras.

- Una **identidad** es una igualdad algebraica que se cumple siempre, independientemente de los valores que tomen las letras.

▨ ELEMENTOS DE UNA ECUACIÓN

Para poder manejar las ecuaciones es necesario que conozcas la nomenclatura de sus elementos.

- **Miembros** de una ecuación son las expresiones que aparecen a cada lado del signo de igualdad.

- **Términos** de una ecuación son los sumandos que forman los miembros.

PRIMER MIEMBRO ⌐→   ←⌐ SEGUNDO MIEMBRO
$$3x - 4 = x + 8$$
TÉRMINOS

- **Incógnitas** de una ecuación son las letras que aparecen en sus términos.

- **Soluciones** de una ecuación son los valores que hemos de dar a las incógnitas para que se cumpla la igualdad.

$$3x - 4 = x + 8 \left\langle \begin{array}{l} \text{Ecuación de primer grado con una incógnita, } x. \\ \textit{Solución } x = 6 \quad \text{pues } 3 \cdot 6 - 4 = 6 + 8 \end{array} \right.$$

ACTIVIDADES

1 Encuentra, por tanteo, la solución de cada una de las siguientes ecuaciones:

a) $4x - 12 = x + 3$ b) $3x = 15$

c) $x - 4 = 6$ d) $2x = 10 + x$

2 Comprueba si los valores de x que se dan en cada caso, son o no la solución de la ecuación correspondiente:

a) $5x - 8 = 7$ b) $2x + 3 = 5x - 1$
   $x = 3$ $x = 1$

■ ECUACIONES EQUIVALENTES

Dos **ecuaciones** son **equivalentes** cuando sus soluciones coinciden.

EJEMPLO

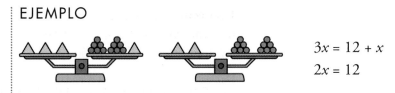

$3x = 12 + x$

$2x = 12$

Las dos ecuaciones tienen por solución $x = 6$. Son equivalentes.

■ ¿QUÉ ES RESOLVER UNA ECUACIÓN?

Resolver una ecuación es encontrar sus soluciones, es decir, averiguar los valores que deben tomar las incógnitas para que la igualdad se cumpla.

Antes de aprender nada nuevo sobre resolución de ecuaciones, ten en cuenta que, en muchas ocasiones, te puedes defender con lo que sabes. Puedes comprobarlo con la serie que te proponemos a continuación.

a) $\boxed{x + 5 = 8}$ ⟶ ¿Cuánto ha de valer x para que al sumarle 5 obtengamos 8?

b) $\boxed{x - 6 = 5}$ ⟶ Si a x le restas 6, obtienes 5. ¿Cuánto vale x?

c) $\boxed{4x = 80}$ ⟶ ¿Qué número multiplicado por 4 da 80?

d) $\boxed{\dfrac{x}{4} = 5}$ ⟶ ¿Qué número dividido entre 4 da 5?

e) $\boxed{x^2 = 16}$ ⟶ ¿Qué número elevado al cuadrado da 16?

f) $\boxed{x^2 - 1 = 15}$
g) $\boxed{x^2 + 3 = 19}$ ⟶ Piensa primero: ¿Cuánto debe valer x^2? Y después: ¿Cuánto debe valer x?
h) $\boxed{x^2 - 1 = 35}$

i) $\boxed{\sqrt{x} = 3}$ ⟶ ¿Cuál es el número cuya raíz cuadrada es 3?

Aunque más adelante, y en los próximos cursos, aprenderás métodos específicos para resolver ecuaciones, los recursos que acabas de emplear siempre te serán útiles.

¡NO LO OLVIDES!

Razonando, empleando lo que sabes, tanteando... se resuelven muchas ecuaciones que pueden resultar muy difíciles por los métodos habituales.

ACTIVIDADES

3 Encuentra, en cada ecuación, una solución por tanteo:

a) $3x = 15$

b) $3x + 1 = 16$

c) $3x - 4 = 11$

d) $3x + 5 = 4$

e) $3x - 1 = 2x$

f) $x^2 = x^3$

g) $\dfrac{x}{4} = 5$

h) $\dfrac{x - 1}{4} = 5$

i) $\dfrac{x + 1}{4} = 5$

j) $x + x^2 + x^3 = 3$

k) $\dfrac{x}{3} + \dfrac{x}{2} = 5$

l) $\dfrac{x}{2} + \dfrac{x}{4} + \dfrac{x}{8} = 7$

5 PRIMERAS TÉCNICAS PARA LA RESOLUCIÓN DE ECUACIONES

Para **resolver una ecuación**, hemos de dar una serie de pasos hasta conseguir que la incógnita, x, esté en un miembro, y el resto, en el otro, es decir, hasta **despejar** la incógnita.

Las ecuaciones que vas a manejar ahora son muy sencillas. Aunque la solución salte a la vista, aprende las técnicas que se exponen, pues te servirán para resolver casos más complejos.

■ RESOLUCIÓN DE LA ECUACIÓN $x + a = b$

Para resolver $x + a = b$, restamos a en cada miembro:

$$x + a = b \longrightarrow x + a - a = b - a \longrightarrow x = b - a$$

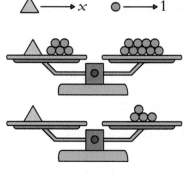

$\triangle \longrightarrow x$ $\quad \bullet \longrightarrow 1$

EJEMPLO

Resolver la ecuación $x + 5 = 9$.

$x + 5 = 9$	• Para despejar la x, debemos eliminar el 5 que está sumando en el primer miembro.
$x + \cancel{5} - \cancel{5} = 9 - 5$	• Restamos 5 a cada miembro.
$x = 9 - 5$	• La x queda despejada.
$x = 4$	• La solución es $x = 4$.

■ RESOLUCIÓN DE LA ECUACIÓN $x - a = b$

Para resolver $x - a = b$, sumamos a en cada miembro:

$$x - a = b \longrightarrow x - a + a = b + a \longrightarrow x = b + a$$

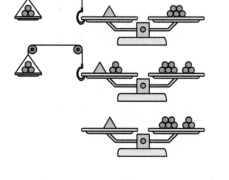

$\triangle \longrightarrow x$ $\quad \bullet \longrightarrow 1$

EJEMPLO

Resolver la ecuación $x - 3 = 5$.

$x - 3 = 5$	• Para despejar la x, debemos eliminar el -3 del primer miembro.
$x - \cancel{3} + \cancel{3} = 5 + 3$	• Sumamos 3 a cada miembro.
$x = 5 + 3$	• La x queda despejada.
$x = 8$	• La solución es $x = 8$.

ACTIVIDADES

1 Resuelve, empleando las técnicas recién aprendidas, las siguientes ecuaciones:

a) $x + 2 = 7$ b) $x - 7 = 3$ c) $x + 5 = 3$

d) $x + 5 = 1$ e) $x - 2 = -6$ f) $x - 8 = -3$

g) $6 = x - 2$ h) $11 = x + 4$ i) $2 = x - 6$

2 Resuelve cada ecuación siguiendo las indicaciones que la acompañan:

a) $8 - x = 2$
Suma x a los dos miembros de la igualdad.

b) $2x = 7 + x$
Resta x en ambos miembros.

◼ RESOLUCIÓN DE LA ECUACIÓN $a \cdot x = b$

Para resolver $a \cdot x = b$, dividimos por a en cada miembro:

$$a \cdot x = b \longrightarrow \frac{a \cdot x}{a} = \frac{b}{a} \longrightarrow x = \frac{b}{a}$$

Casos especiales:

- La ecuación $0 \cdot x = 5$ no tiene solución.

  No hay ningún número que multiplicado por cero dé cinco.

- La ecuación $0 \cdot x = 0$ tiene infinitas soluciones.

  Cualquier número multiplicado por cero da cero.

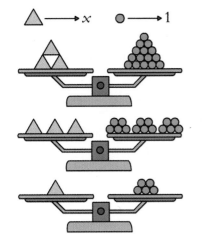

EJEMPLO

Resolver la ecuación $3x = 15$.

$3x = 15$ • Debemos eliminar el 3 que multiplica a la x.

$\dfrac{\cancel{3}x}{\cancel{3}} = \dfrac{15}{3}$ • Dividimos los dos miembros de la ecuación entre tres.

$x = \dfrac{15}{3} \to x = 5$ • La solución es $x = 5$.

◼ RESOLUCIÓN DE LA ECUACIÓN $x/a = b$

Para resolver $\dfrac{x}{a} = b$, multiplicamos por a en cada miembro:

$$\frac{x}{a} = b \longrightarrow \frac{x}{a} \cdot a = b \cdot a \longrightarrow x = b \cdot a$$

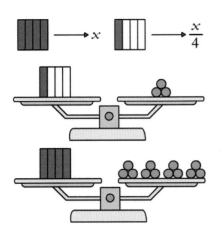

EJEMPLO

Resolver la ecuación $\dfrac{x}{4} = 3$.

$\dfrac{x}{4} = 3$ • Debemos eliminar el 4 que divide a la x.

$\dfrac{x}{\cancel{4}} \cdot \cancel{4} = 3 \cdot 4$ • Multiplicamos por 4 ambos miembros.

$x = 3 \cdot 4 \to x = 12$ • La solución es $x = 12$.

Si en los dos miembros de una ecuación se efectúa la misma operación:
- La igualdad permanece.
- Se obtiene una ecuación equivalente a la primitiva.

Esto nos permite pasar, **transponer**, los términos de un miembro a otro.

ACTIVIDADES

3 Resuelve con las técnicas que acabas de aprender:

a) $2x = 14$ b) $5x = -30$ c) $6x = 8$

d) $\dfrac{x}{3} = 5$ e) $\dfrac{x}{2} = 3$ f) $\dfrac{x}{3} = -\dfrac{5}{6}$

4 Resuelve combinando las técnicas anteriores:

a) $2x - 1 = 5$ b) $5x + 2 = 12$

c) $\dfrac{x}{2} + 3 = 5$ d) $\dfrac{x}{5} - 1 = 2$

6 RESOLUCIÓN DE ECUACIONES DE PRIMER GRADO CON UNA INCÓGNITA

Para resolver una ecuación, la iremos transformando, mediante sucesivos pasos, en otras equivalentes cada vez más sencillas, hasta despejar la incógnita.

Para **transformar una ecuación** en otra equivalente, utilizaremos dos recursos:

- Reducir sus miembros.
- Transponer sus términos de un miembro al otro.

Lo entenderás mejor con un ejemplo.

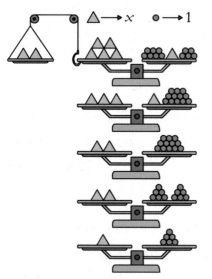

$\triangle \longrightarrow x$ $\bullet \longrightarrow 1$

EJEMPLO

Resolver la siguiente ecuación: $5x - 2x = 7 + x + 5$

$5x - 2x = 7 + x + 5$

REDUCIR

$3x = x + 12$

TRANSPONER
(Restamos x en ambos miembros).

$3x - x = 12$

REDUCIR

$2x = 12$

TRANSPONER
(Dividimos ambos miembros entre 2).

$x = \dfrac{12}{2}$

REDUCIR

$x = 6$

Comprobación: Sustituimos en la ecuación primitiva x por 6 y comprobamos que se cumple la igualdad:

$5x - 2x \rightarrow 5 \cdot 6 - 2 \cdot 6 = 30 - 12 = 18$
$7 + x + 5 \rightarrow 7 + 6 + 5 = 18$
$\left.\right\}$ $5 \cdot 6 - 2 \cdot 6 = 7 + 6 + 5$

La igualdad se cumple para $x = 6$.

ACTIVIDADES

1 Resuelve, imitando los pasos seguidos arriba:

a) $3x + 5x = 10 + 6$

b) $10x - 3x = 15 + 6$

c) $4x - 3 = x + 6$

d) $4x = 3x - 1$

e) $6x + 12 = 2 + 4x$

2 Resuelve estas ecuaciones:

a) $7 - 3 = 5x - x$

b) $10 = x + 2 + 3x + 4$

c) $30 + 2x = 5x$

d) $5 - 3x = 7x - 5$

e) $4x - 3 + x = 1 + 3x$

⬛ ENTRENAMIENTO EN LA RESOLUCIÓN DE ECUACIONES

A continuación, te proponemos unas series de ejercicios cuya superación te ayudará a tomar confianza en la resolución de ecuaciones de primer grado.

Abórdalos siguiendo el orden en que aparecen y aplicando las técnicas que has aprendido: reducir miembros-transponer términos.

Para que puedas evaluar tu trabajo, encontrarás las soluciones al final de la página.

⬛ PRIMERA SERIE

1. $x + 2 = 7$
2. $x + 10 = 4$
3. $8 = x + 2$
4. $3 = 9 + x$
5. $x - 5 = 8$
6. $x + 4 = -3$
7. $x - 2 = -7$
8. $-1 = x + 10$
9. $16 - x = 10$

⬛ SEGUNDA SERIE

10. $2x = 6$
11. $18 = 3x$
12. $-2x = 10$
13. $-15 = 5x$
14. $3x + 5x = 16$
15. $7x - 3x = 12$
16. $6x - 2x = -8$
17. $12x - 8x = 15 - 7$
18. $x - 2x = 7$

⬛ TERCERA SERIE

19. $4x = 3x + 5$
20. $5x - 2x = x + 8$
21. $2x + 7 = x + 14$
22. $4x - 6 = 3 - 5x$
23. $x + 3x + 2 = 2x + 8$
24. $3x + 5 - x = 3 + x$
25. $5 - x = 3x + 2x - 8$
26. $5x - 4 - x = 2x - 1$
27. $6x + 10 = 10x - 10$

⬛ CUARTA SERIE

28. $8 - (1 - 2x) = 11$
29. $(4x - 5) - (3x - 1) = 0$
30. $(x - 4) - (3x - 1) = 5$
31. $2(x + 5) = 14$
32. $6(x - 1) - 4(x - 2) = 3$
33. $5(3x - 2) + 4 = 2(5x - 1) + 1$

⬛ QUINTA SERIE

34. $\dfrac{x}{5} = 10$
35. $\dfrac{x}{3} - 1 = 3$
36. $\dfrac{2x}{5} = 6$
37. $\dfrac{3x}{4} + 3 = 9$
38. $\dfrac{x}{2} + \dfrac{3x}{2} = 2$
39. $\dfrac{x}{5} + \dfrac{2x}{5} = 6$
40. $\dfrac{x}{3} + \dfrac{x}{3} + 5 = 9$
41. $\dfrac{2x}{7} + \dfrac{3x}{7} = \dfrac{9}{7}$
42. $\dfrac{x}{2} + \dfrac{x}{3} = 5$

EJEMPLO RESUELTO

$$7x - 2(5 - x) = 3 + 2x + 1$$
$$7x - 10 + 2x = 2x + 4$$
$$9x - 10 = 2x + 4$$
$$9x - 2x = 4 + 10$$
$$7x = 14$$
$$x = \frac{14}{7}$$
$$x = 2$$

Soluciones

1. 5
2. -6
3. 6
4. -6
5. 13
6. -7
7. -5
8. -11
9. 6
10. 3
11. 6
12. -5
13. -3
14. 2
15. 3
16. -2
17. 2
18. -7
19. 5
20. 4
21. 7
22. 1
23. 3
24. -2
25. 13/6
26. 3/2
27. 5
28. 2
29. 4
30. -4
31. 2
32. 1/2
33. 1
34. 50
35. 12
36. 15
37. 8
38. 1
39. 10
40. 6
41. 9/5
42. 6

7 ECUACIONES CON DENOMINADORES

Cuando en una ecuación se incluyen fracciones, la transformaremos en otra equivalente sin denominadores como paso previo a su resolución.

Para que la tarea te resulte más sencilla, sigue los pasos que se exponen a continuación.

EJEMPLO

Resolver la ecuación $x - \dfrac{x}{3} = \dfrac{x}{4} + \dfrac{5}{6}$.

- Multiplicamos la ecuación por el mínimo común múltiplo de los denominadores:
  m.c.m. (3, 4, 6) = 12

- Operamos.

- Reducimos. Al reducir, desaparecen los denominadores.

- A partir de aquí actuamos como ya sabemos, reduciendo y transponiendo términos.

$$x - \frac{x}{3} = \frac{x}{4} + \frac{5}{6}$$

$$12 \cdot \left(x - \frac{x}{3}\right) = 12 \cdot \left(\frac{x}{4} + \frac{5}{6}\right)$$

$$12 \cdot x - 12 \cdot \frac{x}{3} = 12 \cdot \frac{x}{4} + 12 \cdot \frac{5}{6}$$

$$12x - 4x = 3x + 10$$

$$8x = 3x + 10$$

$$8x - 3x = 10$$

$$5x = 10$$

$$x = \frac{10}{5} \quad \textit{Solución: } x = 2$$

Comprobación: $\begin{cases} x - \dfrac{x}{3} \rightarrow 2 - \dfrac{2}{3} = \dfrac{6}{3} - \dfrac{2}{3} = \dfrac{4}{3} \\ \dfrac{x}{4} + \dfrac{5}{6} \rightarrow \dfrac{2}{4} + \dfrac{5}{6} = \dfrac{3}{6} + \dfrac{5}{6} = \dfrac{8}{6} = \dfrac{4}{3} \end{cases}$

ACTIVIDADES

1 Resuelve siguiendo las indicaciones:

a) $x - \dfrac{2}{5} = 2 + \dfrac{x}{5}$

Multiplica los dos miembros por 5.

b) $\dfrac{x}{2} - 1 = \dfrac{1}{2} + \dfrac{x}{5}$

Multiplica los dos miembros por 10.

c) $\dfrac{x}{3} + 1 = x - \dfrac{1}{9}$

Multiplica los dos miembros por 9.

2 Resuelve estas ecuaciones:

a) $\dfrac{x}{2} - 1 = \dfrac{3}{2} - \dfrac{3}{4}$

b) $x - \dfrac{2x}{3} = \dfrac{5}{3} - \dfrac{x}{2}$

c) $\dfrac{x}{2} + \dfrac{3}{8} = \dfrac{x}{4} + 1$

d) $\dfrac{x}{3} + \dfrac{x}{2} = \dfrac{2x}{3} + 1$

e) $x - \dfrac{x}{4} = \dfrac{2x}{5} + \dfrac{7}{10}$

8 RESOLUCIÓN DE PROBLEMAS CON AYUDA DE ECUACIONES

Observa, en los siguientes ejemplos, cómo utilizar las ecuaciones para resolver problemas. Advierte que en todos ellos se siguen los mismos pasos. El objetivo es que tú, ante un problema, seas capaz de dar esos pasos.

EJEMPLOS

PROBLEMA 1. Un número y su siguiente suman 53. ¿Qué números son?

a) Deja claro lo que conoces y da nombre a lo que no conoces:

UN NÚMERO $\longrightarrow$ x

SU SIGUIENTE $\longrightarrow$ $x + 1$

LA SUMA DE AMBOS $\longrightarrow$ 53

b) Relaciona, en una igualdad, los elementos conocidos y los desconocidos:

UN NÚMERO MÁS **EL SIGUIENTE** ES IGUAL A **53**

$\downarrow$ $\downarrow$ $\downarrow$

x + $(x + 1)$ = 53

c) Resuelve la ecuación:

$$x + x + 1 = 53 \rightarrow 2x = 52 \rightarrow x = 26$$

d) Expresa la solución en el contexto del problema y compruébala:

Solución: $\begin{cases} x = 26 \\ x + 1 = 27 \end{cases}$ Los números buscados son el 26 y el 27.

Comprobación: 26 + 27 = 53

PASOS PARA RESOLVER UN PROBLEMA

a) LOS ELEMENTOS: Deja claros los datos. Designa la incógnita y expresa algebraicamente los elementos desconocidos.

b) LA ECUACIÓN: Escribe la igualdad que relaciona los datos y la incógnita.

c) EL CÁLCULO: Resuelve la ecuación.

d) LA SOLUCIÓN: Comprueba la solución que has obtenido y exprésala en el contexto del problema.

ACTIVIDADES

1 Un número y su anterior suman 99. ¿Cuáles son esos números?

Un número $\rightarrow x$

Su anterior $\rightarrow x - 1$

2 La suma de un número con su doble y su mitad da 42. ¿Cuál es el número?

Un número $\rightarrow x$

Su doble $\rightarrow 2x$ Su mitad $\rightarrow \dfrac{x}{2}$

EJEMPLOS

PROBLEMA 2. En una granja de vacas, entre cuernos y patas suman 90. ¿Cuál es el número de vacas?

a) Deja claro lo que conoces y da nombre a lo que no conoces:

VACAS $\longrightarrow$ x

CUERNOS $\longrightarrow$ $2x$

PATAS $\longrightarrow$ $4x$

CUERNOS MÁS PATAS $\longrightarrow$ 90

b) Relaciona, en una igualdad, los elementos conocidos y los desconocidos:

CUERNOS	MÁS	**PATAS**	ES IGUAL A	**90**
↓		↓		↓
$2x$	+	$4x$	=	90

c) Resuelve la ecuación:

$$2x + 4x = 90$$

$$6x = 90$$

$$x = \frac{90}{6}$$

$$x = 15$$

d) Expresa la solución en el contexto del problema y compruébala.

Solución: En la granja hay 15 vacas.

Comprobación:

Vacas → 15

Cuernos → 30

Patas → 60 } 30 + 60 = 90

PROBLEMA 3. La valla que rodea una parcela rectangular mide 80 m. La parcela mide 10 m más de largo que de ancho. ¿Cuáles son sus medidas?

a) ANCHO $\longrightarrow$ x

LARGO $\longrightarrow$ $x + 10$

PERÍMETRO $\longrightarrow$ 80

b) $x + (x + 10) + x + (x + 10) = 80$

c)
$$4x + 20 = 80$$
$$4x = 60$$
$$x = \frac{60}{4}$$
$$x = 15$$

d) *Solución:* La parcela mide 15 m de ancho y 25 m de largo.

Comprobación: $15 + 25 + 15 + 25 = 80$

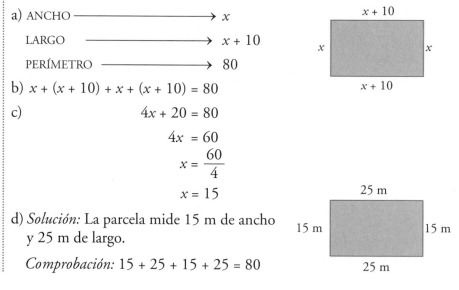

ACTIVIDADES

3 ¿Cuántas gallinas hay en un gallinero sabiendo que entre picos, patas y crestas hay 144?

4 La base de un rectángulo es doble de la altura, y el perímetro mide 48 cm. ¿Cuáles son las dimensiones del rectángulo?

5 Marta ha comprado un cuaderno y tres bolígrafos iguales por 3,2 €.

Sabiendo que el cuaderno cuesta 0,8 € más que uno de los bolígrafos, ¿cuál es el precio de cada uno de esos artículos?

EJERCICIOS DE LA UNIDAD

▷ Expresiones algebraicas

1 △△△ Haz corresponder cada enunciado con su expresión algebraica:

- La mitad de un número.

$$1,3x$$

- El triple de la mitad de un número.

$$\dfrac{3x}{2}$$

- La distancia recorrida en x horas por un tren que va a 60 km/h.

$$\dfrac{x}{2}$$

- El precio de x kilos de naranjas que están a 1,3 €/kilo.

$$x - 60$$

- La edad de Pedro, sabiendo que su abuelo, que ahora tiene x años, tenía 60 años cuando nació Pedro.

$$\dfrac{1,3x}{2}$$

- El área de un triángulo de base 1,3 m y altura x metros.

$$60x$$

2 △△△ Completa la tabla atendiendo a los siguientes enunciados:

- Teresa tiene x años.
- Su hija tiene 25 años menos que ella.
- Su madre tiene doble edad que ella.
- Su padre le saca 6 años a su madre.

	EDAD
TERESA	x
LA HIJA	
LA MADRE	
EL PADRE	
LORENZO	

- Teresa tenía 8 años cuando nació su hermano Lorenzo.

3 △△△ Lee los enunciados y completa la tabla:

- Eva recibe, de paga semanal, x euros.
- A Leticia le faltan 10 € para recibir el doble que Eva.
- Raquel recibe 50 € más que Leticia.

	PAGA SEMANAL
EVA	x
LETICIA	
RAQUEL	
ENTRE LAS TRES	

4 △△△ Completa:

n	1	3	7	10	15	20
$3n + 2$						

n	1	5	9	15	21	27
$\dfrac{n + 1}{2}$						

5 △△△ Expresa algebraicamente las sucesivas transformaciones que sufre un número, n, al ser sometido a la siguiente cadena de operaciones:

ENTRADA → n $\xrightarrow{\cdot 4}$ $4n$ $\xrightarrow{+ 6}$ ☐ $\xrightarrow{: 2}$ ☐ $\xrightarrow{- 1}$ ☐ → SALIDA

Completa esta tabla de *entradas-salidas* para la anterior cadena de transformaciones:

ENTRADAS	1	2	4	7	10	...	n
SALIDAS	4						

6 △△△ Completa el valor que corresponde a un número cualquiera n:

0	1	2	3	4	...	n
0	1	8	27	64	...	

2	4	8	16	20	...	n
2	3	5	9	11	...	

▷ Monomios y operaciones

7 △△△ Completa la tabla siguiente:

MONOMIO	$2x^3$	$-5ax$	$\dfrac{2}{3}x^2y^2$	$-x^2y^3$
COEFICIENTE				
PARTE LITERAL				
GRADO				

8 △△△ Reduce las siguientes expresiones:

a) $x + x + x + x + x$ b) $3x + 2x$

c) $10x - 6x$ d) $3x - 7$

e) $3x + 2x + x$ f) $10x - 6x + 2x$

g) $a + a + b$ h) $5a - 3a + 4b + b$

i) $a^2 + 2a^2$ j) $a^2 + a + a$

k) $3a + 5a + 2a^2 + 4a^2$ l) $2a^2 + 6a - a^2 - a^2$

9 △△△ Opera y reduce:

a) $2 \cdot (5a)$

b) $(-4) \cdot (3x)$

c) $(5x) \cdot (-x)$

d) $(2x) \cdot (3x)$

e) $(2a) \cdot (-5ab)$

f) $(6b) \cdot \left(\dfrac{1}{3}b\right)$

g) $\left(\dfrac{2}{3}x\right) \cdot (3x)$

h) $\left(\dfrac{2}{5}x\right) \cdot \left(\dfrac{5}{2}x^2\right)$

10 △△△ Quita paréntesis:

a) $3 \cdot (1 + x)$

b) $2a \cdot (a - b)$

c) $(-3x) \cdot (x + x^2)$

d) $(-5) \cdot (1 - 2a)$

e) $a^2 \cdot (a - 1)$

f) $3x \cdot (2x - 3y)$

g) $5ab \cdot (a + 2b)$

h) $a^2b \cdot (1 + a + b)$

11 △△△ Reduce:

a) $5(1 + 2x) - 5$

b) $3(x + 1) - 2(x - 1)$

c) $a(1 + a) - (1 + a^2)$

d) $a(a - b) + b(a - b)$

e) $5x(2x + 3) - 4x(2x + 3)$

f) $ab \cdot (1 - a) - ab(1 - b)$

12 △△△ Opera y reduce:

a) $(2x) : (2x)$

b) $(6a) : (-3a)$

c) $(3b) : (6b)$

d) $(15x^2) : (3x)$

e) $(-8x) : (4x^2)$

f) $(a^3b^2) : (ab^2)$

g) $(10x) : (5x^3)$

h) $(2a^2b) : (4ab^2)$

▷ **Ecuaciones para resolver por tanteo**

13 △△△ $x^2 = 25$

14 △△△ $x^2 - 1 = 24$

15 △△△ $x^2 + 10 = 35$

16 △△△ $x^2 + x = 30$

17 △△△ $(x + 1)^2 = 36$

18 △△△ $(x + 1)^2 = 100$

19 △△△ $\left(\dfrac{x}{2}\right)^2 = 4$

20 △△△ $(3x)^2 = 81$

21 △△△ $x \cdot (x + 1) = 30$

22 △△△ $x \cdot (x - 1) = 20$

23 △△△ $x \cdot (x + 2) = 120$

24 △△△ $x \cdot (x - 2) = 80$

25 △△△ $\sqrt{x} = 7$

26 △△△ $\sqrt{x - 1} = 7$

27 △△△ $\sqrt{x - 9} = 4$

28 △△△ $\sqrt{\dfrac{x - 8}{2}} = 1$

▷ **Ecuaciones sencillas**

29 △△△ $2x + 1 = 21$

30 △△△ $2x = x + 5$

31 △△△ $7x + 15 = 1$

32 △△△ $4x - 1 = x + 1$

33 △△△ $2x + 3 = 6x + 1$

34 △△△ $2x + 5 + x = 4 - 2x$

35 △△△ $2 + 3x - 5 = x + 5$

36 △△△ $x + 8 - 2x = 18 + x$

37 △△△ $9x - x = x + 4 + 7x$

38 △△△ $6 + 5x = 9x - 4 + 6x$

39 △△△ $2x = 6 - 4x + 2 - 2x$

40 △△△ $x + 2x + 4x + 14 = x + 2$

41 △△△ $8x + 3 - 5x = x - 5 - 3x$

42 △△△ $5x + 8 - 7x = 3x - 9 - 7x$

43 △△△ $7x - 4 + x - 6x = x - 3 + x - 1$

9

Ecuaciones con paréntesis

44 ▲▲▲ EJERCICIO RESUELTO

$$11 - (x + 7) = 3x - (5x - 6)$$
$$11 - x - 7 = 3x - 5x + 6$$
$$4 - x = -2x + 6$$
$$-x + 2x = 6 - 4$$
$$\boxed{x = 2}$$

45 ▲▲▲ EJERCICIO RESUELTO

$$3(2x - 1) + 5x = 1 - 4(x - 2)$$
$$6x - 3 + 5x = 1 - 4x + 8$$
$$11x - 3 = 9 - 4x$$
$$11x + 4x = 9 + 3$$
$$15x = 12$$
$$x = \frac{12}{15}$$
$$\boxed{x = \frac{4}{5}}$$

46 ▲△△ $5 - (3x - 2) = 4x$

47 ▲△△ $8x + 11 = 6 - (3 - 7x)$

48 ▲△△ $3(x + 2) = 18$

49 ▲△△ $2(x - 1) = 5x - 3$

50 ▲△△ $6 + 2(x + 1) = 2$

51 ▲▲△ $5x - (1 - x) = 3(x - 1) + 2$

52 ▲▲△ $5(2x - 1) - 3x = 7(x - 1) + 2$

53 ▲▲△ $3(2x - 1) + 2(1 - 2x) = 5$

54 ▲▲△ $6(x - 2) - x = 5(x - 1)$

55 ▲▲△ $4x + 2(x + 3) = 2(x + 2)$

56 ▲▲△ $2(1 - x) - 3 = 3(2x + 1) + 2$

57 ▲▲△ $6 - 8(x + 1) - 5x = 2(3 + 2x) - 5(3 + x)$

Ecuaciones con denominadores

58 ▲△△ $\dfrac{x}{6} - 1 = 0$

59 ▲△△ $\dfrac{x}{13} = \dfrac{5}{13}$

60 ▲△△ $\dfrac{x}{7} - 1 = \dfrac{2}{7}$

61 ▲△△ $\dfrac{x}{3} + \dfrac{5}{3} = \dfrac{7}{3}$

62 ▲△△ $x = 4 + \dfrac{x}{5}$

63 ▲△△ $6 - \dfrac{x}{3} = 2 + \dfrac{5x}{3}$

64 ▲△△ $\dfrac{x}{3} - 1 = \dfrac{1}{2} - \dfrac{2x}{3}$

65 ▲△△ $\dfrac{x}{2} + \dfrac{4}{5} = \dfrac{2x}{5} + 1$

66 ▲▲△ $x - \dfrac{x}{3} = \dfrac{7}{15} + \dfrac{2x}{3}$

67 ▲▲△ $\dfrac{x}{2} - \dfrac{1}{4} = 1 - \dfrac{3x}{2}$

68 ▲▲△ $\dfrac{x}{9} - \dfrac{1}{6} = \dfrac{2x}{9} - \dfrac{1}{2}$

69 ▲▲△ $x - \dfrac{1}{4} - \dfrac{x}{2} = \dfrac{3}{4} + \dfrac{x}{2} - 1$

Problemas para resolver con ecuaciones

70 ▲△△ El triple de un número, menos cinco, es igual a 16. ¿Cuál es el número?

71 ▲△△ La suma de tres números consecutivos es 702. ¿Cuáles son esos números?

72 ▲△△ Un número, su anterior y su posterior suman 702. ¿Qué números son?
(Compara el enunciado de este ejercicio con el anterior. ¿Qué relaciones ves?)

■ PRIMER NÚMERO → $x - 1$
  SEGUNDO NÚMERO → x ⎱ CONSECUTIVOS
  TERCER NÚMERO → $x + 1$

73 ▲△△ Al sumar un número natural con el doble de su siguiente, se obtiene 44. ¿De qué número se trata?

74 ▲▲▲ Al sumarle a un número 60 unidades, se obtiene el mismo resultado que al multiplicarlo por 5. ¿Cuál es el número?

75 ▲▲▲ Reparte 680 € entre dos personas de forma que la primera se lleve el triple que la segunda.

76 ▲▲▲ En un cine hay 511 personas. ¿Cuál es el número de hombres y cuál el de mujeres, sabiendo que el de ellas sobrepasa en 17 al de ellos?

- HOMBRES $\rightarrow x$

  MUJERES $\rightarrow x + 17$

  TOTAL $\rightarrow 511$

77 ▲▲▲ Marisa es tres años más joven que su hermana Rosa y un año mayor que su hermano Roberto. Entre los tres igualan la edad de su madre, que tiene 38 años. ¿Cuál es la edad de cada uno?

- MARISA $\rightarrow x$

  ROSA $\rightarrow x + 3$

  ROBERTO $\rightarrow x - 1$

78 ▲▲▲ Pedro, Pablo y Paloma reciben 1 200 € como pago por su trabajo de socorristas en una piscina.

Si Pablo ha trabajado el triple de días que Pedro, y Paloma el doble que Pablo, ¿cómo harán el reparto?

79 ▲▲▲ Marta gasta la mitad de su dinero en la entrada para un concierto, y la quinta parte del mismo, en una hamburguesa. ¿Cuánto tenía si aún le quedan 2,70 €?

80 ▲▲▲ En una granja, entre gallinas y conejos, hay 20 cabezas y 52 patas. Estudia la tabla adjunta y traduce a lenguaje algebraico la siguiente igualdad:

(PATAS DE GALLINA) MÁS (PATAS DE CONEJO) ES IGUAL A (52)

	CABEZAS	PATAS
GALLINAS	x	$2x$
CONEJOS	$20 - x$	$4(20 - x)$

¿Cuántas gallinas y cuántos conejos hay en la granja?

81 ▲▲▲ Un yogur de frutas cuesta 10 céntimos más que uno natural. ¿Cuál es el precio de cada uno si he pagado 2,6 € por cuatro naturales y seis de frutas?

82 ▲▲▲ PROBLEMA RESUELTO

Amaya tiene 9 años más que Andrea, y dentro de 3 años la doblará en edad. ¿Cuántos años tiene cada una ahora?

Resolución

	EDAD HOY	EDAD DENTRO DE 3 AÑOS
ANDREA	x	$x + 3$
AMAYA	$x + 9$	$x + 12$

Dentro de tres años:

$$\text{EDAD DE AMAYA} = 2 \cdot \text{EDAD DE ANDREA}$$
$$x + 12 = 2 \cdot (x + 3)$$
$$x + 12 = 2x + 6$$
$$12 - 6 = 2x - x$$
$$6 = x$$

Solución: Andrea tiene hoy 6 años y Amaya, 15.

83 ▲▲▲ Paz y Petra tienen 6 y 9 años, respectivamente. Su madre, Ana, tiene 35 años. ¿Cuántos años deben pasar para que, entre las dos niñas, igualen la edad de la madre?

	HOY	DENTRO DE x AÑOS
PAZ	6	$6 + x$
PETRA	9	$9 + x$
ANA	35	$35 + x$

84 ▲▲▲ Tengo en el bolsillo 13 monedas, unas de 2 céntimos y otras de 5 céntimos. Si las cambio todas por una moneda de 50 céntimos, ¿cuántas tengo de cada clase?

85 ▲▲▲ Montse tiene el triple de cromos que Rocío.

Intercambian 8 de Montse (fáciles) por 3 de Rocío (más difíciles).

Ahora Montse tiene el doble que Rocío.

¿Cuántos cromos tiene ahora cada una?

86 ▲▲▲ En una prueba de 20 preguntas, dan 5 puntos por cada respuesta correcta y quitan 3 puntos por cada fallo.

¿Cuántas preguntas ha acertado Mario si ha obtenido 68 puntos?

87 ▲▲▲ Un jardín rectangular es 6 metros más largo que ancho. Si su perímetro mide 92 metros, ¿cuáles son las dimensiones del jardín?

PROBLEMAS DE ESTRATEGIA

Para realizar los ejercicios que te proponemos a continuación, aplica ordenadamente esta estrategia:

> **APLICA ESTA ESTRATEGIA**
>
> • Estudia, primeramente, los casos sencillos.
>
> • Ordena en una tabla los datos que vayas obteniendo.
>
> • Observa regularidades en esos datos y escribe la ley general.

88 Palillos y cuadrados

| 4 PALILLOS | 7 PALILLOS | 10 PALILLOS |

• ¿Cuántos palillos se necesitan para formar una tira de 5 cuadrados?

• ¿Y para una tira de 10 cuadrados?

• ¿Y para una tira de n cuadrados?

• Completa esta tabla:

Nº DE CUADRADOS	1	2	3	4	5	6	10	...	n
Nº DE PALILLOS	4	7	10						

89 Palillos y parejas de cuadrados

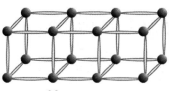

| 7 PALILLOS | 12 PALILLOS | 17 PALILLOS |

Completa la siguiente tabla:

Nº DE PAREJAS DE CUADRADOS	1	2	3	4	5	6	10	...	n
Nº DE PALILLOS	7	12	17						

90 Palillos, bolas y cubos

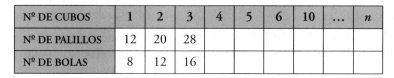

| 12 PALILLOS | 20 PALILLOS | 28 PALILLOS |
| 8 BOLAS | 12 BOLAS | 16 BOLAS |

Completa esta tabla:

Nº DE CUBOS	1	2	3	4	5	6	10	...	n
Nº DE PALILLOS	12	20	28						
Nº DE BOLAS	8	12	16						

HAZ UN ESQUEMA

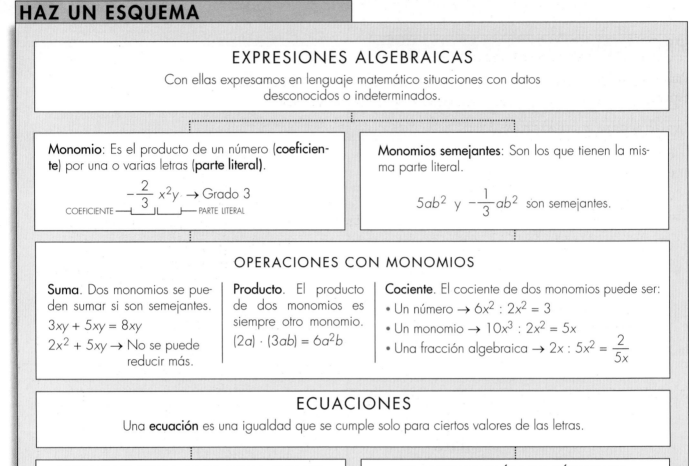

EXPRESIONES ALGEBRAICAS

Con ellas expresamos en lenguaje matemático situaciones con datos desconocidos o indeterminados.

Monomio: Es el producto de un número (**coeficiente**) por una o varias letras (**parte literal**).

$$-\frac{2}{3}x^2y \rightarrow \text{Grado 3}$$

COEFICIENTE ⎯ PARTE LITERAL

Monomios semejantes: Son los que tienen la misma parte literal.

$5ab^2$ y $-\frac{1}{3}ab^2$ son semejantes.

OPERACIONES CON MONOMIOS

Suma. Dos monomios se pueden sumar si son semejantes.

$3xy + 5xy = 8xy$

$2x^2 + 5xy \rightarrow$ No se puede reducir más.

Producto. El producto de dos monomios es siempre otro monomio.

$(2a) \cdot (3ab) = 6a^2b$

Cociente. El cociente de dos monomios puede ser:
- Un número → $6x^2 : 2x^2 = 3$
- Un monomio → $10x^3 : 2x^2 = 5x$
- Una fracción algebraica → $2x : 5x^2 = \frac{2}{5x}$

ECUACIONES

Una **ecuación** es una igualdad que se cumple solo para ciertos valores de las letras.

NOMENCLATURA PARA ECUACIONES

Miembros: Son las expresiones que aparecen a cada lado del signo igual.

Términos: Son los sumandos que forman los miembros.

Incógnitas: Son las letras cuyos valores queremos obtener.

Soluciones: Son los valores que hay que dar a las letras para que se cumpla la igualdad.

TRANSPOSICIÓN DE TÉRMINOS

- Lo que está sumando, pasa restando:
  $$x + a = b \rightarrow x = b - a$$
- Lo que está restando, pasa sumando:
  $$x - a = b \rightarrow x = b + a$$
- Lo que está multiplicando, pasa dividiendo:
  $$x \cdot a = b \rightarrow x = \frac{b}{a}$$
- Lo que está dividiendo, pasa multiplicando:
  $$\frac{x}{a} = b \rightarrow x = b \cdot a$$

AUTOEVALUACIÓN

1 Expresa en lenguaje algebraico:
a) El doble de un número, n, más tres unidades.
b) El siguiente de un número natural, n.

2 Reduce: a) $3a^2 + 5a - 2a + a^2$
b) $3(x + 1) - 2(x - 1)$

3 Calcula: a) $(2x) \cdot (3x)$ b) $(-x) \cdot (3x^2)$
c) $x^3 : x^2$ d) $6x : 3x^2$

4 Resuelve:
a) $3x - 2 = x - 4$ b) $4x - 5(x - 1) = 4 - x$
c) $\frac{x}{2} - \frac{1}{6} = \frac{x}{3} + 1$

5 La suma de tres números naturales consecutivos es 24. ¿Cuáles son esos números?

6 Un rotulador cuesta 80 céntimos más que un bolígrafo. ¿Cuánto cuesta cada uno si por tres bolígrafos y dos rotuladores he pagado 4,10 €?

JUEGOS PARA PENSAR

Los marineros y el mono

Al naufragar su barco, dos marineros y su mono llegan a una isla desierta.

Como no tienen nada que comer, recogen plátanos y se van a dormir.

Por la noche, un marinero se despierta, da dos plátanos al mono y se come la mitad de los restantes.

a

$a - 2$

$: 2$

$\dfrac{a}{2} - 1$

$\dfrac{a}{2} - 1$

$\dfrac{a}{2} - 3$

Después se despierta el otro marinero, que también da dos plátanos al mono, hace tres partes con los que quedan y se come dos de esas partes.

Por la mañana se reparten, entre los tres, los plátanos que quedan.

En ningún momento ha sido necesario partir ningún plátano.

¿Cuál es el número mínimo de plátanos que podrían haber recogido?

Del 1 al 9

Sustituye cada letra por una cifra diferente, del 1 al 9, sabiendo que:

- $A^2 = G$
- $B \cdot H = E$
- C, E y G son números consecutivos
- $H > B > D$
- $F - I = D$

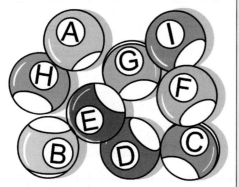

Pentominós

Llamamos pentominós a las distintas figuras planas que se pueden formar con cinco cuadrados de una cuadrícula.

(Los cuadrados han de estar en contacto por uno de sus lados).

Aquí tienes algunos de ellos:

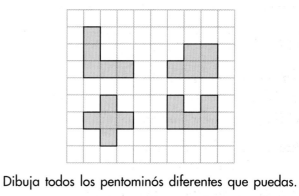

Dibuja todos los pentominós diferentes que puedas.

REFLEXIONA

Un grupo de chicos y chicas colaboran en la rehabilitación de la Casa de la Cultura.

Observa algunas de las herramientas y útiles de medida y trazado que utilizan:

■ La plomada señala la dirección vertical (perpendicular al suelo). El nivel marca una dirección horizontal (paralela al suelo).

¿Qué tipo de ángulos consigue la chica albañil con nivel y plomada?

■  El inglete sirve para cortar listones con ángulos de 90° o de 45°, según convenga.

Al carpintero aún le falta poner cuatro listones, en *a*, *b*, *c* y *d* para cantear esta tabla. Dibújalos.

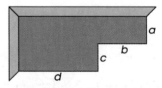

■ Observa tu escuadra y tu cartabón. Averigua cómo son los tres ángulos de cada uno de estos instrumentos.

TE CONVIENE RECORDAR

CÓMO TRAZAR RECTAS PARALELAS

- Las **rectas paralelas** no tienen ningún punto en común.

- Con la regla y la escuadra se consigue trazar rectas paralelas.

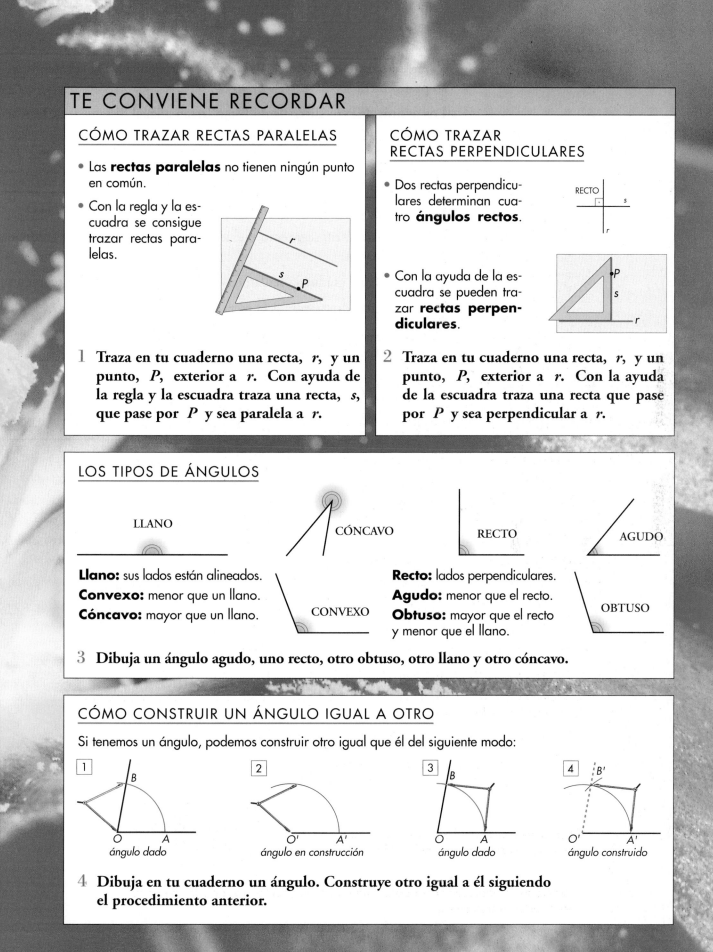

1 **Traza en tu cuaderno una recta, *r*, y un punto, *P*, exterior a *r*. Con ayuda de la regla y la escuadra traza una recta, *s*, que pase por *P* y sea paralela a *r*.**

CÓMO TRAZAR RECTAS PERPENDICULARES

- Dos rectas perpendiculares determinan cuatro **ángulos rectos**.

- Con la ayuda de la escuadra se pueden trazar **rectas perpendiculares**.

2 **Traza en tu cuaderno una recta, *r*, y un punto, *P*, exterior a *r*. Con la ayuda de la escuadra traza una recta que pase por *P* y sea perpendicular a *r*.**

LOS TIPOS DE ÁNGULOS

LLANO

CÓNCAVO

RECTO

AGUDO

CONVEXO

OBTUSO

Llano: sus lados están alineados.
Convexo: menor que un llano.
Cóncavo: mayor que un llano.

Recto: lados perpendiculares.
Agudo: menor que el recto.
Obtuso: mayor que el recto y menor que el llano.

3 **Dibuja un ángulo agudo, uno recto, otro obtuso, otro llano y otro cóncavo.**

CÓMO CONSTRUIR UN ÁNGULO IGUAL A OTRO

Si tenemos un ángulo, podemos construir otro igual que él del siguiente modo:

1 — ángulo dado

2 — ángulo en construcción

3 — ángulo dado

4 — ángulo construido

4 **Dibuja en tu cuaderno un ángulo. Construye otro igual a él siguiendo el procedimiento anterior.**

1 MEDIATRIZ DE UN SEGMENTO

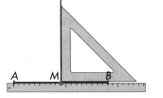

La **mediatriz** de un segmento es la recta perpendicular al segmento en su punto medio.

Los puntos de la mediatriz equidistan (están a igual distancia) de los extremos del segmento:

$$\overline{PA} = \overline{PB} \qquad \overline{QA} = \overline{QB}$$

■ CONSTRUCCIÓN DE LA MEDIATRIZ DE UN SEGMENTO

■ La mediatriz de un segmento puede construirse **con una regla graduada y una escuadra**.

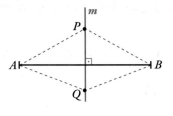

- • Con la regla graduada hallamos el punto medio, M, del segmento.

- • Con la escuadra trazamos la recta perpendicular a AB en M.

■ También se puede trazar **con una regla y un compás**.

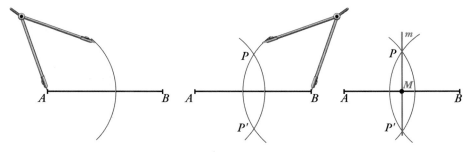

- • Tomamos una abertura de compás algo mayor que la mitad de $\overline{AB}$.

- • Trazamos dos arcos, uno con centro en A y otro con centro en B. Los arcos se cortan en dos puntos P y P'.

- • La recta m que pasa por P y P' es la mediatriz de AB.

Mediante este método se obtiene, también, el punto medio, M, de AB.

REFLEXIONA

Los puntos P y P' equidistan de A y de B y, por tanto, pertenecen a su mediatriz.

ACTIVIDADES

1 Traza un segmento AB en tu cuaderno. Dibuja su mediatriz m con ayuda de regla y compás.

Señala un punto, Q, en m.

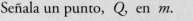
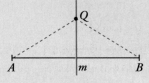

Comprueba, midiendo con el compás, que $\overline{QA} = \overline{QB}$.

2 Dibuja dos segmentos concatenados, AB y BC (el extremo de uno coincide con el origen del otro). Con ayuda de regla graduada y escuadra, traza sus mediatrices, que se cortan en un punto P.

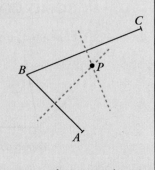

Razona que P está a la misma distancia (equidista) de A, de B y de C.

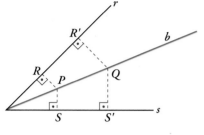

2 BISECTRIZ DE UN ÁNGULO

La **bisectriz** de un ángulo es una semirrecta que divide al ángulo en otros dos ángulos iguales.

Los puntos de la bisectriz equidistan (están a igual distancia) de los lados del ángulo:

$$\overline{PR} = \overline{PS} \qquad \overline{QR'} = \overline{QS'}$$

■ CONSTRUCCIÓN DE LA BISECTRIZ DE UN ÁNGULO

■ Si el ángulo se puede recortar, la bisectriz se señala simplemente **plegándolo** por la mitad de modo que los dos lados coincidan:

■ Sin recortar ni doblar, se puede trazar **con regla y compás**:

① Con una abertura de compás cualquiera, traza el arco $\overset{\frown}{AB}$.

② Con centros en A y B traza dos arcos que se cortan en P $(\overset{\frown}{AP} = \overset{\frown}{BP})$.

③ La recta b es la bisectriz.

ACTIVIDADES

1 Dibuja en tu cuaderno un ángulo de lados r y s.

Construye su bisectriz, b, con ayuda de regla y compás.

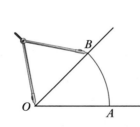

Señala un punto, P, en b. Traza las perpendiculares, PR y PS, desde P a los lados.

Comprueba que $\overline{PR} = \overline{PS}$.

2 Dibuja en tu cuaderno dos ángulos $\widehat{rs}$ y $\widehat{st}$ como se ve en la figura. Traza sus bisectrices b y b', que se cortan en un punto P.

Razona que las distancias de P a r, a s y a t coinciden.

3 Divide un ángulo recto en cuatro partes iguales.

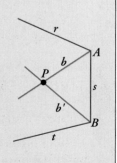

Los dos ángulos agudos de un triángulo rectángulo son complementarios.

3 RELACIONES ANGULARES

■ Dos ángulos se llaman **complementarios** cuando su suma es un ángulo recto, 90°.

ÁNGULOS COMPLEMENTARIOS

■ Dos ángulos se llaman **suplementarios** cuando su suma es un ángulo llano, 180°.

ÁNGULOS SUPLEMENTARIOS

■ Dos ángulos se llaman **consecutivos** cuando tienen el mismo vértice y un lado común.

■ Dos ángulos se llaman **adyacentes** cuando son consecutivos y suplementarios.

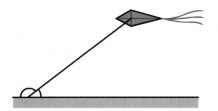

Ángulos adyacentes.

■ Dos ángulos son **opuestos por el vértice** cuando los lados de uno son semirrectas opuestas a los del otro.

Dos ángulos opuestos por el vértice son iguales.

▣ ÁNGULOS DE LADOS PARALELOS

Dos ángulos cuyos lados son paralelos, o son iguales, o son suplementarios.

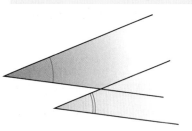

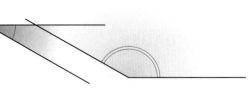

ACTIVIDADES

1 Dibuja en tu cuaderno un ángulo de 30°.

Dibuja otros dos ángulos con los lados paralelos a los del anterior, uno que sea igual y otro que sea suplementario.

2 Halla el complementario y el suplementario de cada uno de los siguientes ángulos:

a) 40°   b) 20°   c) 50°

d) 68°   e) 73°   f) 89°

□ **ÁNGULOS QUE SE FORMAN AL CORTAR DOS RECTAS PARALELAS POR UNA SECANTE**

Si dos rectas paralelas son cortadas por otra recta, se forman ocho ángulos, muchos de los cuales son iguales entre sí por tener sus lados paralelos.

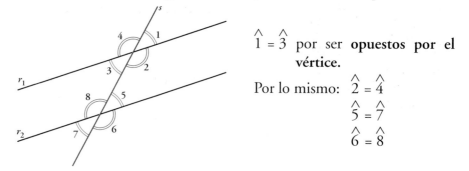

$\hat{1} = \hat{3}$ por ser **opuestos por el vértice.**

Por lo mismo: $\hat{2} = \hat{4}$

$\hat{5} = \hat{7}$

$\hat{6} = \hat{8}$

Además se dan los tipos de igualdades que ves a continuación.

□ **ÁNGULOS CORRESPONDIENTES**

$\hat{1} = \hat{5}$. Son **correspondientes** porque están en la misma posición respecto a r_1 y a r_2.

También están en este caso: $\hat{2}$ y $\hat{6}$

$\hat{3}$ y $\hat{7}$

$\hat{4}$ y $\hat{8}$

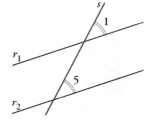

□ **ÁNGULOS ALTERNOS EXTERNOS**

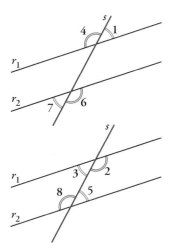

$\hat{1} = \hat{7}$. Son **alternos externos** porque están a distintos lados de la recta s (alternos) y en la zona exterior de las dos paralelas (externos).

También están en este caso $\hat{4}$ y $\hat{6}$.

□ **ÁNGULOS ALTERNOS INTERNOS**

$\hat{3} = \hat{5}$. Son **alternos internos** porque están a distintos lados de la recta s (alternos) y en la zona interior a las dos paralelas (internos).

También están en este caso $\hat{2}$ y $\hat{8}$.

ACTIVIDADES

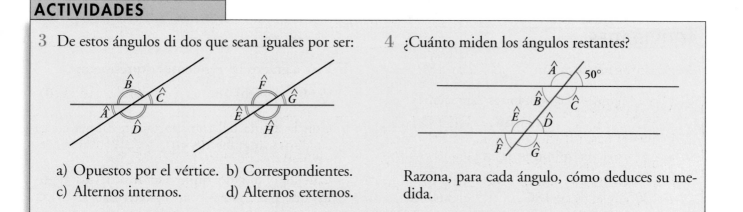

3 De estos ángulos di dos que sean iguales por ser:

a) Opuestos por el vértice. b) Correspondientes.
c) Alternos internos. d) Alternos externos.

4 ¿Cuánto miden los ángulos restantes?

Razona, para cada ángulo, cómo deduces su medida.

4 MEDIDA DE ÁNGULOS

ETIMOLOGÍA

Minutus, en latín, significa *menudo*, *diminuto*, y así se le llamó a este pequeño angulillo de 1/60 de grado.

Al tomar otro menor aún, se le llamó **segundo trozo menudo**, es decir, por segunda vez pequeño, más pequeño todavía. Es el **segundo**, 1/3 600 de grado.

Goniómetro.

Recuerda que un ángulo recto tiene 90°. Por tanto, los ángulos *llano* y *completo* tienen 180° y 360°, respectivamente.

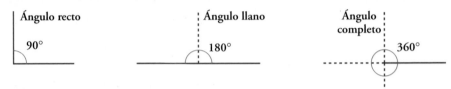

| Ángulo recto | Ángulo llano | Ángulo completo |
| 90° | 180° | 360° |

El **grado** (1/90 de ángulo recto) es la unidad de medida de ángulos.

Para afinar en la medida de ángulos, se utilizan los submúltiplos del grado:

minuto $\longrightarrow$ $1' = \dfrac{1}{60}$ de grado. Es decir, $1° = 60'$.

segundo $\longrightarrow$ $1'' = \dfrac{1}{60}$ de minuto. Es decir, $1' = 60''$.

A estos grados se les llama **sexagesimales** por la forma de dividirse, de 60 en 60. El sistema de numeración sexagesimal, antiquísimo, tiene su origen, posiblemente, en una forma de contar basada en los cinco dedos de una mano y en las doce falanges de los dedos índice, corazón, anular y meñique de la otra mano ($5 \cdot 12 = 60$).

■ INSTRUMENTOS DE MEDIDA DE ÁNGULOS

Para medir ángulos dibujados sobre el papel, se utiliza el **transportador**.

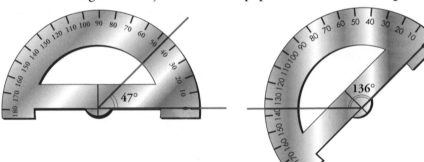

Para medidas angulares sobre el terreno existen otros instrumentos mucho más precisos, como el sextante, el goniómetro y el teodolito.

ACTIVIDADES

1 ¿Cuántos minutos son 5°? ¿Y 7°? ¿Y 18°?

2 Pasa a segundos las siguientes expresiones:

a) 3' b) 5' c) 10' d) 15'

3 Transforma en minutos las siguientes cantidades:

a) 120" b) 180" c) 3 600"

4 Pasa a grados las siguientes expresiones:

a) 60' b) 180' c) 240' d) 120'

5 Con la ayuda del transportador, dibuja en tu cuaderno ángulos de 40°, 55°, 110° y 175°.

6 Calcula el ángulo suplementario de los ángulos que has dibujado en la actividad anterior.

DE COMPLEJO A INCOMPLEJO

GRADOS × 60	→	MINUTOS
MINUTOS × 60	→	SEGUNDOS
GRADOS × 3 600	→	SEGUNDOS

■ CÓMO PASAR DE FORMA COMPLEJA A INCOMPLEJA

Para pasar un ángulo dado en forma compleja (varias unidades) a incompleja (una única unidad), has de tener en cuenta:

* Para pasar de grados a minutos, se multiplica por 60.
* Para pasar de minutos a segundos, se multiplica por 60.
* Para pasar de grados a segundos, se multiplica por 60 · 60 = 3 600.

EJEMPLO

¿Cuántos segundos son 73° 13' 48''?

* Pasamos los grados a minutos (multiplicando por 60) y estos a segundos o, mejor, directamente los grados a segundos multiplicando por 3 600:

$$73° = 73 \cdot 60' = 4380' \qquad 4380' = 4380 \cdot 60'' = 262800''$$

o mejor: $73° = 73 \cdot 3600'' = 262800''$

* Pasamos los minutos a segundos y sumamos los segundos que tenemos:

$$13' = 13 \cdot 60'' = 780''$$
$$73° 13' 48'' = 262800'' + 780'' + 48'' = 263628''$$

DE INCOMPLEJO A COMPLEJO

Segundos	⌊60
s''	Minutos
Minutos	⌊60
m'	g°
Segundos = g° m' s''	

■ CÓMO PASAR DE FORMA INCOMPLEJA A COMPLEJA

Para pasar un ángulo dado en forma incompleja a su expresión en forma compleja, has de tener en cuenta:

* Si se dividen los segundos entre 60, en el cociente se obtienen minutos y el resto son los segundos que quedan.
* Si se dividen minutos entre 60, en el cociente se obtienen grados y el resto son los minutos que quedan.

EJEMPLO

Pasar 263 628'' a grados, minutos y segundos.

```
263628" |60
  236    4393'
  562
   228
   48"
```

Al dividir entre 60, formamos agrupaciones de 60'' = 1'. Es decir, el cociente son minutos: 4 393'.

El resto son los segundos que quedan sin agrupar: 48''.

```
4393' |60
 193   73°
  13'
```

Agrupamos los minutos de 60 en 60.

El cociente son grados y el resto, los minutos que quedan sin agrupar, 13'.

Por tanto: 263 628'' = 73° 13' 48''

ACTIVIDADES

7 Pasa a segundos:

a) 53° 45' 13'' b) 81° 37' c) 26° 11''

8 Pasa a forma compleja:

a) 32 220'' b) 59 233'' c) 9 123''

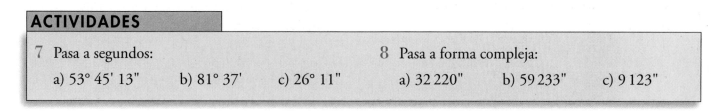

5 OPERACIONES CON MEDIDAS ANGULARES

Las recomendaciones que te vamos a hacer a continuación para realizar operaciones con medidas angulares son, todas ellas, muy razonables. Intenta efectuar las operaciones por tu cuenta, utilizando tu sentido común.

MEDIDAS DE TIEMPO: SUMA

Las operaciones con medidas de tiempo son similares a las angulares:

	7 h	15 min	43 s
+	12 h	53 min	28 s
	19 h	68 min	71 s
	↓	↓	↓
	20 h	9 min	11 s

▣ SUMA

Se suman por separado los segundos, los minutos y los grados. Después se hace la conversión que convenga para que no haya más de 59' ni más de 59".

EJEMPLO

Resolver la siguiente suma: 56° 38' 11" + 46° 37' 3" + 119° 48' 52"

66" son 1' (que se suma a los anteriores) y 6".

124' son 2° (que pasa a la columna correspondiente) y 4'.

	56°	38'	11"
	46°	37'	3"
+	119°	48'	52"
	221°	123'	66"

221°	123'	66"
	1'	6"
221°	124'	6"

221°	124'	6"
2°	4'	
223°	4'	6"

Solución: 223° 4' 6"

MEDIDAS DE TIEMPO: RESTA

	12 h	15 min	29 s
−	9 h	24 min	46 s
	↓	↓	↓
	11 h	74 min	89 s
−	9 h	24 min	46 s
	2 h	50 min	43 s

▣ RESTA

Se restan sucesivamente los segundos, los minutos y los grados si estas operaciones son posibles. Si alguna no lo es, porque el sustraendo es mayor que el minuendo, se procede como en el siguiente ejemplo.

EJEMPLO

Resolver la siguiente resta: 56° 38' 11" − 32° 43' 56".

No se pueden restar 38' − 43' ni tampoco 11" − 56". Por tanto, cambiamos, en el minuendo, un grado en minutos y un minuto en segundos:

$$56° 38' 11" \rightarrow 55° 98' 11" \rightarrow 55° 97' 71"$$

Así:

	56°	38'	11"
−	32°	43'	56"

	55°	97'	71"
−	32°	43'	56"
	23°	54'	15"

ACTIVIDADES

1 Realiza las siguientes sumas:

a) 35° 27' 14" + 62° 48' 56"

b) 62° 46" + 25' 43" + 39° 58'

2 Realiza las siguientes restas:

a) 82° 2' 7" − 39° 43' 27"

b) 56° 14' − 34° 42"

■ PRODUCTO DE UN ÁNGULO POR UN NÚMERO ENTERO

Se calculan, en primer lugar, los productos de segundos, minutos y grados por el número entero. Después se efectúan las conversiones necesarias.

MEDIDAS DE TIEMPO: PRODUCTO

11 h	38 min	42 s
		× 7
77 h	266 min	294 s
81 h	30 min	54 s

EJEMPLO

Realizar el siguiente producto: $(35° \ 46' \ 11'') \cdot 7$

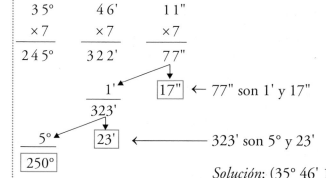

$$
\begin{array}{ccc}
3\,5° & 4\,6' & 1\,1'' \\
\times 7 & \times 7 & \times 7 \\
\hline
2\,4\,5° & 3\,2\,2' & 7\,7''
\end{array}
$$

$17''$ ← 77" son 1' y 17"

$23'$ ← 323' son 5° y 23'

$250°$

Solución: $(35° \ 46' \ 11'') \cdot 7 = 250° \ 23' \ 17''$

■ DIVISIÓN DE UN ÁNGULO ENTRE UN NÚMERO NATURAL

Se dividen los grados, y el resto se pasa a minutos, que se añaden a los que había. Se procede del mismo modo con los minutos. Finalmente se dividen los segundos.

MEDIDAS DE TIEMPO: DIVISIÓN

13 h 15 min	2
0 s	6 h 37 min 30 s

EJEMPLO

Calcular: $(123° \ 45' \ 26'') : 7$

$$
\begin{array}{cccc}
123° & 45' & 26'' & \underline{|\ 7} \\
53 & & & 17° \ 40' \ 46''
\end{array}
$$

$4 \times 60' = 240'$ $4° \rightarrow \dfrac{240'}{285'}$

$5 \times 60'' = 300''$ $05' \rightarrow \dfrac{300''}{326''}$

46

$4''$

Solución: $\begin{cases} \text{Cociente} \rightarrow 17° \ 40' \ 46'' \\ \text{Resto} \longrightarrow \quad\quad\quad 4'' \end{cases}$

ACTIVIDADES

3 Halla el suplementario del ángulo de 108° 49' 1".

4 Efectúa: a) 36° 51" + 2° 11' 3" + 46' 59"

           b) 37' 11" × 13

5 Dado el ángulo $\hat{A}$ = 35° 46' 23", halla:

   a) $2\hat{A}$ b) $5\hat{A}$ c) $\dfrac{\hat{A}}{4}$ d) $\dfrac{2}{3} \cdot \hat{A}$

6 Divide 151° 6' 17" entre 7, de dos formas:

   a) Como se acaba de explicar.

   b) Pasándolo a segundos, dividiendo entre 7 y pasando el resultado a grados, minutos y segundos. ¿Obtienes lo mismo que en a)?

7 Un grifo llena 5/12 de un depósito en una hora. ¿Cuánto tardará en llenar el depósito completo?

ÁNGULOS DE UN TRIÁNGULO

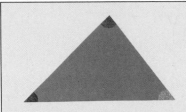

Recorta un triángulo cualquiera y colorea cada vértice de un color por ambas caras. Señala los puntos medios de dos de los lados.

Pliega por la línea que une los puntos medios.

Pliega los otros dos vértices. Al coincidir los tres ángulos, se aprecia que suman 180°.

■ SUMA DE LOS ÁNGULOS DE UN TRIÁNGULO

Para hallar la suma de los ángulos de un triángulo cualquiera, trazamos por uno de sus vértices la paralela al lado opuesto y razonamos del siguiente modo:

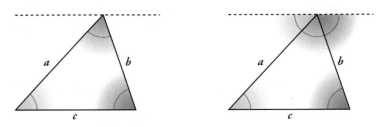

Los ángulos verdes son iguales por ser alternos internos al cortar las paralelas por la recta *a*. Lo mismo les ocurre a los morados con la recta *b*. Ahora es claro que entre los tres completan un ángulo llano, es decir, suman 180°.

La suma de los tres ángulos de cualquier triángulo vale 180°.

■ SUMA DE LOS ÁNGULOS DE UN CUADRILÁTERO

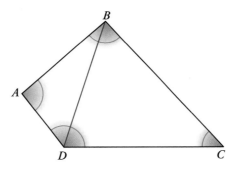

Mediante una diagonal, el cuadrilátero se parte en dos triángulos.

La suma de los ángulos de cada triángulo es 180°.

Los ángulos de los dos triángulos suman 180° × 2 = 360°.

La suma de los ángulos de cualquier cuadrilátero es 360°.

Como los cuadrados y los rectángulos tienen los cuatro ángulos iguales, cada uno de ellos mide 360° : 4 = 90°, como ya sabíamos.

ACTIVIDADES

1 En un triángulo rectángulo, $\hat{A}$ mide 32° 40'. ¿Cuánto mide $\hat{C}$?

2 Si un ángulo de un rombo mide 39°, ¿cuánto miden los demás?

3 ¿Cuánto miden los ángulos iguales de una cometa con esta forma?

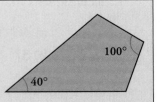

4 ¿Es posible construir un cuadrilátero con un solo ángulo recto? ¿Y con solo dos? ¿Y con solo tres?

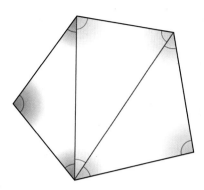

■ SUMA DE LOS ÁNGULOS DE UN PENTÁGONO

Mediante diagonales descompondremos el pentágono en tres triángulos.

Los ángulos de cada uno de ellos suman 180°. Entre los tres, los ángulos suman $3 \times 180° = 540°$. Por tanto, los ángulos de todos los pentágonos suman 540°.

> Los cinco ángulos de cualquier pentágono suman 540°.
>
> Por tanto, cada ángulo de un pentágono regular (todos sus ángulos son iguales) mide $540° : 5 = 108°$.

■ ÁNGULOS DE UN POLÍGONO CUALQUIERA

Como el pentágono, el hexágono se puede descomponer, mediante diagonales, en 4 triángulos.

Sus ángulos sumarán, por tanto, $4 \times 180° = 720°$.

Así, en un hexágono regular, cada ángulo medirá $720° : 6 = 120°$.

Lo que hemos hecho con cuadriláteros, pentágonos y hexágonos, lo podemos generalizar para polígonos de n lados como vemos a continuación.

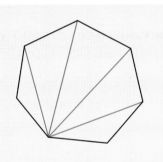

> Un polígono de n lados se puede descomponer en $n - 2$ triángulos. La suma de todos sus ángulos es de $(n - 2) \cdot 180°$.
>
> Cada ángulo de un polígono regular de n lados mide:
> $$\frac{(n - 2) \cdot 180°}{n}$$

ACTIVIDADES

5 Averigua cuánto suman todos los ángulos de un decágono cualquiera y cuánto mide cada ángulo de un decágono regular. Hazlo de dos formas:

a) Volviendo a hacer todo el razonamiento: "Un decágono regular se puede descomponer en ocho triángulos...".

b) Aplicando las fórmulas anteriores.

6 Justifica que el ángulo así construido mide 60°.

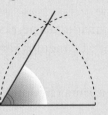

7 Los ángulos señalados en rojo se llaman **ángulos exteriores** o **externos** del polígono.

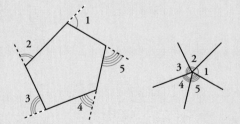

Copia esta figura en un papel, recorta los ángulos externos, júntalos como ves en la figura de la derecha, y comprueba que suman 360°.

8 Justifica que la suma de los ángulos exteriores de cualquier polígono es 360°.

7 ÁNGULOS EN LA CIRCUNFERENCIA

Vamos a relacionar medidas de ángulos con *arcos de circunferencia*.

■ ÁNGULO CENTRAL Y ÁNGULO INSCRITO EN UNA CIRCUNFERENCIA

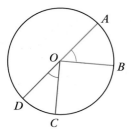

Los ángulos $\widehat{AOB}$ y $\widehat{DOC}$ que ves a la izquierda son ángulos centrales porque tienen su vértice en el centro O de la circunferencia. Abarcan a los arcos $\overset{\frown}{AB}$ y $\overset{\frown}{DC}$, respectivamente.

> **Ángulo central** es el que tiene su vértice en el centro de una circunferencia.
>
> A un arco de circunferencia se le puede asociar una medida angular. La medida angular de un arco de circunferencia es la del ángulo central correspondiente:
>
> $$\overset{\frown}{AB} = \widehat{AOB} \qquad \overset{\frown}{DC} = \widehat{DOC}$$

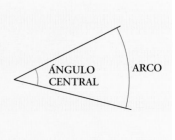

> **Ángulo inscrito** en una circunferencia es el que tiene su vértice sobre la circunferencia y sus lados la cortan.
>
> Los tres ángulos de la figura de la izquierda están **inscritos** en la circunferencia y **abarcan** el mismo arco $\overset{\frown}{MN}$.

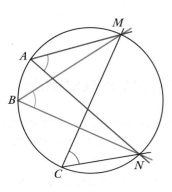

■ IGUALDAD DE LOS ÁNGULOS INSCRITOS QUE ABARCAN EL MISMO ARCO

Recorta tres circunferencias idénticas.

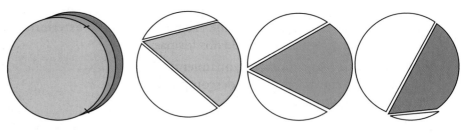

Señala en las tres el mismo arco.

En cada una de ellas corta con las tijeras un ángulo que abarque el arco.

Solapa los tres ángulos haciendo coincidir sus vértices y uno de sus lados. De este modo se comprueba que los tres ángulos son iguales.

> Dos o más ángulos inscritos en la misma circunferencia y que abarquen el mismo arco son iguales.

◼ MEDIDA DE UN ÁNGULO INSCRITO

Mide con el transportador los siguientes ángulos y comprueba las relaciones que se dan:

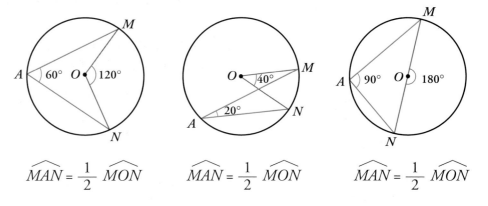

$$\widehat{MAN} = \frac{1}{2}\,\widehat{MON} \qquad \widehat{MAN} = \frac{1}{2}\,\widehat{MON} \qquad \widehat{MAN} = \frac{1}{2}\,\widehat{MON}$$

La medida de un ángulo inscrito es igual a la mitad de la medida del arco que abarca:

$$\widehat{MAN} = \frac{1}{2}\,\widehat{MON} = \frac{1}{2}\,\widehat{MN}$$

◼ ÁNGULO QUE ABARCA UNA SEMICIRCUNFERENCIA

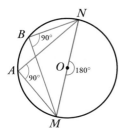

Los ángulos $\widehat{MAN}$ y $\widehat{MBN}$ que aparecen a la izquierda, están inscritos en la circunferencia y abarcan un arco de 180°. Ambos miden, por tanto, 90°.

Todo ángulo cuyo vértice esté situado en una circunferencia y cuyos lados pasen por los extremos de un diámetro, és recto.

ACTIVIDADES

1 Teniendo en cuenta que cada arco señalado en la circunferencia es de 60°, di el valor de los ángulos marcados en rojo.

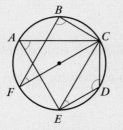

2 Averigua cuál es la medida angular de los cinco arcos iguales en que se ha dividido la circunferencia. Di el valor de los ángulos señalados en rojo.

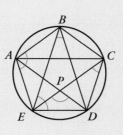

3 Dibuja una semicircunferencia y recorta una esquina de una hoja de papel (ángulo recto).

Comprueba que, siempre que hagas pasar los lados del ángulo por los extremos del diámetro, el vértice estará situado sobre la semicircunferencia.

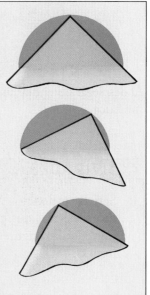

8 SIMETRÍAS EN LAS FIGURAS PLANAS

En la naturaleza, en la técnica, en el arte, en nuestro mundo cotidiano estamos rodeados de figuras simétricas. Su estudio es interesante.

◻ EJE DE SIMETRÍA DE UNA FIGURA

Una figura plana es simétrica respecto a una recta si al doblarla por dicha recta las dos mitades coinciden.

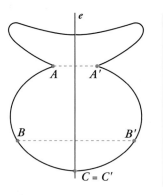

En una **simetría respecto a un eje** o **simetría axial**:

- La recta e se llama **eje de simetría**.
- A y A' son simétricos respecto a e, porque e es la mediatriz del segmento AA'. Lo mismo ocurre con B y B'.
- Cada punto del eje es simétrico de sí mismo: $C = C'$.

La simetría de las figuras planas se aprecia a simple vista y suele ser sencillo identificar su eje de simetría. No obstante, puede ser de gran ayuda **valerse de un espejo** para comprobar si una cierta recta es o no eje de simetría de una figura.

Las siguientes figuras tienen dos, tres y cinco ejes de simetría, respectivamente:

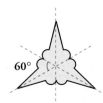
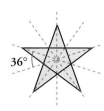

Si una figura tiene n ejes de simetría, estos se cortan en un punto, y cada dos ejes contiguos forman un ángulo de $\dfrac{180°}{n}$.

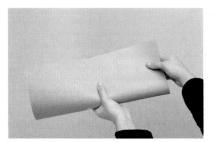

Pliega una hoja de papel.

Recorta cualquier motivo...

Al desplegar obtendrás una figura simétrica.

ACTIVIDADES

1 Señala todos los ejes de simetría de cada una de las siguientes figuras.

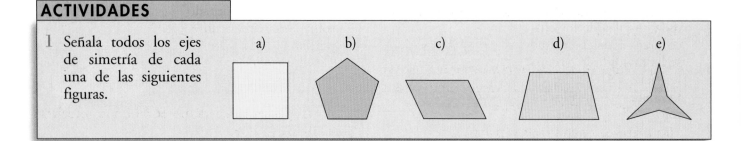

a)   b)   c)   d)   e)

EJERCICIOS DE LA UNIDAD

▷ **Operaciones con ángulos**

1 △△△ Efectúa las siguientes operaciones:

a) 27° 31' 15" + 43° 42' 57"

b) 163° 15' 43" – 96° 37' 51"

c) (37° 42' 19") × 4

d) (143° 11' 56") : 11

2 △△△ En el ángulo $\hat{A}$ = 80° 42' 56", trazamos su bisectriz. ¿Cuánto mide cada ángulo resultante?

3 △△△ Halla el cuarto ángulo de un cuadrilátero sabiendo que los otros tres miden:

$\hat{A}$ = 47° 11' 15"

$\hat{B}$ = 96° 51' 33"

$\hat{C}$ = 68° 3"

4 △△△ Halla en grados, minutos y segundos el ángulo interior de un heptágono regular.

▷ **Construcciones**

5 △△△ Traza, con el transportador, los ángulos de 30°, 45°, 60° y 75°. Construye sus complementarios y calcula sus medidas.

6 △△△ Traza con el transportador los ángulos de 120°, 135°, 150° y 165°. Construye sus suplementarios y calcula sus medidas.

7 △△△ Utilizando exclusivamente el lápiz, la regla y el compás, dibuja los siguientes ángulos:

a) 60°   b) 30°   c) 45°   d) 150°   e) 75°

8 △△△ Dibuja un ángulo de 120°. Traza tres rectas de forma que dividan al ángulo en cuatro partes iguales.

9 △△△ Dibuja en tu cuaderno una recta r y un punto P exterior a ella. ¿Cuántas rectas paralelas a r que pasen por P puedes trazar?

Haz los trazados con regla y escuadra.

10 △△△ Dibuja en tu cuaderno un itinerario como este con las siguientes medidas:

$\overline{AB}$ = 6 cm, $\overline{BC}$ = 3 cm

$\overline{CD}$ = 4 cm, $\overline{DE}$ = 4 cm

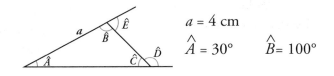

11 △△△ Construye un triángulo como este con las siguientes medidas:

a = 4 cm

$\hat{A}$ = 30° $\hat{B}$ = 100°

Halla los ángulos $\hat{D}$ y $\hat{E}$.

¿Cómo son los ángulos $\hat{B}$ y $\hat{E}$? ¿Y $\hat{D}$ y $\hat{C}$?

12 △△△ Responde a las siguientes preguntas:

a) ¿Qué propiedad tiene cada punto de la mediatriz de un segmento?

b) ¿En qué punto de la vía férrea hay que situar una estación de modo que se encuentre a la misma distancia de los pueblos A y B?

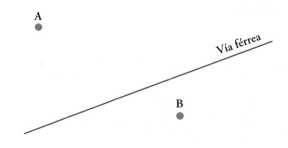

Copia en tu cuaderno el dibujo y resuélvelo gráficamente.

13 ▲▲△ Contesta y construye:

a) ¿Qué propiedad tiene cada punto de la bisectriz de un ángulo?

b) Copia en tu cuaderno un ángulo como este, alargando sus lados varios centímetros.

Sitúa una circunferencia de 4 cm de radio, que sea tangente a los dos lados del ángulo (es decir, que la circunferencia toque en un solo punto a cada lado del ángulo).

▷ **Relaciones angulares**

14 ▲▲△ Calcula el valor del ángulo o de los ángulos que se piden en cada figura:

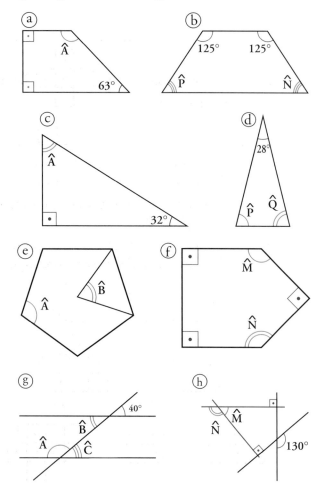

15 ▲▲▲ Averigua cuánto mide el ángulo de un pentágono regular contestando a las siguientes preguntas:

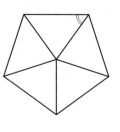

a) ¿Cuánto mide el ángulo central?

b) Por tanto, ¿cuánto mide el ángulo señalado en rojo?

c) Por tanto, ¿cuánto mide el ángulo del pentágono?

16 ▲▲△ Calcula el valor del ángulo o de los ángulos que se piden en cada figura:

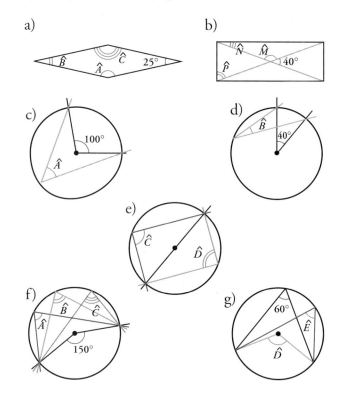

17 ▲▲▲ El triángulo I es equilátero. Los triángulos II son isósceles.

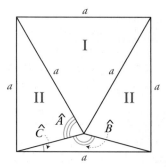

Halla la medida de los ángulos $\hat{A}$, $\hat{B}$ y $\hat{C}$.

▷ Simetrías

18 ▵▵▵ Observa las letras del abecedario:

**A B C D E F G
H I J K L M N
Ñ O P Q R S T
U V W X Y Z**

Di cuáles no tienen ejes de simetría (hay 10), cuáles tienen un eje de simetría (hay 13), cuáles tienen dos (hay 3) y cuál tiene infinitos ejes de simetría.

Dibuja cada una de ellas en tu cuaderno señalando los ejes que tenga.

19 ▵▵▵ Completa en tu cuaderno cada figura para que sea simétrica respecto al eje señalado:

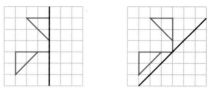

20 ▵▵▵ Completa la siguiente figura para que tenga los dos ejes de simetría que se indican:

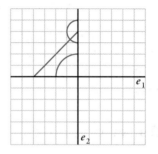

Comprueba el resultado con un espejo.

PROBLEMAS DE ESTRATEGIA

21 Imagina que pones un espejo sobre la línea de puntos de las siguientes figuras:

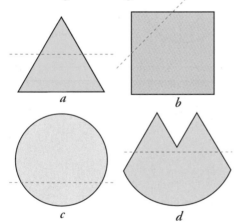

Dibuja en tu cuaderno lo que crees que se verá mirando por cada una de sus dos caras.
¿Cómo hay que situar el espejo en cada figura para que se vea lo mismo por las dos caras?

22 Vamos a obtener figuras mirando un trozo de esta figura F con un espejo:

Por ejemplo, para obtener esta ⊞ hemos de situar el espejo así:

Pero ¡atención!, no tenemos un espejo a mano. Tienes que imaginártelo.

Indica cómo hay que situar el espejo sobre F para visualizar cada una de las siguientes figuras:

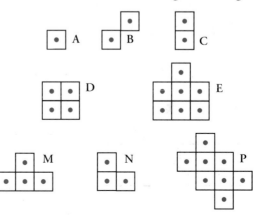

HAZ UN ESQUEMA

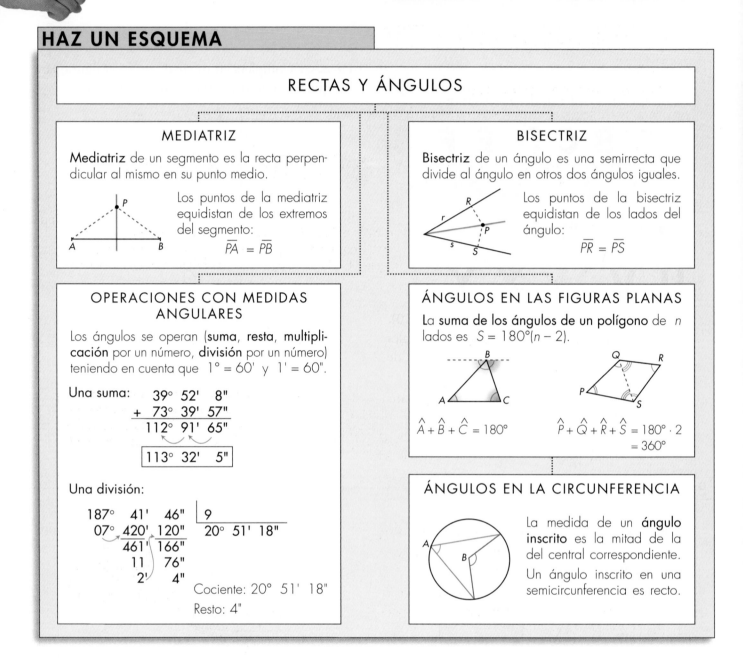

RECTAS Y ÁNGULOS

MEDIATRIZ

Mediatriz de un segmento es la recta perpendicular al mismo en su punto medio.

Los puntos de la mediatriz equidistan de los extremos del segmento:

$$\overline{PA} = \overline{PB}$$

BISECTRIZ

Bisectriz de un ángulo es una semirrecta que divide al ángulo en otros dos ángulos iguales.

Los puntos de la bisectriz equidistan de los lados del ángulo:

$$\overline{PR} = \overline{PS}$$

OPERACIONES CON MEDIDAS ANGULARES

Los ángulos se operan (**suma**, **resta**, **multiplicación** por un número, **división** por un número) teniendo en cuenta que $1° = 60'$ y $1' = 60''$.

Una suma:

$$\begin{array}{r} 39° \ 52' \ \ 8'' \\ + \ 73° \ 39' \ 57'' \\ \hline 112° \ 91' \ 65'' \\ \hline 113° \ 32' \ \ 5'' \end{array}$$

Una división:

$$\begin{array}{r} 187° \ \ \ 41' \ \ 46'' \ | \underline{9} \\ 07° \ 420' \ 120'' \ \ 20° \ 51' \ 18'' \\ 461' \ 166'' \\ 11 \ \ \ \ 76'' \\ 2' \ \ \ \ \ 4'' \end{array}$$

Cociente: $20° \ 51' \ 18''$
Resto: $4''$

ÁNGULOS EN LAS FIGURAS PLANAS

La **suma de los ángulos de un polígono** de n lados es $S = 180°(n - 2)$.

$$\hat{A} + \hat{B} + \hat{C} = 180°$$

$$\hat{P} + \hat{Q} + \hat{R} + \hat{S} = 180° \cdot 2 = 360°$$

ÁNGULOS EN LA CIRCUNFERENCIA

La medida de un **ángulo inscrito** es la mitad de la del central correspondiente.

Un ángulo inscrito en una semicircunferencia es recto.

AUTOEVALUACIÓN

1 Construye un ángulo de 60° y traza su bisectriz con regla y compás.

2 Justifica que la suma de los ángulos de un triángulo es 180° y que la suma de los ángulos de un cuadrilátero es 360°.

3 Los ángulos $\hat{A}$, $\hat{B}$ y $\hat{C}$ son iguales.
Halla su valor.

4 Calcula:
a) $36° \ 29' \ 11'' - 31° \ 41' \ 20''$
b) $(11° \ 23' \ 41'') \times 3$

5 Los puntos A, B, C, D, E, F dividen la circunferencia en seis arcos iguales.
a) Halla el valor de los ángulos ①, ②, ③ y ④.
b) Halla el valor del ángulo ⑤.

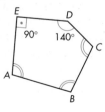

JUEGOS PARA CONSTRUIR

Cintas que se retuercen

Con unas hojas de papel, unas tijeras y una barra de pegamento podrás realizar estas apasionantes actividades.

■ Corta una tira de papel y pega sus extremos.

La cinta así anudada tiene dos caras (la interior y la exterior). Una hormiga que esté en una de las caras no podrá pasar a la otra salvo que haga malabarismos en los bordes.

■ Corta otra tira de papel y pégala de nuevo, pero, previamente, gírala como se indica.

Comprueba que esta cinta solo tiene una cara. Una hormiga podría pasearse tranquilamente por toda ella. Esta cinta se llama de Möbius (se pronuncia *Moebius*).

■ Hazte una cinta de Möbius. Córtala a todo lo largo como indica la figura. Antes de completar el corte, contesta: ¿qué crees que va a resultar?

Cuando hayas acabado de cortar, comprueba cuántas caras tiene la cinta resultante. (Es decir, ¿la podrá recorrer entera una hormiga?)

■ Señala en una tira de papel tres bandas mediante dos líneas trazadas a todo lo largo. Colorea de rojo la banda central. Hazlo por las dos caras.

Con esta tira de papel, construye una cinta de Möbius. Córtala a todo lo largo de una de las líneas. Antes de completar el corte, contesta: ¿qué crees que va a salir?

Cuando hayas acabado de cortar, comprueba cuántas caras tiene cada una de las dos cintas que has obtenido. Comprobarás que una es de Möbius y la otra no.

REFLEXIONA

CASA DE LA CULTURA

El triángulo es indeformable (rígido).

Estos polígonos se pueden deformar.

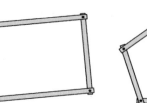

¿Se te ocurre alguna forma de hacer el cuadrilátero y el pentágono indeformables?

En las obras para reformar la Casa de la Cultura ha habido un accidente. ¡Se ha caído uno de los dos andamios que pusieron los pintores!

El andamio de la derecha tiene unas traviesas que le aportan rigidez y estabilidad. ¿Crees que la inexistencia de estas traviesas en el andamio de la izquierda ha sido la causa de que se deformase?

TE CONVIENE RECORDAR

CÓMO SE CLASIFICAN LOS TRIÁNGULOS SEGÚN SUS ÁNGULOS

Con seguridad, dos de los ángulos de un triángulo son agudos. Según como sea el otro ángulo, el triángulo es **acutángulo**, **rectángulo** u **obtusángulo**.

1 **Di cómo son, según sus ángulos, cada uno de estos triángulos.**

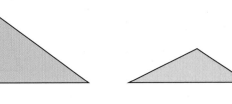

2 **Dos ángulos de un triángulo miden 73° 20' y 31° 40'. ¿Cómo es el triángulo?**

CÓMO SE CLASIFICAN LOS TRIÁNGULOS SEGÚN SUS LADOS

Un triángulo con los tres lados iguales se llama **equilátero**; si tiene dos lados iguales, se llama **isósceles**, y si los lados son todos distintos, **escaleno**.

3 **Di cómo son, según sus lados, cada uno de los triángulos que ves a la derecha.**

4 **Dibuja un triángulo escaleno obtusángulo y otro isósceles acutángulo.**

ALGUNAS PROPIEDADES DE LOS TRIÁNGULOS

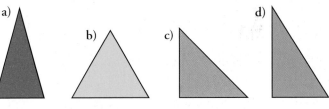

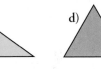

La suma de sus tres ángulos es 180°: $\hat{A} + \hat{B} + \hat{C} = 180°$

El lado mayor mide menos que la suma de los otros dos: $a < b + c$

El lado menor mide más que la diferencia de los otros dos: $b > a - c$

5 **De un triángulo conocemos $\hat{A} = 50°$ y $\hat{B} = 70°$. Calcula el tercer ángulo $\hat{C}$.**

6 **En un triángulo, $a = 6$ cm y $b = 3$ cm. ¿Puede ser el tercer lado $c = 2$ cm?**

1 CONSTRUCCIÓN DE TRIÁNGULOS

Para construir un triángulo, es suficiente conocer solo algunos de sus elementos. Vamos a ver cuáles son los casos que puedes encontrarte.

CONSTRUCCIONES IMPOSIBLES

Es imposible construir un triángulo en el que el lado mayor mida más que la suma de los otros dos.

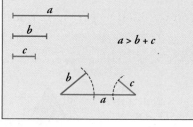

$a > b + c$

■ SE CONOCEN LOS TRES LADOS

DATOS   CONSTRUCCIÓN   RESULTADO

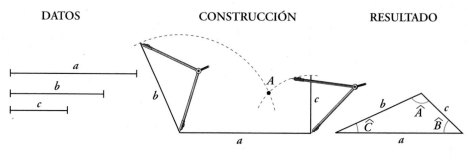

Para que se pueda construir un triángulo del que se conocen sus tres lados, el lado mayor debe medir menos que la suma de los otros dos.

■ SE CONOCEN DOS LADOS Y EL ÁNGULO QUE FORMAN

DATOS   CONSTRUCCIÓN   RESULTADO

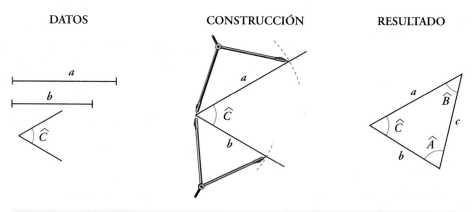

Siempre se puede construir un triángulo conociendo dos de sus lados y el ángulo que forman.

ACTIVIDADES

1 Construye un triángulo cuyos lados midan: $a = 7$ cm, $b = 5$ cm, $c = 8$ cm. Mide sus ángulos con el transportador.

2 Construye un triángulo cuyos lados sean:

    a b c

3 Intenta construir un triángulo cuyos lados midan: 10 cm, 5 cm y 3 cm. Razona por qué es imposible.

4 Construye un triángulo del que conocemos dos de sus lados: $a = 6$ cm, $b = 3$ cm, y el ángulo comprendido entre ellos, $\hat{C} = 110°$.

Una vez construido, mide sus restantes elementos: c, $\hat{A}$ y $\hat{B}$.

5 Construye un triángulo con los siguientes datos:

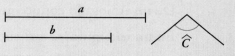

■ SE CONOCEN UN LADO Y LOS DOS ÁNGULOS CONTIGUOS

DATOS CONSTRUCCIÓN RESULTADO

CONSTRUCCIONES IMPOSIBLES

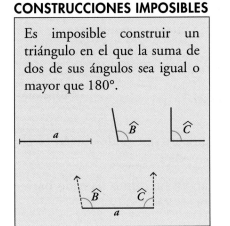

Es imposible construir un triángulo en el que la suma de dos de sus ángulos sea igual o mayor que 180°.

Para poder construir un triángulo del que conocemos uno de sus lados, a, y los dos ángulos, $\hat{B}$ y $\hat{C}$, que están junto a él, es necesario que $\hat{B} + \hat{C}$ sea menor que 180°.

■ IGUALDAD DE TRIÁNGULOS

Si dos triángulos son iguales, entonces sus lados y sus ángulos son respectivamente iguales:

$$\widehat{ABC} = \widehat{A'B'C'} \rightarrow \begin{cases} a = a', \quad b = b', \quad c = c' \\ \hat{A} = \hat{A}', \quad \hat{B} = \hat{B}', \quad \hat{C} = \hat{C}' \end{cases}$$

Sin embargo, para saber con certeza que dos triángulos son iguales, solo es necesario comprobar algunas de estas igualdades, como se observa en los siguientes **criterios de igualdad de triángulos.**

Podemos asegurar que **dos triángulos son iguales** si:

I. Tienen los tres lados respectivamente iguales:

$a = a'$ $\quad\quad b = b'$ $\quad\quad c = c'$

II. Tienen, respectivamente iguales, dos lados y el ángulo que forman:

$a = a'$ $\quad\quad b = b'$ $\quad\quad \hat{C} = \hat{C}'$

III. Tienen, respectivamente iguales, un lado y sus dos ángulos contiguos:

$a = a'$ $\quad\quad \hat{B} = \hat{B}'$ $\quad\quad \hat{C} = \hat{C}'$

OBSERVA

Los criterios de igualdad de triángulos coinciden con los casos que se dan para construir triángulos.

Es lógico, ¿no?

ACTIVIDADES

6 Construye un triángulo con los siguientes datos: $a = 8$ cm, $\hat{B} = 70°$, $\hat{C} = 50°$.

Una vez construido, mide sus restantes elementos: b, c y $\hat{A}$.

7 Construye un triángulo conociendo:

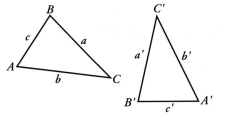

8 Intenta construir un triángulo con los siguientes datos: $b = 12$ cm, $\hat{A} = 86°$, $\hat{C} = 120°$.

Razona por qué es imposible.

9 Dos triángulos rectángulos tienen los catetos respectivamente iguales.

¿Podemos asegurar que los dos triángulos son iguales?

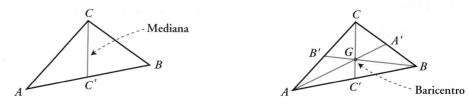

2 MEDIANAS DE UN TRIÁNGULO. BARICENTRO

NOTACIÓN

En un triángulo de lados a, b y c, las medianas correspondientes se suelen denominar m_a, m_b y m_c y el baricentro, G.

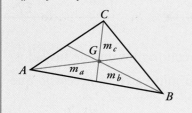

Se llama **mediana** de un triángulo a un segmento que va de un vértice al punto medio del lado opuesto.

Las tres medianas de un triángulo se cortan en un punto llamado **baricentro**.

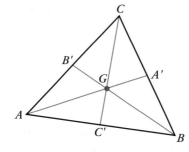

El baricentro, G, divide a cada mediana en dos segmentos, uno doble que el otro:

$$\overline{AG} = 2 \cdot \overline{GA'}$$
$$\overline{BG} = 2 \cdot \overline{GB'}$$
$$\overline{CG} = 2 \cdot \overline{GC'}$$

BARICENTRO

Un triángulo de cartulina, chapa o madera se mantiene en equilibrio si lo sostenemos en el baricentro.

bari-centro: centro de gravedad.

EJEMPLO

En un triángulo isósceles de lados 5 cm, 5 cm y 8 cm, ¿a qué distancia del lado mayor se encuentra el baricentro?

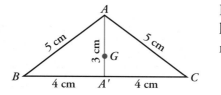

Dibujamos con precisión el triángulo. Trazamos la mediana AA' y la medimos:

$$\overline{AA'} = 3 \text{ cm}$$

Si $\overline{AA'} = 3$ cm, entonces $\overline{AG} = 2$ cm y $\overline{GA'} = 1$ cm.

Por tanto, la distancia de G al lado mayor es de 1 cm.

ACTIVIDADES

1 Dibuja con regla y compás un triángulo de lados 6 cm, 8 cm y 12 cm. Traza sus medianas y señala su baricentro.

Comprueba, midiendo, que divide a cada mediana en dos segmentos, uno doble que el otro.

2 Dibuja un triángulo rectángulo cuyos catetos midan $b = 6$ cm y $c = 9$ cm. Mide la longitud de la mediana $CC' = m_c$.

Sitúa el baricentro, G, averiguando cuánto mide el segmento CG.

3 ALTURAS DE UN TRIÁNGULO. ORTOCENTRO

NOTACIÓN

En un triángulo de lados a, b y c, las alturas correspondientes se suelen denominar:

$$h_a \qquad h_b \qquad h_c$$

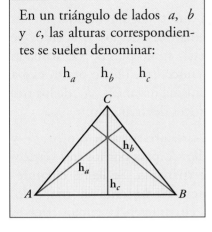

Altura de un triángulo es un segmento que va, perpendicularmente, desde un vértice al lado opuesto o a su prolongación.

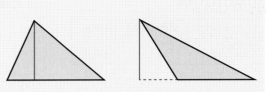

Todo triángulo tiene tres alturas, que se cortan en un punto llamado **ortocentro**.

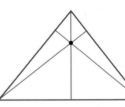

• Si el triángulo es acutángulo, el ortocentro está en su interior.

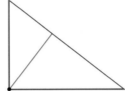

• Si el triángulo es rectángulo, los catetos son alturas, y las tres se cortan en el vértice del ángulo recto.

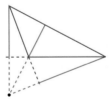

• Si el triángulo es obtusángulo, las prolongaciones de las alturas se cortan en un punto exterior al triángulo.

ACTIVIDADES

1 Dibuja un triángulo de lados 8 cm, 10 cm y 12 cm. Observa que es acutángulo.

Traza sus tres alturas y señala el ortocentro.

2 El triángulo de lados a = 10 cm, b = 8 cm y c = 6 cm es rectángulo. Señala su ortocentro.

Traza la altura sobre la hipotenusa, h_a, mídela y comprueba que $a \cdot h_a = b \cdot c$.

3 Dibuja el triángulo de lados a = 12 cm, b = 8 cm y c = 6 cm. Observa que es obtusángulo. Traza sus tres alturas. Prolóngalas y observa que sus prolongaciones se cortan en un punto exterior al triángulo.

4 ¿Dónde se encuentra el ortocentro de un triángulo equilátero, en el interior o en el exterior del triángulo?

4 CIRCUNFERENCIAS ASOCIADAS A UN TRIÁNGULO

■ CIRCUNFERENCIA CIRCUNSCRITA

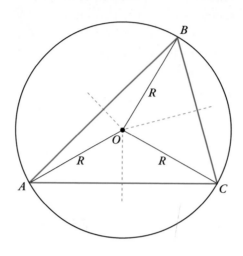

En un triángulo cualquiera, las mediatrices de los tres lados se cortan en un punto, O, llamado **circuncentro**. Dicho punto está a la misma distancia, R, de los tres vértices del triángulo.

La circunferencia de centro O y radio R pasa por los tres vértices del triángulo. Se llama **circunferencia circunscrita** al triángulo. La circunferencia circunscrita es la menor circunferencia que contiene al triángulo.

■ CIRCUNFERENCIA INSCRITA

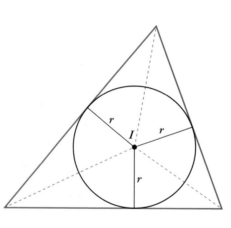

En un triángulo cualquiera, las bisectrices de los tres ángulos se cortan en un punto, I, llamado **incentro**. Dicho punto está a la misma distancia, r, de los tres lados del triángulo.

La circunferencia de centro I y radio r es tangente a los tres lados del triángulo. Se llama **circunferencia inscrita** al triángulo. La circunferencia inscrita es la mayor circunferencia contenida en el interior del triángulo.

ACTIVIDADES

1 Dibuja un triángulo de lados 5 cm, 7 cm y 8 cm. Localiza su circuncentro y traza la circunferencia circunscrita. Observa que el triángulo es acutángulo y que el circuncentro está en su interior.

2 Dibuja un triángulo de lados 3 cm, 4 cm y 5 cm. Localiza su circuncentro y traza la circunferencia circunscrita. Observa que el triángulo es rectángulo y que el circuncentro está en uno de los lados (la hipotenusa).

3 Dibuja un triángulo cuyos lados midan 3 cm, 5 cm y 7 cm. Localiza su circuncentro y traza la circunferencia circunscrita.

Observa que el triángulo es obtusángulo y que el circuncentro está fuera de él.

4 Dibuja un triángulo de lados 5 cm, 7 cm y 8 cm.

Localiza el incentro y traza la circunferencia inscrita.

5 TEOREMA DE PITÁGORAS

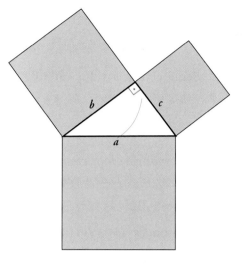

En un triángulo rectángulo, los lados menores son los que forman el ángulo recto. Se llaman **catetos**. El lado mayor se llama **hipotenusa**.

b y c son los **catetos**.

a es la **hipotenusa**.

El **teorema de Pitágoras** dice que:
$$a^2 = b^2 + c^2$$

Es decir, el área del cuadrado construido sobre la hipotenusa es igual a la suma de las áreas de los cuadrados construidos sobre los catetos.

Y esto es verdad solamente si el **triángulo** es **rectángulo**.

Para ver que es cierto, que siempre que el triángulo es rectángulo ocurre esto, analiza este curioso puzzle:

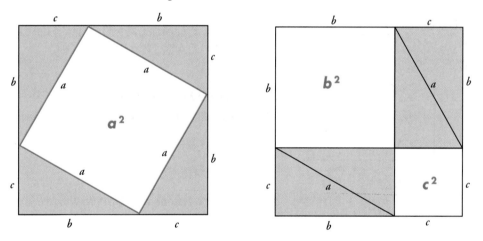

Observa que los dos cuadrados grandes son iguales. Si a cada uno de ellos le suprimimos cuatro triángulos iguales de lados a, b y c, queda:

a^2 en el primero, $b^2 + c^2$ en el segundo.

Por lo tanto, ha de ser $a^2 = b^2 + c^2$.

ACTIVIDADES

1 Dibuja en un papel aparte un cuadrado como los de arriba, de lado $b + c$. Recórtalo.

Dibuja cuatro triangulitos rectángulos iguales, de lados a, b y c. Recórtalos.

Situando los triangulitos sobre el cuadrado de una forma (I) u otra (II), podrás reproducir las dos composiciones que se dan arriba. Se demuestra, así, el teorema de Pitágoras.

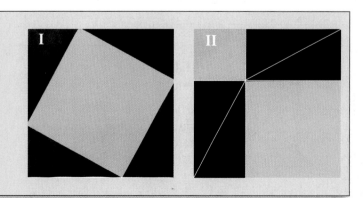

6 APLICACIONES DEL TEOREMA DE PITÁGORAS

☐ I. CONOCIENDO LOS DOS CATETOS, CALCULAR LA HIPOTENUSA

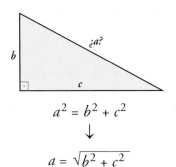

$$a^2 = b^2 + c^2$$
$$\downarrow$$
$$a = \sqrt{b^2 + c^2}$$

De un triángulo sabemos que es rectángulo y conocemos los dos catetos. Entonces podemos **calcular la hipotenusa**: $a^2 = b^2 + c^2 \rightarrow a = \sqrt{b^2 + c^2}$.

EJEMPLO

Para sostener un poste de 1,5 m de alto, lo sujetamos con una cuerda situada a 2,6 m de la base del poste. ¿Cuál es la longitud, l, de la cuerda?

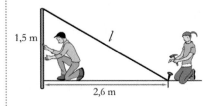

$l^2 = 1,5^2 + 2,6^2 = 9,01$

Si $l^2 = 9,01$, entonces $l = \sqrt{9,01}$.

Con calculadora obtenemos $l = 3,001$ m.

Solución: La cuerda mide 3 m aproximadamente. Escribimos $l \approx 3$ m.

☐ II. CONOCIENDO LA HIPOTENUSA Y UN CATETO, CALCULAR EL OTRO

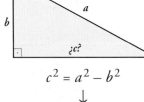

$$c^2 = a^2 - b^2$$
$$\downarrow$$
$$c = \sqrt{a^2 - b^2}$$

De un triángulo sabemos que es rectángulo y conocemos la hipotenusa y un cateto. Entonces, podemos calcular el otro cateto:

$$a^2 = b^2 + c^2 \begin{cases} c^2 = a^2 - b^2 \rightarrow c = \sqrt{a^2 - b^2} \\ b^2 = a^2 - c^2 \rightarrow b = \sqrt{a^2 - c^2} \end{cases}$$

EJEMPLO

La cuerda de una cometa mide 85 m, y esta se encuentra volando sobre una caseta que está a 63 m de Lucía. ¿A qué altura sobre el suelo está la cometa?

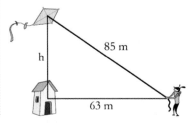

$h^2 + 63^2 = 85^2$

$h^2 = 85^2 - 63^2 = 7\,225 - 3\,969 = 3\,256$

$h = \sqrt{3\,256} \approx 57$ m

Solución: $h \approx 57$ m + altura de Lucía

ACTIVIDADES

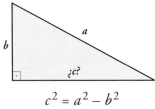

1 Halla la longitud de la hipotenusa.

2 Halla la longitud del cateto desconocido.

3 Los catetos de un triángulo rectángulo miden 33 m y 27 m. Halla la longitud de la hipotenusa aproximando hasta los decímetros.

4 La hipotenusa de un triángulo rectángulo mide 24 dm, y un cateto, 19 dm. Halla la longitud del otro cateto aproximando hasta los centímetros.

III. CONOCIENDO SUS LADOS, AVERIGUAR SI ES RECTÁNGULO

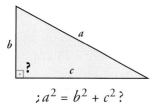

$$¿a^2 = b^2 + c^2?$$

Si conocemos los lados de un triángulo, podemos averiguar si es o no rectángulo sin necesidad de construirlo para medir sus ángulos.

Para ello comprobaremos si el cuadrado del lado mayor es o no igual a la suma de los cuadrados de los dos menores.

EJEMPLO

¿Son rectángulos los triángulos de lados: a) 17, 11, 20 ; b) 10, 26, 24?

a) $17^2 + 11^2 = 410$ ⎫
$20^2 = 400$ ⎭ El triángulo no es rectángulo.

b) $10^2 + 24^2 = 676$ ⎫
$26^2 = 676$ ⎭ El triángulo sí es rectángulo.

Cuando el triángulo no es rectángulo, podemos saber si es acutángulo u obtusángulo del siguiente modo:

Si a^2 es menor que $b^2 + c^2$, entonces es acutángulo.

Si a^2 es mayor que $b^2 + c^2$, entonces es obtusángulo.

ACUTÁNGULO

OBTUSÁNGULO

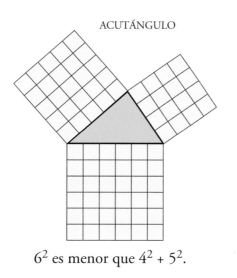

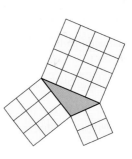

6^2 es menor que $4^2 + 5^2$.

4^2 es mayor que $2^2 + 3^2$.

ACTIVIDADES

5 Averigua si cada uno de los siguientes triángulos es rectángulo o no lo es:

I: $a = 26$ cm $b = 24$ cm $c = 10$ cm

II: $a = 20$ cm $b = 17$ cm $c = 19$ cm

III: $a = 17$ m $b = 8$ m $c = 15$ m

IV: $a = 17$ m $b = 6$ m $c = 14$ m

V: $a = 20$ km $b = 30$ km $c = 40$ km

6 De los triángulos no rectángulos del ejercicio anterior, ¿sabrías decir si son acutángulos u obtusángulos?

7 Los lados menores de un triángulo miden $b = 5$ cm y $c = 12$ cm. Calcula el lado mayor, a, para que sea rectángulo. ¿Cómo sería el triángulo si a fuera igual a 10 cm?

EJERCICIOS DE LA UNIDAD

▷ Construcción de triángulos

1 ▲△△ Construye un triángulo equilátero cuyo lado mida $l = 5$ cm.

2 ▲△△ Construye un triángulo isósceles cuyos ángulos iguales midan 30° y cuyo lado desigual mida 6 cm.

3 ▲△△ La hipotenusa de un triángulo rectángulo mide 6 cm y uno de sus ángulos, 30°. Constrúyelo. Comprueba que el cateto menor es la mitad de la hipotenusa.

4 ▲△△ Construye un triángulo ABC del que se conocen $\overline{AB} = 4$ cm, $\overline{BC} = 7$ cm y $\hat{B} = 80°$. ¿De qué tipo es?

5 ▲△△ Representa el triángulo de lados 6 cm, 7 cm y 11 cm. ¿De qué tipo es?

6 ▲△△ ¿Por qué es imposible construir un triángulo cuyos lados midan 15,3 cm, 8,6 cm y 5,2 cm, respectivamente?

7 ▲△△ ¿Por qué no se puede construir un triángulo con dos ángulos que midan 95° y 88°, respectivamente?

8 ▲△△ Dos de los lados de un triángulo miden 5 cm cada uno, y forman un ángulo de 90°. ¿Cuánto miden los otros dos ángulos?

9 ▲▲△ El ángulo desigual de un triángulo isósceles mide 120° y los lados iguales, 5 cm. Constrúyelo.

▷ Puntos y rectas notables

10 ▲△△ Construye cuatro triángulos cuyos lados midan: $a = 6$ cm, $b = 7$ cm y $c = 8$ cm.

   a) En uno de ellos, traza sus medianas y localiza el baricentro.

   b) En otro, traza las alturas y localiza el ortocentro.

   c) En el tercero, localiza su circuncentro y traza la circunferencia circunscrita.

   d) En el último, localiza su incentro y traza la circunferencia inscrita.

11 ▲△△ Repite la actividad anterior con un triángulo de lados $a = 6$ cm, $b = 7$ cm y $c = 11$ cm.

12 ▲△△ Vuelve a hacer lo mismo con un triángulo de lados $a = 10$ cm, $b = 8$ cm y $c = 6$ cm.

▷ Teorema de Pitágoras

13 ▲△△ Di el valor del área del cuadrado verde en cada uno de los triángulos rectángulos siguientes:

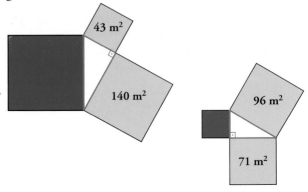

14 ▲△△ Calcula el lado desconocido en cada uno de los siguientes triángulos rectángulos:

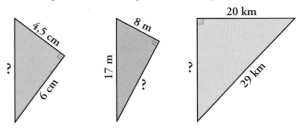

15 ▲▲△ Calcula el lado desconocido de los siguientes triángulos, aproximando hasta las décimas.

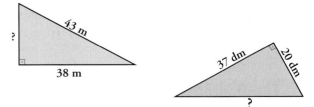

16 ▲△△ Averigua cuáles de los siguientes triángulos son rectángulos:

  I: $a = 22$ m $b = 17$ m $c = 10$ m

  II: $a = 37$ cm $b = 35$ cm $c = 12$ cm

  III: $a = 61$ m $b = 60$ m $c = 11$ m

  IV: $a = 42$ m $b = 31$ m $c = 30$ m

En los que no son rectángulos, ¿sabrías decir si son acutángulos u obtusángulos?

17 ▲△△ Un globo cautivo está sujeto al suelo con una cuerda. Ayer, que no había viento, el globo estaba a 50 m de altura. Hoy hace viento, y la vertical del globo se ha alejado 30 m del punto de amarre.

¿A qué altura está hoy el globo?

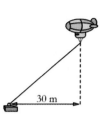

30 m

18 ▲△△ Para afianzar una antena de 24 m de altura, se van a tender, desde su extremo superior, cuatro tirantes que se amarrarán, en tierra, a 10 m de la base de la torre.

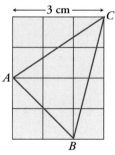

¿Cuántos metros de cable se necesitan para los tirantes?

19 ▲△△ Calcula el perímetro del triángulo ABC.

← 3 cm →

(NOTA: Aproxima hasta las décimas la medida de cada lado).

20 ▲△△ Una mosca está en el vértice de un cucurucho de cartulina con forma de cono. El radio de la base mide 15 cm y la altura es de 40 cm. ¿Cuál es la mayor distancia que puede recorrer la mosca, en línea recta, partiendo del vértice?

40 cm

15 cm

21 ▲△△ Un caracol sale todos los días de su escondite y va a comer los brotes tiernos de un árbol. Para ello se desplaza por el suelo durante 8 minutos y luego, sin variar su velocidad, trepa durante 6 minutos por el tronco.

Pero un buen día se encuentra con que alguien ha colocado un tablón justo desde su guarida hasta la base de la copa del árbol.

¿Cuánto crees que tardará si decide subir por el tablón? Eso sí, él avanza, siempre, imperturbable, a la misma velocidad.

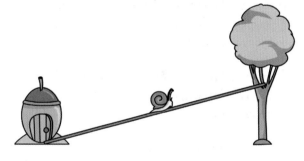

PROBLEMAS DE ESTRATEGIA

22 Dibuja un triángulo equilátero. Divídelo en dos trozos iguales (fácil, ¿verdad?).

Dibuja otro y divídelo en tres trozos iguales (este es menos fácil). ¡Pues también puedes dividirlo en cuatro trozos iguales! Y esto último se puede hacer con un triángulo cualquiera.

23 Busca un método para, cortando y recomponiendo, transformar un rectángulo en un triángulo. Y otro método para transformar un triángulo en cuadrilátero rectángulo (empieza pensando cómo se transforma, cortando y recomponiendo, un triángulo en paralelogramo).

24 Con seis palillos de dientes puedes formar 4 triángulos. Piensa y no te empeñes en no levantar los palillos de la mesa. Acaso te resulte más fácil si usas cuatro bolitas de plastilina: tres de ellas te ayudan a formar un triángulo. ¿Dónde debes colocar la cuarta para que con los otros tres palillos se formen tres triángulos más?

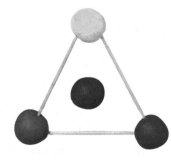

HAZ UN ESQUEMA

ESTUDIO DEL TRIÁNGULO

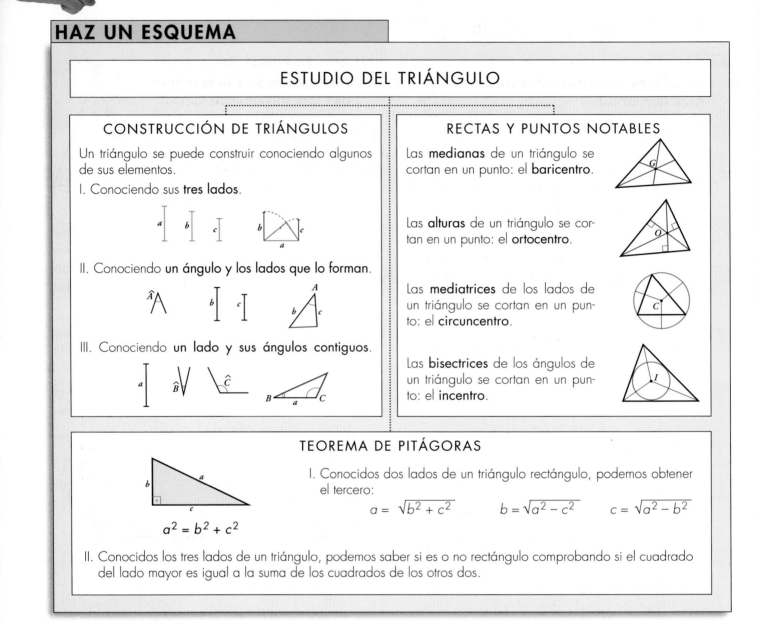

CONSTRUCCIÓN DE TRIÁNGULOS

Un triángulo se puede construir conociendo algunos de sus elementos.

I. Conociendo sus **tres lados**.

II. Conociendo **un ángulo y los lados que lo forman.**

III. Conociendo **un lado y sus ángulos contiguos.**

RECTAS Y PUNTOS NOTABLES

Las **medianas** de un triángulo se cortan en un punto: el **baricentro**.

Las **alturas** de un triángulo se cortan en un punto: el **ortocentro**.

Las **mediatrices** de los lados de un triángulo se cortan en un punto: el **circuncentro**.

Las **bisectrices** de los ángulos de un triángulo se cortan en un punto: el **incentro**.

TEOREMA DE PITÁGORAS

$$a^2 = b^2 + c^2$$

I. Conocidos dos lados de un triángulo rectángulo, podemos obtener el tercero:

$$a = \sqrt{b^2 + c^2} \qquad b = \sqrt{a^2 - c^2} \qquad c = \sqrt{a^2 - b^2}$$

II. Conocidos los tres lados de un triángulo, podemos saber si es o no rectángulo comprobando si el cuadrado del lado mayor es igual a la suma de los cuadrados de los otros dos.

AUTOEVALUACIÓN

1 Construye un triángulo con los siguientes datos:
$\hat{A} = 120°$, $b = 6$ cm, $c = 4$ cm.

2 Dibuja un triángulo con estas medidas y traza su circunferencia circunscrita.

6 cm   4 cm
5 cm

3 Construye un triángulo con estas medidas y localiza su baricentro.

3,5 cm   3 cm
4,5 cm

4 Halla la longitud de los segmentos que se te indican:

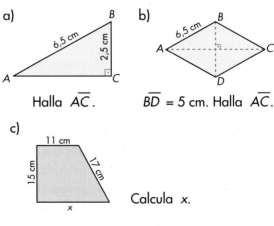

a)
6,5 cm   2,5 cm
A   C
B

Halla $\overline{AC}$.

b)
6,5 cm
A   C
B
D

$\overline{BD} = 5$ cm. Halla $\overline{AC}$.

c)
11 cm
15 cm   17 cm
x

Calcula x.

JUEGOS PARA CONSTRUIR

¿Cómo construir un campo de balonvolea?

Queremos dibujar un campo de balonvolea.

¿Cómo trazamos las líneas rectas? Nada mejor que una cuerda tensa.

¿Y cómo se consigue el ángulo recto de las esquinas?

Coge una cuerda y, mediante nudos, señala 12 tramos iguales.

Con unas estacas tensa la cuerda, de modo que se forme un triángulo de lados 3, 4 y 5.

Es un triángulo rectángulo. El ángulo recto está en el vértice donde confluyen los lados de longitudes 3 y 4.

El teorema de Pitágoras en una escalera de caracol

¿Cuál es la longitud de una escalera de caracol?

Imagínate un cilindro que la envuelve y que lo desenrollamos cortándolo como ves en la figura:

Altura

Longitud de la circunferencia

Mosaicos triangulares

Partiendo de una trama triangular y modificando un poco los triángulos, se consiguen mosaicos curiosos.

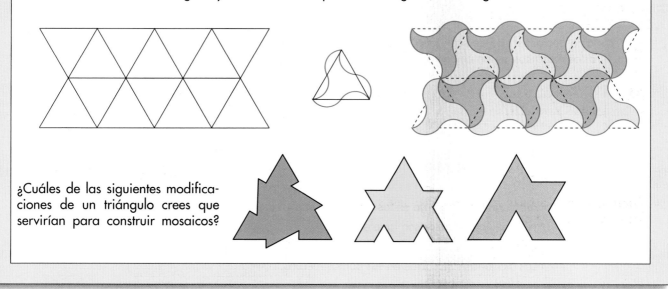

¿Cuáles de las siguientes modificaciones de un triángulo crees que servirían para construir mosaicos?

REFLEXIONA

Para decidir el tipo de suelo que se pondrá en la Casa de la Cultura, hay varios mosaicos. Estos mosaicos tienen cinco tipos de losetas:

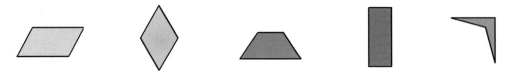

■ Todas estas losetas son cuadriláteros. Tres de ellas tienen los dos pares de lados opuestos iguales. Identifícalas.

■ Comprueba que en ellas, y no en las otras, se cumplen las siguientes propiedades:
- Los ángulos opuestos son iguales.
- Los lados opuestos son paralelos.
- Las diagonales se cortan en sus puntos medios.

TE CONVIENE RECORDAR

QUÉ SON LOS POLÍGONOS

Los polígonos son figuras planas cerradas por segmentos rectilíneos (sus lados).

Según el número de lados se llaman triángulos, cuadriláteros, pentágonos, ...

1 **Nombra cada uno de los siguientes polígonos:**

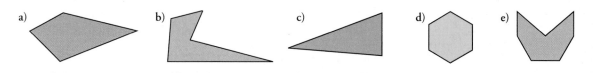

a) b) c) d) e)

CÓMO SE CLASIFICAN LOS CUADRILÁTEROS

Los cuadriláteros son polígonos de cuatro lados. Se clasifican del siguiente modo:

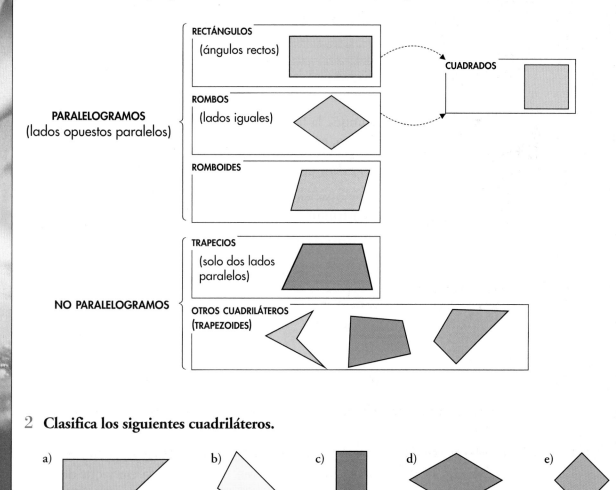

PARALELOGRAMOS
(lados opuestos paralelos)

RECTÁNGULOS
(ángulos rectos)

CUADRADOS

ROMBOS
(lados iguales)

ROMBOIDES

NO PARALELOGRAMOS

TRAPECIOS
(solo dos lados paralelos)

OTROS CUADRILÁTEROS
(TRAPEZOIDES)

2 **Clasifica los siguientes cuadriláteros.**

a) b) c) d) e)

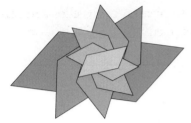

1 PARALELOGRAMOS

Se llaman **paralelogramos** a los cuadriláteros cuyos lados opuestos son paralelos.

☐ PROPIEDADES

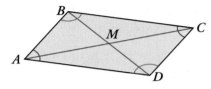

Todos los paralelogramos tienen las siguientes propiedades:

- Sus lados opuestos son iguales: $\overline{AB} = \overline{CD}$ y $\overline{BC} = \overline{AD}$.
- Sus ángulos opuestos son iguales: $\hat{A} = \hat{C}$ y $\hat{B} = \hat{D}$.
- Sus ángulos contiguos son suplementarios: $\hat{B} = 180° - \hat{C}$, $\hat{A} = 180° - \hat{D}$.
- Las dos diagonales se cortan en sus puntos medios: $\overline{AM} = \overline{MC}$, $\overline{BM} = \overline{MD}$.

Cada una de estas propiedades *caracteriza* a los paralelogramos, es decir, si un cuadrilátero cumple una de ellas, entonces es un paralelogramo.

EJEMPLOS

1. Con cuatro listones, iguales dos a dos, se construye un cuadrilátero de modo que los lados iguales estén enfrentados.

Aunque la figura se deforme por sus vértices, siempre es un paralelogramo, es decir, sus lados opuestos son paralelos.

2. Construir un paralelogramo conociendo sus diagonales y uno de sus lados.

Como sabemos que sus diagonales se cortan en sus puntos medios, construimos un triángulo cuyos lados son l, $D/2$ y $d/2$.

A partir de dicho triángulo se completa el paralelogramo:

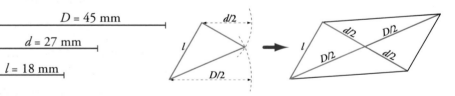

ACTIVIDADES

1 Di cuáles de las siguientes figuras son paralelogramos:

a)   b)   c)   d)

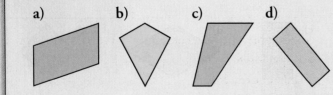

2 Construye un paralelogramo conociendo un lado, $l = 3$ cm, y las diagonales, $D = 8$ cm y $d = 6$ cm.

3 Construye un paralelogramo sabiendo que todos sus lados miden 5 cm y que dos de ellos forman un ángulo de 60°. ¿Cuánto miden los demás ángulos?

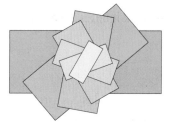

2 RECTÁNGULOS

Las hojas de un libro, tu mesa, una pared, tu pizarra, todos ellos son rectángulos, posiblemente la figura más frecuente en nuestra civilización.

Un **rectángulo** es un cuadrilátero con los cuatro ángulos rectos.

■ PROPIEDADES

Los rectángulos son paralelogramos; por tanto, poseen todas sus propiedades: lados opuestos iguales, ángulos opuestos iguales, diagonales que se cortan en sus puntos medios,... Además poseen las siguientes:

- Sus diagonales son iguales: $\overline{AC} = \overline{BD}$. Por eso, frecuentemente, nos referiremos a la diagonal (en singular) de un rectángulo.

- Tienen dos ejes de simetría, e_1 y e_2.

Cálculo de algún elemento

En un rectángulo, la longitud de la diagonal puede calcularse, mediante el teorema de Pitágoras, a partir de las longitudes de sus lados:

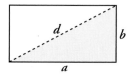

$$d^2 = a^2 + b^2 \rightarrow a^2 = d^2 - b^2$$

EJEMPLOS

1. Construir un rectángulo conociendo su diagonal, d, y uno de sus lados, a.

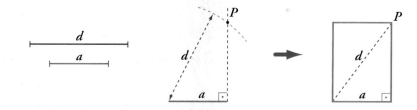

Obtenemos P levantando una perpendicular desde uno de los extremos del lado y describiendo un arco de radio d desde el otro extremo.

Una vez situado el vértice P, se completa el rectángulo trazando paralelas.

2. De un rectángulo conocemos la diagonal, d = 13 cm, y uno de sus lados, a = 12 cm. Calcular la dimensión de su otro lado.

Para hallar el otro lado, b, aplicamos el teorema de Pitágoras:

$$b^2 = d^2 - a^2 = 13^2 - 12^2 = 25 \rightarrow b = \sqrt{25} = 5 \text{ cm}$$

ACTIVIDADES

1 Construye un rectángulo cuya diagonal mida 10 cm y uno de sus lados, 6 cm. Dibuja sus ejes de simetría.

2 La diagonal de un rectángulo mide 10 cm y uno de sus lados, 6 cm.

Halla el otro lado.

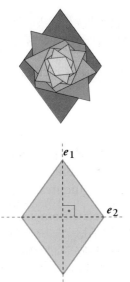

3 ROMBOS Y ROMBOIDES

Un **rombo** es un cuadrilátero con los cuatro lados iguales.

■ PROPIEDADES

Los rombos son paralelogramos; por tanto, poseen todas las propiedades de estos: ángulos opuestos iguales, diagonales que se cortan en sus puntos medios, … Además poseen las siguientes:

- Sus diagonales son perpendiculares.

- Tienen dos ejes de simetría, que son, precisamente, las rectas que contienen a las diagonales.

Cálculo de algún elemento

En un rombo, las semidiagonales y el lado forman un triángulo rectángulo. Por tanto, se cumple esta relación:

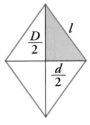

$$l^2 = \left(\frac{D}{2}\right)^2 + \left(\frac{d}{2}\right)^2$$

VOCABULARIO

Semi significa *mitad*.
Semidiagonal → la mitad de una diagonal.

EJEMPLOS

1. Construir un rombo del cual conocemos una diagonal, D = 4,2 cm, y el lado, l = 2,2 cm.

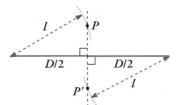

Trazamos la mediatriz de D, y con amplitud de compás l, obtenemos P y P'.

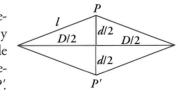

2. Hallar el lado de un rombo cuyas diagonales miden 10 cm y 14 cm.

$$l^2 = (D/2)^2 + (d/2)^2 = 7^2 + 5^2 = 74 \rightarrow l = \sqrt{74} \approx 8{,}6 \text{ cm}$$

Un **romboide** es un paralelogramo que no es ni rectángulo ni rombo (sus ángulos no son rectos y no tiene todos los lados iguales).

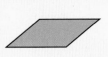

ACTIVIDADES

1 Construye un rombo cuyas diagonales midan 12 cm y 16 cm.

Calcula la longitud del lado.

2 ¿Cómo se llama un paralelogramo que no tiene ningún eje de simetría?

3 Dibuja un rombo cuyos lados midan 5 cm y una diagonal, 8 cm. Calcula la otra diagonal.

4 Dibuja un cuadrilátero con dos ejes de simetría que pasen, cada uno de ellos, por dos vértices. ¿Cómo se llama?

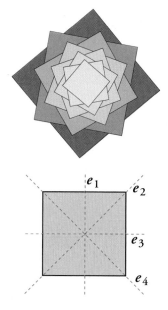

4 CUADRADOS

Un **cuadrado** es un cuadrilátero regular; es decir, tiene todos sus lados iguales y todos sus ángulos iguales (rectos). Es, por tanto, rombo y rectángulo a la vez.

▢ PROPIEDADES

Las propiedades de los cuadrados son un compendio de las de los rectángulos y las de los rombos:

- Sus diagonales son iguales y perpendiculares en sus puntos medios.

- Tienen cuatro ejes de simetría: dos de ellos pasan por los puntos medios de los lados opuestos y los otros dos, por los vértices opuestos.
  Puedes observar los ejes de simetría en un cuadrado si pliegas, cortas y despliegas un papel como se indica:

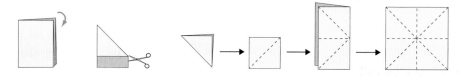

Cálculo de algunos elementos

La diagonal de un cuadrado se obtiene aplicando el teorema de Pitágoras en el triángulo rectángulo isósceles cuyos catetos son iguales a l.

$$d^2 = l^2 + l^2 \qquad\qquad d = \sqrt{l^2 + l^2}$$

EJEMPLO

Hallar la diagonal de un cuadrado de 10 cm de lado.

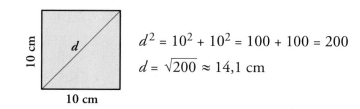

$$d^2 = 10^2 + 10^2 = 100 + 100 = 200$$
$$d = \sqrt{200} \approx 14{,}1 \text{ cm}$$

ACTIVIDADES

1 Construye un cuadrado de 6 cm de lado.

  a) Traza sus ejes de simetría.

  b) Calcula su diagonal.

2 Construye un cuadrado cuya diagonal mida 8 cm. (Para hacerlo, recuerda que las dos diagonales son iguales, perpendiculares y que se cortan en sus puntos medios).

5 TRAPECIOS

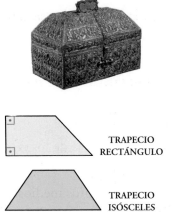

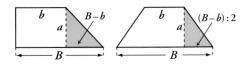

Un **trapecio** es un cuadrilátero con dos lados paralelos y otros dos no paralelos.

Los lados paralelos se llaman bases y la distancia entre ellos, altura.

■ Un trapecio con dos ángulos rectos se llama **trapecio rectángulo**.

TRAPECIO
RECTÁNGULO

■ Un trapecio con los dos lados no paralelos iguales se llama **isósceles**. El trapecio isósceles tiene los ángulos iguales dos a dos. Pero, ¡atención!, los ángulos iguales son contiguos, no opuestos.

TRAPECIO
ISÓSCELES

En los trapecios rectángulo e isósceles, el triángulo naranja que ves permite relacionar las bases, la altura y el lado oblicuo.

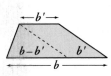

Un trapecio se puede descomponer en un triángulo y un paralelogramo. Basándonos en esto, podemos construir un trapecio conociendo los cuatro lados y sus posiciones relativas.

EJEMPLOS

1. Construir un trapecio cuyos lados paralelos midan 7 cm y 3 cm y los otros lados, 5 cm y 6 cm.

Primero formamos un triángulo cuya base mida 7 − 3 = 4 cm y los otros lados, 5 cm y 6 cm.

Junto a él adosamos un paralelogramo de lados 6 cm y 3 cm.

2. En un trapecio rectángulo, las bases miden 15 cm y 9 cm y su altura, 8 cm. Hallar la longitud del lado oblicuo.

$$l^2 = 8^2 + 6^2 = 64 + 36 = 100 \quad \rightarrow \quad l = \sqrt{100} = 10 \text{ cm}$$

ACTIVIDADES

1 De un trapecio isósceles conocemos sus bases, 26 cm y 36 cm, y sus lados oblicuos, 13 cm. Halla la altura.

2 Calcula el lado desconocido:

3 Construye un trapecio de lados 10 cm, 6 cm, 19 cm y 11 cm, sabiendo que el primero y el tercero son paralelos.

4 Dibuja un trapecio isósceles de bases 4 cm y 6 cm y cuyos lados iguales midan 3 cm. ¿Cómo son sus diagonales?

Comprueba que tiene eje de simetría.

6 TRAPEZOIDES

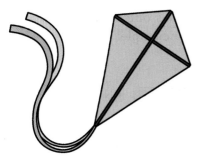

Los cuadriláteros que no tienen ningún par de lados paralelos se llaman **trapezoides**.

Hay trapezoides con formas muy variadas. Algunos de ellos son interesantes. Veamos algunos ejemplos:

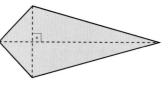

■ Este, con forma de cometa, tiene los lados iguales dos a dos, pero los lados iguales son contiguos, no opuestos (si fueran iguales los lados opuestos, sería paralelogramo).

Además, sus diagonales son perpendiculares, como las del rombo, pero no se cortan en sus puntos medios. Solo tiene un eje de simetría, su diagonal mayor.

■ Este también tiene los lados iguales dos a dos. Sus diagonales, aunque tienen direcciones perpendiculares, no se cortan, pues una de ellas está fuera del polígono.

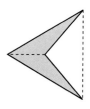

Estos cuadriláteros, en los que una diagonal queda fuera, se llaman **cóncavos**.

■ También existen trapezoides con dos ángulos rectos, pero estos son opuestos.

POLÍGONOS CÓNCAVOS Y POLÍGONOS CONVEXOS

Un polígono es **cóncavo** cuando existen dos puntos del polígono que, al unirse mediante una recta, determinan una línea que no queda completamente dentro del polígono.
En caso contrario, el polígono es **convexo**.

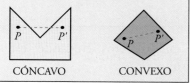

CÓNCAVO   CONVEXO

Para representar un trapezoide, hemos de conocer sus cuatro lados y una de las diagonales.

EJEMPLO

Construir un cuadrilátero ABCD cuyos lados midan $\overline{AB}$ = 3,6 cm, $\overline{BC}$ = 2,8 cm, $\overline{CD}$ = 1,1 cm, $\overline{DA}$ = 4,8 cm, y la diagonal, $\overline{AC}$ = 5,4 cm.

El cuadrilátero se construye formando dos triángulos a partir de la diagonal.

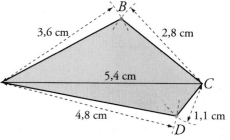

ACTIVIDADES

1 Dibuja en tu cuaderno un trapezoide de manera que tenga:
  • Las diagonales iguales y perpendiculares.
  • Los cuatro lados distintos.

2 Dibuja el cuadrilátero ABCD con las siguientes medidas: $\overline{AB}$ = 6 cm, $\overline{BC}$ = 8 cm, $\overline{CD}$ = 5 cm, $\overline{DA}$ = 2 cm y $\overline{AC}$ = 4 cm. ¿Qué peculiaridad tienen sus diagonales?

7 CUADRILÁTEROS EN LOS CUERPOS GEOMÉTRICOS

Cortando un cubo mediante planos, podemos obtener figuras muy distintas. Muchas de ellas son cuadriláteros. Por ejemplo:

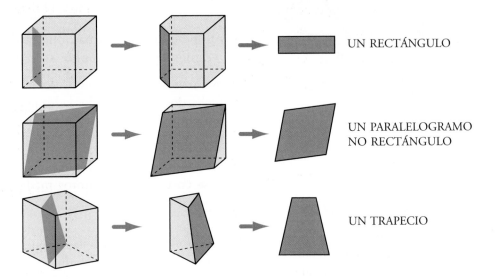

UN RECTÁNGULO

UN PARALELOGRAMO NO RECTÁNGULO

UN TRAPECIO

De la misma manera, haciendo otros cortes, se pueden obtener otros muchos cuadriláteros.

También se pueden conseguir cuadriláteros cortando otras figuras geométricas.

ACTIVIDADES

1 Halla las dimensiones de las figuras que se obtienen con los siguientes cortes hechos a un cubo de 6 cm de arista, y represéntalas en tu cuaderno.

a)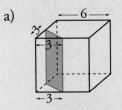

El corte está hecho pasando por los puntos medios de cuatro aristas.

b)

Observa que los cuatro lados son iguales. Halla su longitud.

c)

El corte contiene a dos aristas opuestas.

2 ¿Podrías obtener cuadriláteros cortando estas otras figuras? Di cómo.

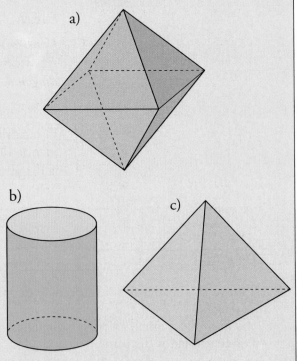

a)

b)

c)

240

EJERCICIOS DE LA UNIDAD

▷ **Clasificación. Propiedades**

1 △△△ Observa el siguiente diagrama:

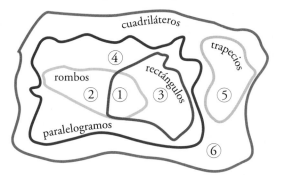

¿Qué figura geométrica corresponde al recinto ①?

Ponle nombre a cada una de las figuras que aparecen a continuación y sitúala en el lugar correspondiente del diagrama asignándole un número:

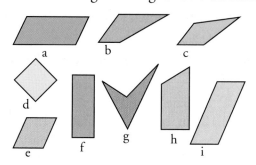

Por ejemplo:
a) romboide, 4; c) trapezoide, 6.

2 △△△ Indica qué propiedades de la derecha tienen las figuras de la izquierda:

Cuadrado	a) Cuatro lados iguales.
	b) Cuatro ángulos rectos.
Rectángulo (no cuadrado)	c) Ángulos opuestos iguales.
	d) Diagonales perpendiculares.
Rombo (no cuadrado)	e) Diagonales que se cortan en sus puntos medios.
Romboide	f) Diagonales no perpendiculares.
Paralelogramo	g) Cuatro ejes de simetría.
Trapezoide	h) Dos ejes de simetría.

3 △△△ Dibuja dos trapecios que, al unirlos, den lugar a las siguientes figuras:
a) Un cuadrado.
b) Un rombo.

4 △△△ Si dibujas dos segmentos que sean perpendiculares en sus puntos medios y unes sus extremos, obtienes un cuadrilátero. ¿De qué tipo es? Hazlo en tu cuaderno:
a) Para dos segmentos de distinta longitud.
b) Para dos segmentos de igual longitud.

5 △△△ Dibuja dos segmentos que se corten en sus puntos medios y no sean perpendiculares. Une sus extremos y di qué tipo de cuadrilátero se obtiene:
a) Si los dos segmentos son iguales.
b) Si los dos segmentos son distintos.

6 △△△ Dibuja un cuadrilátero en cada caso:
a) Paralelogramo con dos ejes de simetría.
b) Con cuatro ejes de simetría.
c) Paralelogramo con un eje de simetría.
d) Paralelogramo con ningún eje de simetría.
e) No trapecio con un eje de simetría.

7 △△△ Dibuja un cuadrilátero en cada caso:
a) Paralelogramo con diagonales perpendiculares.
b) No paralelogramos con las diagonales perpendiculares.
c) Paralelogramo con las diagonales iguales.
d) No paralelogramo con las diagonales iguales.

8 △△△ Dibuja un cuadrilátero en cada caso:
a) Con dos pares de lados iguales y paralelogramo.
b) Con dos pares de lados iguales y no paralelogramo.
c) Con dos pares de ángulos iguales y paralelogramo.
d) Con dos pares de ángulos iguales y no paralelogramo.

9 △△△ Di propiedades de los cuadrados que no tengan los rectángulos.

10 △△△ Di propiedades de los cuadrados que no tengan los rombos.

▷ Construcciones y cálculos

11 ▲△△ Dibuja un cuadrado cuya diagonal mida 6 cm. ¿Cuánto mide el lado?

12 ▲△△ Dibuja un rectángulo del que se conoce la diagonal, 13 cm, y un lado, 12 cm. ¿Cuánto mide el otro lado?

■ *Empieza construyendo un triángulo rectángulo con la diagonal y el lado conocido. Después, completa el rectángulo.*

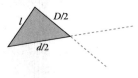

d = 13 cm

12 cm

13 ▲▲△ Dibuja un rombo cuyas diagonales midan D = 12 cm y d = 9 cm. ¿Cuánto mide el lado?

14 ▲▲△ Dibuja un rombo con una de sus diagonales de 12 cm y el lado de 6,5 cm. ¿Cuánto mide la otra diagonal?

■ *Empieza dibujando un triángulo rectángulo con el lado y la mitad de la diagonal. Después, completa las diagonales para hallar los otros dos vértices del rombo.*

D/2 *l* *d/2*

15 ▲▲△ Dibuja un paralelogramo cuya diagonal mida 11 cm y sus lados, 7 cm y 6 cm.

16 ▲▲△ Dibuja un paralelogramo cuyas diagonales midan 8 cm y 12 cm y uno de sus lados, 7 cm.

■ *Construye un triángulo con el lado y las dos semidiagonales. Después, completa las diagonales para hallar los otros vértices.*

l *D/2* *d/2*

17 ▲▲△ Dibuja un rombo de diagonales 8 cm y 6 cm. Calcula la longitud del lado aplicando el teorema de Pitágoras. Comprueba el resultado sobre el dibujo.

18 ▲▲△ Dibuja un trapecio rectángulo cuyos lados paralelos midan 10 cm y 7 cm y el lado oblicuo, 5 cm. Empieza averiguando cuánto mide la altura.

19 ▲▲▲ EJERCICIO RESUELTO

La base menor de un trapecio rectángulo mide 8 cm, la diagonal menor, 10 cm y el lado oblicuo, 9 cm. Halla la altura y constrúyelo.

Resolución

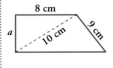

8 cm *a* *10 cm* *9 cm*

Empezamos representando esquemáticamente la figura para situar los datos. Como el triángulo rojo es rectángulo, podemos calcular la altura *a*:

$$a^2 = 10^2 - 8^2 = 36 \rightarrow a = \sqrt{36} = 6 \text{ cm}$$

Con este dato se construye el trapecio de forma exacta:

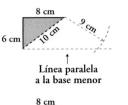

8 cm *6 cm* *10 cm* *9 cm*

Línea paralela a la base menor

Se construye el triángulo naranja.

8 cm *6 cm* *10 cm* *9 cm*

Con las dos líneas rojas se obtiene el cuarto vértice del trapecio.

20 ▲▲▲ La base mayor de un trapecio rectángulo mide 12 cm, su diagonal mayor, 13 cm y el lado oblicuo, 10 cm. Halla la altura y constrúyelo.

Halla también la longitud de la base menor. Para ello, calcula *B − b* en el triángulo verde.

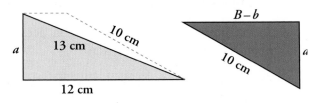

a *13 cm* *10 cm* *12 cm* *B − b* *10 cm* *a*

21 ▲△△ Construye un trapecio isósceles de bases 5 cm y 13 cm, cuyos lados oblicuos midan 8,5 cm. Calcula previamente su altura.

22 ▲▲△ Traza un cuadrilátero *ABCD* cuyos lados midan $\overline{AB}$ = 6 cm, $\overline{BC}$ = 10 cm, $\overline{CD}$ = 7 cm, $\overline{DA}$ = 4 cm y una diagonal, $\overline{AC}$ = 9 cm.

■ *Construye triángulos sobre la diagonal.*

23 ▲▲▲ Los lados paralelos de un trapecio miden 4 cm y 8 cm. Los otros dos lados miden 3 cm y 5 cm. Dibújalo. Justifica por qué se obtiene un trapecio rectángulo.

PROBLEMAS DE ESTRATEGIA

Sugerencias para investigar cuadriláteros

24 Estas actividades se realizan sobre papel cuadriculado.

Sin ocupar más que un cuadrado de 5 × 5 y apoyándote en los vértices de la cuadrícula…

a)

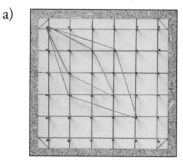

Representa tantos
tipos de rombos que no
sean cuadrados como
puedas.

b)

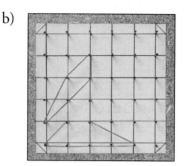

Representa algunos tipos
de trapecios, que no sean
rectángulos ni isósceles.
(¡Hay muchísimos!)

c)

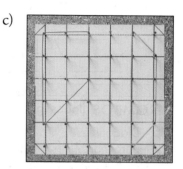

Inventa cuadriláteros
distintos, pero todos
ellos con el
mismo perímetro.

d)

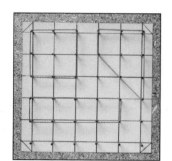

¿Puedes delimitar
varios cuadriláteros
con la misma área
pero con distinto
perímetro?

e)

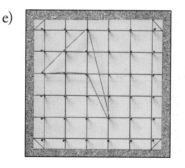

Representa
algún
cuadrilátero
cóncavo.

25 Con los vértices en los puntos señalados se pueden encontrar hasta cinco cuadrados de distinto tamaño.

Localiza todos los que puedas.

(Trabaja sobre tu cuaderno en papel cuadriculado).

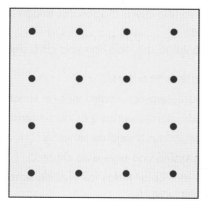

26 Con los vértices en los puntos de esta cuadrícula se pueden dibujar rectángulos no cuadrados. Hay trece tipos distintos.

Localiza todos los que puedas.

(Trabaja sobre tu cuaderno en papel cuadriculado).

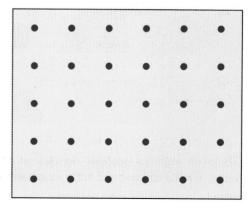

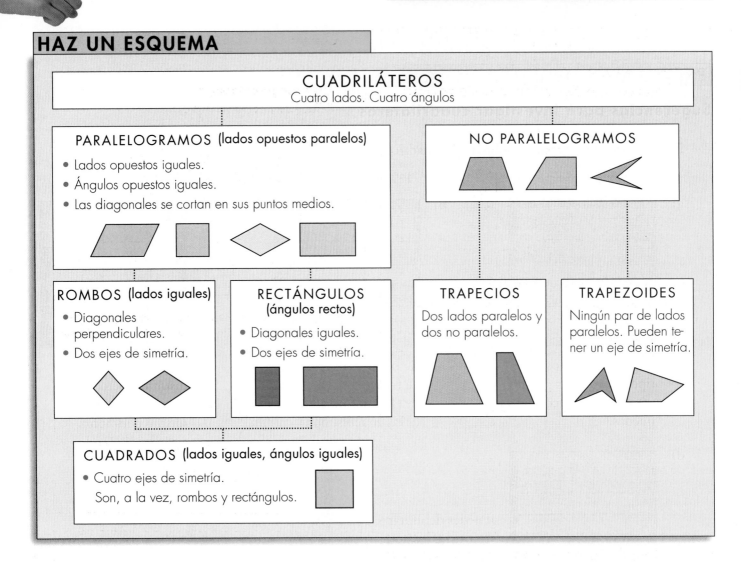

PARA FINALIZAR

HAZ UN ESQUEMA

CUADRILÁTEROS
Cuatro lados. Cuatro ángulos

PARALELOGRAMOS (lados opuestos paralelos)

- Lados opuestos iguales.
- Ángulos opuestos iguales.
- Las diagonales se cortan en sus puntos medios.

NO PARALELOGRAMOS

ROMBOS (lados iguales)

- Diagonales perpendiculares.
- Dos ejes de simetría.

RECTÁNGULOS
(ángulos rectos)

- Diagonales iguales.
- Dos ejes de simetría.

TRAPECIOS

Dos lados paralelos y dos no paralelos.

TRAPEZOIDES

Ningún par de lados paralelos. Pueden tener un eje de simetría.

CUADRADOS (lados iguales, ángulos iguales)

- Cuatro ejes de simetría.
  Son, a la vez, rombos y rectángulos.

AUTOEVALUACIÓN

1 Pon el nombre adecuado a cada una de estas figuras. Di cuáles de ellas son paralelogramos:

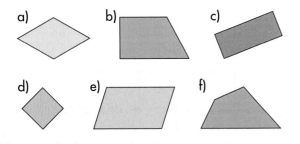

a) b) c) d) e) f)

2 Dibuja un trapecio isósceles del que se conocen las bases, $B = 13$ cm y $b = 7$ cm, y la altura, $a = 4$ cm.
Halla la longitud del lado oblicuo.

3 Dibuja un rectángulo conociendo la diagonal, $d = 11$ cm, y un lado, $b = 8$ cm. Calcula la longitud del otro lado con una cifra decimal.

4 Dibuja un rombo cuyas diagonales midan $D = 12$ cm y $d = 5$ cm.
Halla la longitud del lado con una cifra decimal.

5 Dibuja esquemáticamente:
a) Un cuadrilátero con cuatro ejes de simetría.
b) Un cuadrilátero con dos ejes de simetría.
c) Un trapecio con un eje de simetría.
d) Un trapezoide con un eje de simetría.
Dibuja en otro color todos los ejes de simetría de las figuras anteriores.

244

JUEGOS PARA CONSTRUIR

▪ Herramientas en forma de rombo

Esta herramienta es un gato de coches.

Observa que se trata de un rombo, pues los cuatro lados son iguales. Al abrirlos, disminuye la diagonal situada en sentido horizontal y aumenta la vertical. Pero durante todo el proceso, las diagonales son perpendiculares.

▪ Un rompecabezas. Dibuja, recorta y pega

Dibuja en cartulina dos piezas como esta:

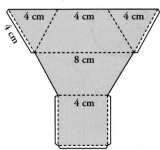

Recorta, pliega y pega y obtendrás dos figuras geométricas que, juntándolas convenientemente, darán lugar a un tetraedro.

¿Sencillo? Quizá no tanto.

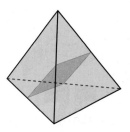

▪ Cuadriláteros con bandas de papel

Con bandas de papel transparente, cruzándolas, se pueden investigar los paralelogramos. Según el ancho de ellas y la posición en que se coloquen, aparecen todos los tipos.

1. Dos bandas iguales perpendiculares.
2. Dos bandas iguales cortándose oblicuamente.
3. Dos bandas de distinto ancho perpendiculares.
4. Dos bandas de distinto ancho oblicuas.

¿Qué tipo de paralelogramos aparece en cada una de estas posiciones?

¡Y también los trapecios!

Dibuja un ángulo y píntalo. Sitúa sobre él una banda transparente.

En todos los casos se forman trapecios.

a) ¿Cómo tienes que situar la banda para que el trapecio sea rectángulo?

b) ¿Cómo has de hacerlo para que el trapecio sea isósceles?

REFLEXIONA

■ En la inauguración de la Casa de la Cultura observamos, entre otras, las siguientes figuras:

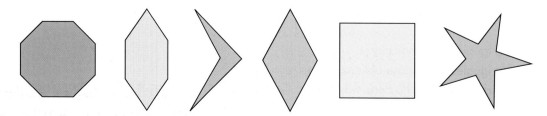

Todas ellas son polígonos. ¿Cuáles crees que son regulares?

Explica por qué crees que lo son y por qué no lo es cada una de las demás.

TE CONVIENE RECORDAR

QUÉ ES UN POLÍGONO REGULAR

Polígono **regular** es el que tiene todos sus lados iguales y todos sus ángulos iguales.

Los polígonos que no son regulares, se llaman **irregulares**.

1 **Comprueba, tomando las medidas necesarias, si es regular o irregular cada uno de los siguientes polígonos. Explica tu respuesta.**

a)   b)   c)   d)

CÓMO CALCULAR EL ÁNGULO DE UN POLÍGONO REGULAR

La suma de los ángulos de un polígono de n lados es $180° \cdot (n - 2)$.

Por tanto, el valor de cada ángulo de un n-ágono regular es $\dfrac{180° \, (n - 2)}{n}$.

Por ejemplo, para el decágono ($n = 10$):

Suma de todos los ángulos de un decágono cualquiera: $180° \cdot (10 - 2) = 1\,440°$.

Ángulo del decágono regular: $\dfrac{1\,440°}{10} = 144°$

2 **Calcula, utilizando el razonamiento anterior, el ángulo de un polígono regular de:**

    a) 3 lados   b) 4 lados   c) 5 lados   d) 6 lados   e) 8 lados

ELEMENTOS DE LA CIRCUNFERENCIA

Radio es el segmento que une el centro con cualquier punto de la circunferencia.

Cuerda es el segmento que une dos puntos cualquiera de la circunferencia.

Diámetro es una cuerda que pasa por el centro.

Arco es la porción de circunferencia comprendida entre dos puntos de ella.

3 **Dibuja una circunferencia y señala sobre ella un radio, un diámetro, una cuerda y un arco.**

CIRCUNFERENCIAS INSCRITA Y CIRCUNSCRITA

Todo polígono regular tiene una circunferencia circunscrita (que pasa por sus vértices) y una circunferencia inscrita (que es tangente a sus lados).

4 **Dibuja un triángulo equilátero y sus circunferencias circunscrita e inscrita.**

5 **Dibuja un cuadrado y sus circunferencias inscrita y circunscrita.**

1 ELEMENTOS FUNDAMENTALES DE LOS POLÍGONOS REGULARES

Todos los polígonos regulares tienen una circunferencia circunscrita.

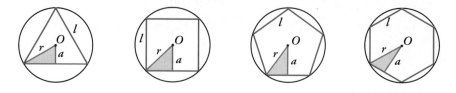

Se llaman **centro**, O, y **radio**, r, de un polígono regular al centro y al radio de la circunferencia circunscrita.

Apotema, a, es el segmento perpendicular desde el centro, O, al lado, l. La apotema siempre corta al lado en su punto medio.

En todos los polígonos regulares, r, a y $l/2$ son los lados de un triángulo rectángulo. Por tanto, se cumple la siguiente relación:

$$r^2 = a^2 + \left(\frac{l}{2}\right)^2$$

EJEMPLO

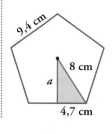

Calcular la apotema de un pentágono regular cuyo radio mide 8 cm y cuyo lado es de 9,4 cm.

Para hallar la apotema, procedemos del siguiente modo:

$l/2 = 9,4 : 2 = 4,7$ cm

$a^2 = 8^2 - 4,7^2 = 41,91 \rightarrow a = \sqrt{41,91} \approx 6,47$ cm

■ ÁNGULO CENTRAL DE UN POLÍGONO REGULAR

Si AB es un lado de un polígono regular, el ángulo $\widehat{AOB}$ se llama **ángulo central**.

El valor del ángulo central de un polígono regular de n lados es $360° : n$. Por ejemplo:

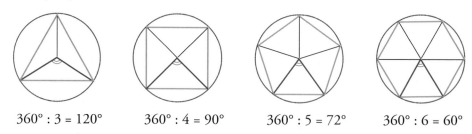

| $360° : 3 = 120°$ | $360° : 4 = 90°$ | $360° : 5 = 72°$ | $360° : 6 = 60°$ |

ACTIVIDADES

1 Halla la apotema de un hexágono regular de lado 10 cm. Recuerda que en esta figura $r = l$.

2 Halla el ángulo central del decágono regular y del dodecágono regular.

2 SIMETRÍA DE LOS POLÍGONOS REGULARES

Todos los polígonos regulares tienen ejes de simetría. Veamos cuántos y cuáles son.

■ En el triángulo equilátero y en el pentágono regular, todas las rectas que pasan por un vértice y son perpendiculares al lado opuesto son ejes de simetría.

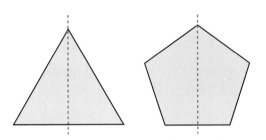

Así, estos polígonos tienen tantos ejes de simetría como vértices, y, por tanto, tantos como lados.

Lo mismo ocurre con los demás polígonos regulares de un número impar de lados.

■ En el cuadrado, son ejes de simetría:

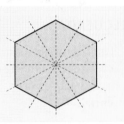

a) Las mediatrices de los lados (en rojo). Hay dos, porque cada una es perpendicular a dos lados opuestos.

b) Las rectas que unen vértices opuestos (en verde). También hay dos.

Por tanto, el cuadrado tiene cuatro ejes de simetría.

También el hexágono regular y los demás polígonos de un número par de lados tienen tantos ejes de simetría como lados.

Todos los polígonos regulares tienen tantos ejes de simetría como lados.

ACTIVIDADES

1 Calca en tu cuaderno las siguientes figuras:

Dibuja en rojo todos sus ejes de simetría.

2 Calca las figuras del ejercicio anterior en hojas aparte y recórtalas. Señala, mediante pliegues, todos sus ejes de simetría.

Observa que en el cuadrado puedes realizarlo mediante tres pliegues y en el octógono, mediante cuatro.

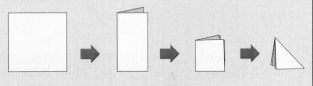

3 CONSTRUCCIÓN DE POLÍGONOS REGULARES

☐ A PARTIR DEL ÁNGULO CENTRAL, CON AYUDA DEL TRANSPORTADOR

El ángulo central de un polígono regular de n lados es $360° : n$.

Sabiendo esto, es muy fácil construir un polígono regular de un cierto número de lados inscrito en una circunferencia de radio conocido.

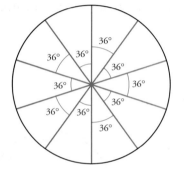

EJEMPLO

Construir un decágono regular inscrito en una circunferencia de 12 cm de radio.

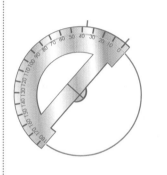 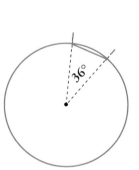 

| Se señalan dos marcas, correspondientes a un ángulo de 36°. | Se llevan las marcas a la circunferencia y se traza el lado. | Con un compás se traslada el lado sobre la circunferencia. |

☐ CONSTRUCCIONES ESPECÍFICAS

Algunos polígonos pueden construirse de forma sencilla con regla y compás, sin ayuda del transportador. Recordemos sus construcciones.

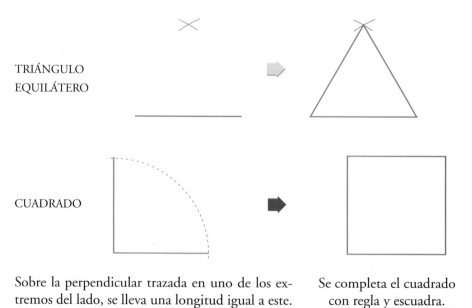

TRIÁNGULO EQUILÁTERO

CUADRADO

Sobre la perpendicular trazada en uno de los extremos del lado, se lleva una longitud igual a este.

Se completa el cuadrado con regla y escuadra.

■ CONSTRUCCIÓN DE UN HEXÁGONO DE LADO CONOCIDO

El ángulo central correspondiente al hexágono regular es 360° : 6 = 60°.

Por tanto, el triángulo AOB es equilátero.

Como consecuencia, el lado l es igual al radio r de la circunferencia circunscrita.

El lado de un hexágono regular es igual al radio de la circunferencia circunscrita.

Esta propiedad permite construir un hexágono regular de lado conocido, l, sin necesidad de recurrir al ángulo central y, por tanto, sin utilizar el transportador.

EJEMPLO

Construir un hexágono regular de lado $l = 2$ cm.

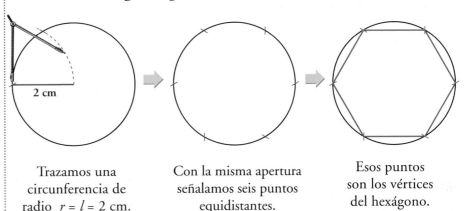

Trazamos una circunferencia de radio $r = l = 2$ cm.

Con la misma apertura señalamos seis puntos equidistantes.

Esos puntos son los vértices del hexágono.

ACTIVIDADES

1 Construye un pentágono regular inscrito en una circunferencia de radio $r = 3$ cm. Traza, en rojo, todas sus diagonales: obtendrás una estrella de cinco puntas. Esta estrella era el símbolo de los pitagóricos (los seguidores de Pitágoras).

2 Construye con regla, compás y escuadra un cuadrado de lado 4 cm. Halla el radio de la circunferencia circunscrita. ¿Cuánto mide la apotema?

3 Construye un hexágono regular inscrito en una circunferencia de radio $r = 3$ cm. Halla su apotema.

4 Construye un triángulo equilátero cuyo lado mida $l = 6$ cm.

Sus medianas son también alturas y mediatrices. Si recuerdas que el baricentro B cumple que $\overline{BA} = 2\overline{BA'}$, calculando la mediana $(\overline{AA'})$ podrás hallar el radio de la circunferencia circunscrita $(\overline{BA})$ y la apotema $(\overline{BA'})$.

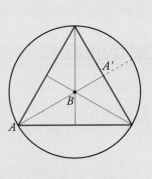

4 POLÍGONOS REGULARES EN LOS CUERPOS GEOMÉTRICOS

■ Los poliedros regulares tienen sus caras formadas por polígonos regulares idénticos. ¿Los recuerdas?

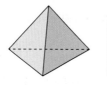

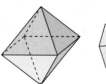

TETRAEDRO (4 triángulos) CUBO (6 cuadrados) OCTAEDRO (8 triángulos) DODECAEDRO (12 pentágonos) ICOSAEDRO (20 triángulos)

■ También hay otros poliedros no regulares formados por polígonos regulares. Aquí tienes algunos ejemplos.

6 triángulos   12 pentágonos y 20 hexágonos

■ Resulta interesante estudiar los polígonos que se obtienen al cortar mediante planos algunos cuerpos geométricos. Por ejemplo, el cubo:

EL MAYOR TRIÁNGULO EQUILÁTERO

• Si un plano corta a tres caras de un cubo, se obtiene un triángulo. ¿En qué casos es equilátero? ¿Cuál será el mayor triángulo equilátero que se obtiene así?

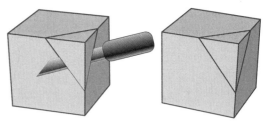

CUADRADO

• ¿Se puede obtener un cuadrado cortando un cubo por un plano que no sea paralelo a ninguna cara?

• Si damos un tajo a un cubo de modo que se corten sus seis caras, se obtiene un hexágono. ¿Se puede conseguir que el hexágono sea regular?

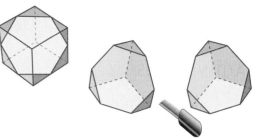

ACTIVIDADES

1 Construye un cubo de cartulina.

a) Señala sobre él cómo hay que cortarlo para obtener un triángulo equilátero.

b) ¿Y un cuadrado?

c) ¿Y un hexágono regular?

2 ¿Será posible conseguir un cuadrado cortando por un plano este cilindro achatado?

5 CIRCUNFERENCIA Y CÍRCULO

La circunferencia es la línea que rodea al círculo.

El círculo es la figura plana más perfecta:

- Cualquiera de sus diámetros es eje de simetría. Por tanto, tiene infinitos ejes de simetría.

- Su área es la mayor posible entre todas las figuras que tienen su mismo perímetro. Es decir, si con una cuerda queremos delimitar un terreno cuya superficie sea la mayor posible, deberemos construir una circunferencia.

☐ POSICIONES RELATIVAS DE UNA RECTA Y UNA CIRCUNFERENCIA

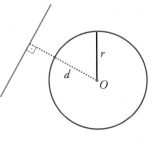 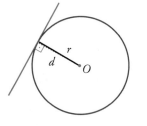 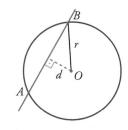

Exteriores, si la distancia d de O a la recta es mayor que el radio r. $d > r$.

Tangentes, si $d = r$. La recta tangente es perpendicular al radio.

Secantes, si $d < r$. d es perpendicular a la cuerda AB en su punto medio.

EJEMPLO

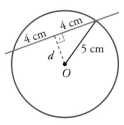

Una recta secante a una circunferencia de radio 5 cm, determina una cuerda de 8 cm. Calcular la distancia del centro de la circunferencia a la recta.

$$d^2 = 5^2 - 4^2 = 9$$
$$d = \sqrt{9} = 3 \text{ cm}$$

Solución: La distancia pedida es $d = 3$ cm.

ACTIVIDADES

1 Un cuadrado y un círculo tienen la misma superficie. ¿Cuál de ellos tiene menor perímetro?

2 Traza una circunferencia de 5 cm de radio y tres rectas que pasen a 3 cm, 5 cm y 8 cm, respectivamente, del centro de la circunferencia.

3 Una circunferencia de 5 cm de radio es cortada por una recta, s, que determina una cuerda de 6 cm ($\overline{AB} = 6$ cm). ¿Cuál es la distancia del centro de la circunferencia a la recta?

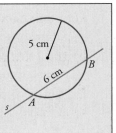

■ POSICIONES RELATIVAS DE DOS CIRCUNFERENCIAS

Para hacer un estudio de la posición relativa de dos circunferencias, medimos la distancia entre sus centros, *d*, y la comparamos con las medidas de sus radios. Obtenemos así seis posiciones distintas:

■ 1. EXTERIORES

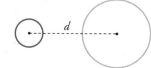

La distancia *d* entre los centros es mayor que la suma de los radios.

■ 2. TANGENTES EXTERIORES

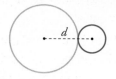

La distancia *d* entre los centros es igual a la suma de los radios.

■ 3. SECANTES

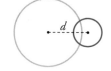

d es menor que la suma de los radios, pero mayor que la diferencia de estos.

■ 4. TANGENTES INTERIORES

La distancia *d* entre los centros es igual a la diferencia de los radios.

■ 5. INTERIORES

d es menor que la diferencia entre los radios, pero mayor que cero.

■ 6. CONCÉNTRICAS

La distancia *d* entre los centros es cero.

ACTIVIDADES

4 Dibuja en tu cuaderno:

a) Dos circunferencias secantes.

b) Dos circunferencias interiores.

Mide, en ambos casos, la distancia entre sus centros y compárala con sus radios.

5 Si trazaras dos circunferencias de radios 7 cm y 4 cm con sus centros situados a 10 cm de distancia, ¿en qué posición relativa quedarían? Trázalas y comprueba tu respuesta.

6 a) Si una circunferencia es tangente a dos rectas paralelas, ¿dónde está su centro?

b) Traza dos rectas paralelas a 6 cm de distancia y una circunferencia tangente a ambas.

c) Dibuja otra circunferencia tangente a las dos rectas y a la circunferencia anteriores.

7 a) Para que una circunferencia sea tangente a los dos lados de un ángulo, ¿dónde tiene que tener su centro?

b) Traza un ángulo de 60°. Sitúa sobre la bisectriz, a 4 cm y a 12 cm del vértice, los centros de dos circunferencias tangentes a los lados del ángulo. Trázalas y comprueba que son tangentes entre sí.

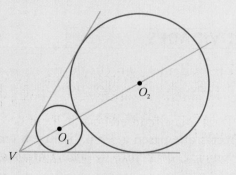

EJERCICIOS DE LA UNIDAD

▷ **Construcciones y ejes de simetría**

1 △△△ a) Halla el ángulo central de un octógono regular.

b) Dibuja un octógono regular inscrito en una circunferencia de 5 cm de radio, construyendo el ángulo central con ayuda del transportador. Traza todos sus ejes de simetría.

c) Con regla y compás, traza dos rectas perpendiculares y sus dos bisectrices.

Traza una circunferencia de radio 5 cm con centro en el punto donde se cortan las cuatro rectas.

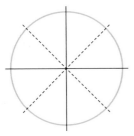

Dibuja de nuevo un octógono regular. Justifica la construcción.

2 △△△ Averigua cuánto vale el ángulo de un octógono regular. Obtendrás $A = 135°$. Para dibujar un octógono regular de lado $l = 4$ cm, procede del siguiente modo:

• Traza un segmento de 4 cm de longitud y, en cada uno de sus extremos, construye un ángulo de 135° (135° = 90° + 45°).

• Después, traza los dos lados adyacentes.

• Prosigue así hasta cerrar los 8 lados del polígono.

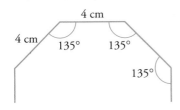

3 △△△ Procediendo de forma análoga a la del ejercicio anterior, construye un pentágono regular de 4 cm de lado y traza, en rojo, todos sus ejes de simetría.

■ *Primero tendrás que calcular el ángulo de un pentágono regular.*

4 △△△ Dibuja dos polígonos regulares que cada uno de ellos tenga sus lados paralelos dos a dos.

En general, ¿cuáles son los polígonos regulares cuyos lados son paralelos dos a dos?

5 △△△ Dibuja en tu cuaderno y comprueba:

a) Construye un hexágono regular de 1 cm de lado y un triángulo equilátero de 2 cm de lado.

b) Comprueba que las dos figuras anteriores tienen el mismo perímetro.

c) Divide el hexágono y el triángulo en triángulos equiláteros de 1 cm de lado.

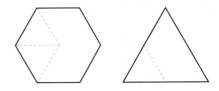

¿Cuántos de estos triángulos tiene cada una de las dos figuras?

¿Qué relación hay entre sus áreas?

6 △△△ Un triángulo equilátero y un hexágono regular tienen el mismo perímetro. Si el área del hexágono es 60 cm², ¿cuál es el área del triángulo?

■ *Ten en cuenta el apartado c) del ejercicio anterior.*

▷ **Polígonos estrellados**

7 △△△ Calca en tu cuaderno este pentágono regular. Une cada vértice con el que está "dos lugares más allá". Obtendrás el **pentágono estrellado**. ¿Recuerdas? Era el símbolo de los pitagóricos.

8 △△△ El **octógono estrellado** se obtiene uniendo cada vértice del octógono con los que están "tres lugares más allá". Hazlo en tu cuaderno.

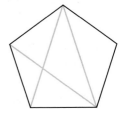

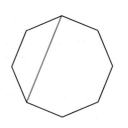

9 ▲▲▲ Existen dos **heptágonos estrellados**:

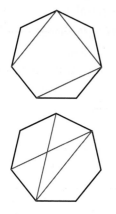

I. Se une cada vértice con los que están "dos lugares más allá".

II. Se une cada vértice con los que están "tres lugares más allá".

Hazlos en tu cuaderno.

▷ **Lado, apotema y radio**

10 ▲▲▲ ¿Cómo es la longitud de la apotema de un cuadrado con relación a su lado?

Halla el radio de un cuadrado cuyo lado mida 10 cm, con dos cifras decimales.

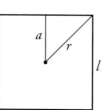

11 ▲▲▲ Recuerda que en el hexágono regular el lado es igual al radio. Calcula la longitud de la apotema de un hexágono regular de lado 4 cm, con una cifra decimal.

12 ▲▲▲ El lado de un pentágono regular mide $l = 6$ cm y su radio, $r = 5,1$ cm. Halla su apotema con una cifra decimal.

13 ▲▲▲ El radio de un pentágono regular mide $r = 10$ cm y su apotema, $a = 8,1$ cm. Halla la longitud de su lado (con una cifra decimal).

14 ▲▲▲ El lado de un octógono regular mide 4 cm y su apotema, 4,8 cm. Halla el radio de la circunferencia circunscrita al polígono.

15 ▲▲▲ Halla, con una cifra decimal, la altura de un triángulo equilátero de 8 cm de lado. ¿Cuánto miden su apotema y su radio?

16 ▲▲▲ El lado del hexágono exterior mide 4 cm. Halla el radio, la apotema y el lado del triángulo azul.

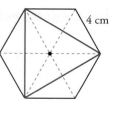

▷ **Circunferencias y rectas**

17 ▲▲▲ Dibuja una circunferencia de 4 cm de radio y un triángulo cuyos lados sean: uno secante a la circunferencia, otro tangente y otro exterior.

18 ▲▲▲ Una recta pasa a 6 cm del centro de una circunferencia de radio 6,5 cm. ¿Corta la recta a la circunferencia?

Halla la longitud de la cuerda que determina en ella.

19 ▲▲▲ Una circunferencia de 17 cm de radio corta a una recta. La cuerda correspondiente mide 16 cm.

¿A qué distancia de la recta está el centro de la circunferencia?

20 ▲▲▲ Dibuja dos circunferencias, C y C', de radios 5 cm y 3 cm que sean tangentes interiores. Traza tres circunferencias distintas, de 2 cm de radio, tales que cada una de ellas sea tangente a C y a C'.

21 ▲▲▲ Traza dos rectas que se corten. Dibuja una circunferencia, de radio el que tú quieras, tangente a ambas rectas.

Completa la frase: "Si una circunferencia es tangente a dos rectas que se cortan, su centro estará en la ...".

22 ▲▲▲ Traza en tu cuaderno dos rectas paralelas, r y s, y otra recta secante a ambas.

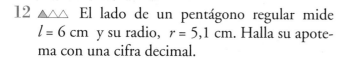

Localiza el centro de una circunferencia que sea tangente a las tres rectas.

¿Podrías encontrar otra?

PROBLEMAS DE ESTRATEGIA

23 Sobre cada uno de los lados de un hexágono regular construimos un cuadrado. Unimos los vértices sueltos mediante segmentos. Se obtiene así un dodecágono (polígono de 12 lados).

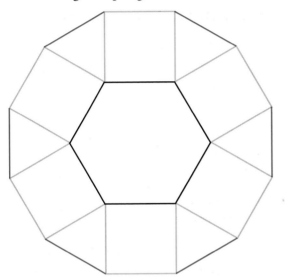

¿Crees que es regular?

Justifica la respuesta.

En caso afirmativo, halla la apotema para $l = 20$.

24 Sobre cada uno de los lados de un cuadrado construimos otro cuadrado. Unimos los vértices sueltos mediante segmentos. Se obtiene así un octógono.

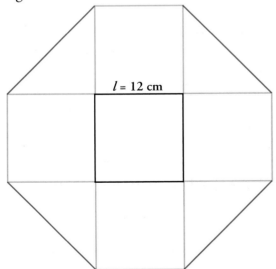

$l = 12$ cm

¿Crees que es regular? Justifica la respuesta.

Halla las distancias del centro del cuadrado a los lados verdes y a los lados naranjas del octógono.

25 Podemos embaldosar el suelo con losetas cuadradas o triangulares regulares.

También encajan bien unas con otras, las losetas hexagonales regulares.

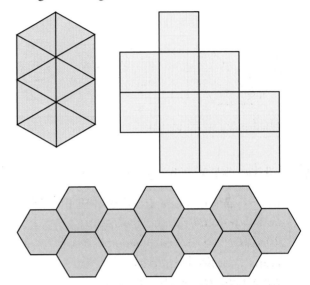

Sin embargo, los pentágonos regulares no sirven para embaldosar el suelo. Explica qué tiene que ver esto con el ángulo de estos polígonos regulares.

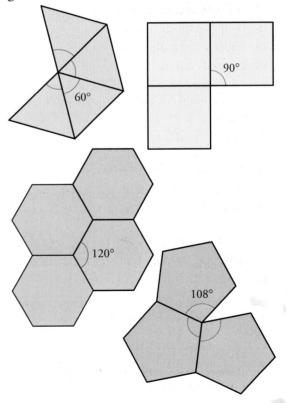

HAZ UN ESQUEMA

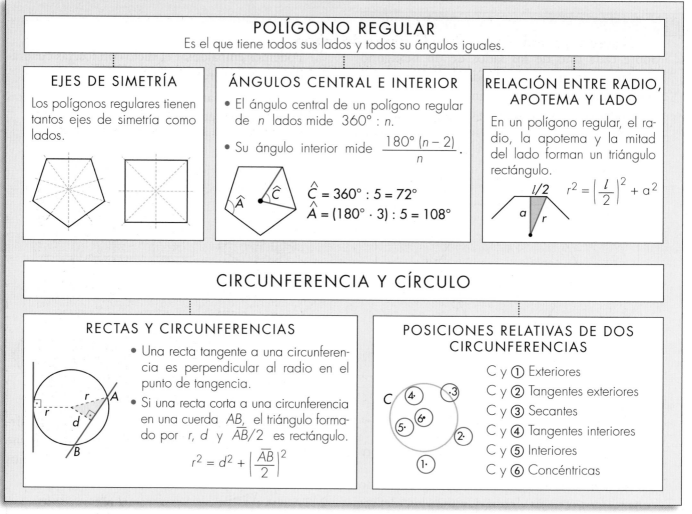

POLÍGONO REGULAR

Es el que tiene todos sus lados y todos su ángulos iguales.

EJES DE SIMETRÍA

Los polígonos regulares tienen tantos ejes de simetría como lados.

ÁNGULOS CENTRAL E INTERIOR

- El ángulo central de un polígono regular de n lados mide $360° : n$.

- Su ángulo interior mide $\dfrac{180° \, (n-2)}{n}$.

$\hat{C} = 360° : 5 = 72°$

$\hat{A} = (180° \cdot 3) : 5 = 108°$

RELACIÓN ENTRE RADIO, APOTEMA Y LADO

En un polígono regular, el radio, la apotema y la mitad del lado forman un triángulo rectángulo.

$r^2 = \left(\dfrac{l}{2}\right)^2 + a^2$

CIRCUNFERENCIA Y CÍRCULO

RECTAS Y CIRCUNFERENCIAS

- Una recta tangente a una circunferencia es perpendicular al radio en el punto de tangencia.

- Si una recta corta a una circunferencia en una cuerda AB, el triángulo formado por r, d y $\overline{AB}/2$ es rectángulo.

$$r^2 = d^2 + \left|\dfrac{\overline{AB}}{2}\right|^2$$

POSICIONES RELATIVAS DE DOS CIRCUNFERENCIAS

C y ① Exteriores

C y ② Tangentes exteriores

C y ③ Secantes

C y ④ Tangentes interiores

C y ⑤ Interiores

C y ⑥ Concéntricas

AUTOEVALUACIÓN

1 a) Halla el ángulo central y el ángulo interior de un octógono regular.

b) Dibuja un octógono regular inscrito en una circunferencia de 3 cm de radio y traza, en rojo, sus ejes de simetría.

2 Dibuja con regla y compás un triángulo equilátero de 4 cm de lado y un hexágono regular de 2 cm de lado.

3 En un heptágono regular, el radio mide 6 cm y el lado, 5,2 cm. Halla la apotema.

4 Dibuja una circunferencia de 6,5 cm de radio, y dos rectas, r y s, que cumplan:

- r es tangente a la circunferencia.

- s corta a la circunferencia en una cuerda, AB, de longitud 5 cm.

Halla la distancia del centro, O, de la circunferencia a cada una de las dos rectas.

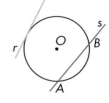

JUEGOS PARA CONSTRUIR

Figuras geométricas sobre láminas de jabón

Con champú, gel de baño o jabón de lavavajillas, hazte una disolución jabonosa y échala en un plato.

■ CIRCUNFERENCIA

1. Fabrícate una arandela de alambre y mójala en el jabón, de modo que dentro de ella quede una lámina. Deposita sobre ella un hilo anudado.

2. Rompe la película jabonosa de la parte interior del hilo y aparecerá una circunferencia perfecta.

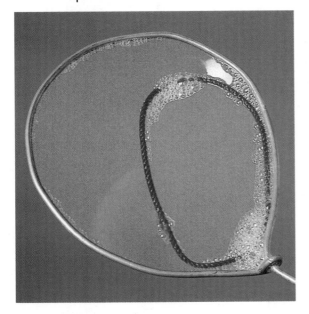
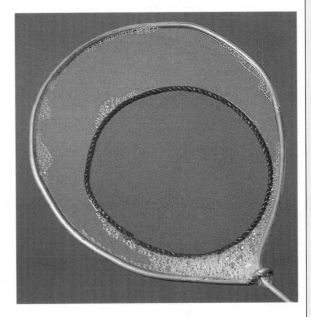

■ POLÍGONO REGULAR

1. Haz, con varios trozos de paja de la misma longitud, unidos unos a otros mediante trozos de hilo pegados, o un trozo entero, un polígono.

2. Si haces con él como hiciste con el hilo anudado, al romper la lámina de jabón obtendrás, en su interior, un polígono regular.

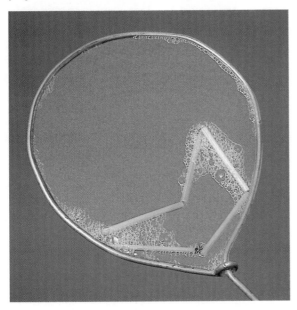
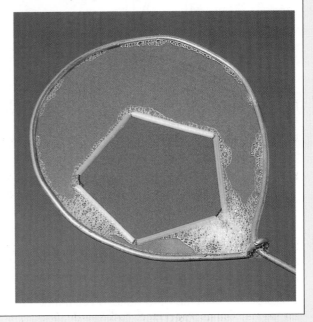

REFLEXIONA

En un tablón de anuncios de la Casa de la Cultura hay diversas ofertas, fotografías, horarios, etc. Vamos a averiguar la superficie que ocupa cada una de ellas.

▪ Halla el área de las figuras ① y ②. (Expresa el área en número de cuadraditos).

▪ Descomponiendo y recomponiendo, halla el área de ③, ④, ⑤ y ⑥.

▪ Contando cuadraditos y estimando porciones de cuadraditos, calcula el área aproximada de la figura ⑦.

TE CONVIENE RECORDAR

QUÉ SON LA MEDIDA DIRECTA Y LA MEDIDA INDIRECTA DE LONGITUDES

Las **longitudes** pueden medirse **directamente** con la regla, la cinta métrica, etc.

Pero, en ocasiones, conviene hacerlo de forma **indirecta**. El teorema de Pitágoras, que nos permite calcular una longitud a partir de otras dos, es, por tanto, una medición indirecta.

Hay otras formas de medir indirectamente una longitud.

1 **Conociendo la altura del edificio, $a = 108$ m, y la distancia que hay desde P a su base, $d = 45$ m, podemos calcular la longitud, l, del cable tendido desde P hasta la azotea.**

Halla la longitud l.

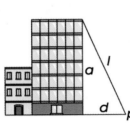

2 **Un fajo de 200 folios tiene un grosor de 24 mm. Calcula el grosor de cada folio.**

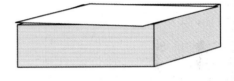

ALGUNAS FÓRMULAS PARA EL CÁLCULO DE ÁREAS

Las áreas suelen medirse de forma indirecta, a partir de algunas longitudes, mediante fórmulas y otros procedimientos.

En esta unidad veremos la fórmulas para calcular las áreas de las principales figuras planas. Recordemos, ahora, la del rectángulo y la del triángulo:

$$\text{Área} = a \cdot b \qquad\qquad \text{Área} = \frac{b \cdot h}{2}$$

3 **Halla el área de las siguientes figuras:**

LA RELACIÓN ENTRE PERÍMETROS Y ÁREAS

El **perímetro** de una figura plana y cerrada es la longitud de la línea que la rodea. Si la figura es un polígono, su perímetro es la suma de la medida de todos sus lados.

El **área** de una figura plana es la medida de la porción de plano ocupado por ella.

Perímetro y área son dos magnitudes muy distintas, que no tienen nada que ver una con otra.

4 **Comprueba que estas figuras tienen igual perímetro pero distintas áreas:**

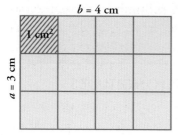

$b = 4$ cm

1 cm²

$a = 3$ cm

*Los lados de un rectángulo se suelen llamar **base** y **altura**.*

1 MEDIDAS EN EL RECTÁNGULO

En el rectángulo de la izquierda hay 3 × 4 cuadrados de 1 cm². Por tanto, su área es:

$$S = 3 \times 4 = 12 \text{ cm}^2$$

El perímetro de este rectángulo es 4 + 3 + 4 + 3 = 14 cm.

En general:

| RECTÁNGULO DE LADOS a y b | b ▭ a | ÁREA $S = a \cdot b$
 PERÍMETRO $P = 2a + 2b$ |

ÁREA Y PERÍMETRO DEL CUADRADO

Un cuadrado es un rectángulo con todos los lados iguales. Por tanto:

| CUADRADO DE LADO l | l ▢ | ÁREA $S = l^2$
 PERÍMETRO $P = 4\,l$ |

TEN EN CUENTA

Conociendo el área $S = l^2$ de un cuadrado, podemos calcular su lado $l = \sqrt{S}$.

Por ejemplo:

$$S = 81 \text{ cm}^2 \rightarrow l = 9 \text{ cm}$$

ACTIVIDADES

1. Calcula el perímetro, la longitud de la diagonal y el área de una habitación rectangular de dimensiones 8,3 m y 4,6 m.

2. a) Mide las dimensiones de una página de este libro y halla su perímetro, la longitud de su diagonal y su superficie.

   b) ¿Cuántos metros cuadrados de papel se han necesitado para hacer este libro completo, sin contar las tapas?

   c) ¿Cuánto tardaría un caracol en ir de una esquina de una página a la opuesta si recorre 2 mm cada segundo?

3. Halla el perímetro, la longitud de la diagonal y el área de un cuadrado de 15 cm de lado.

4. Aquí tienes las áreas de varios cuadrados. En cada caso, di cuánto mide el lado.

ÁREA DEL CUADRADO	LADO
16 cm²	……
225 cm²	……
36 mm²	……
100 dam²	……

5. Averigua cuánto mide la altura de un rectángulo de 40 m² de superficie y 5 m de base.

6. Halla el perímetro de un rectángulo de 60 m² de superficie y 12 m de altura.

7. Halla el área de las siguientes figuras:

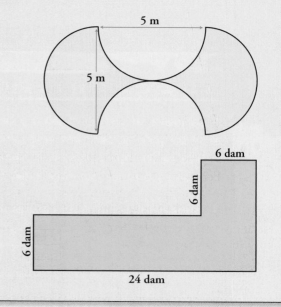

5 m

5 m

6 dam

6 dam

6 dam

24 dam

2 MEDIDAS EN EL PARALELOGRAMO

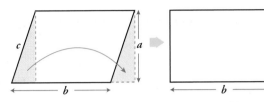

Al suprimir en el paralelogramo el triángulo de la izquierda y ponerlo a la derecha, se obtiene un rectángulo de dimensiones $a \times b$.

El perímetro, $P = 2b + 2c$, no guarda relación con el área. Observa que puede haber muchos paralelogramos con los mismos lados y, por tanto, con el mismo perímetro, pero con distinta área:

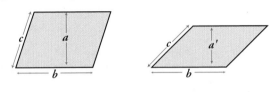

PARALELOGRAMO DE LADOS b y c y ALTURA a		ÁREA $S = a \cdot b$
	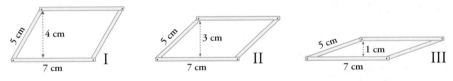	PERÍMETRO $P = 2b + 2c$

EJEMPLO

Con cuatro listones iguales dos a dos, construir una figura que pueda deformarse dando lugar a una infinidad de paralelogramos distintos.

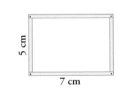

El perímetro de todos ellos es el mismo: $P = 2 \times 7 + 2 \times 5 = 24$ cm

Sus áreas, sin embargo, son muy distintas:

$S_I = 7 \times 4 = 28$ cm^2 $S_{II} = 7 \times 3 = 21$ cm^2 $S_{III} = 7 \times 1 = 7$ cm^2

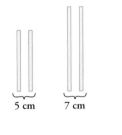

Incluso se puede construir un rectángulo. (Recuerda: el rectángulo también es un paralelogramo). Su perímetro es el mismo y su área es:

$$S_{\text{RECTÁNGULO}} = 7 \times 5 = 35 \text{ cm}^2$$

ACTIVIDADES

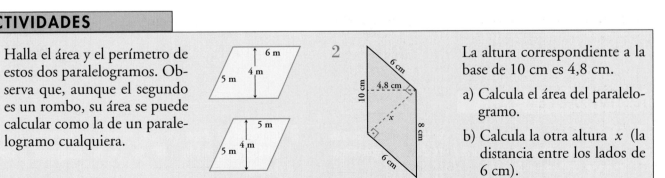

1 Halla el área y el perímetro de estos dos paralelogramos. Observa que, aunque el segundo es un rombo, su área se puede calcular como la de un paralelogramo cualquiera.

2 La altura correspondiente a la base de 10 cm es 4,8 cm.

a) Calcula el área del paralelogramo.

b) Calcula la otra altura x (la distancia entre los lados de 6 cm).

3 MEDIDAS EN EL ROMBO

Puesto que el rombo es un paralelogramo, su área se puede calcular como se ha descrito en el apartado anterior:

$S = l \cdot a$ (a es la distancia entre dos lados opuestos).

También se puede calcular conociendo sus diagonales.

Área del rectángulo azul: $S_{\text{RECTÁNGULO}} = D \cdot d$

Área del rombo: $S_{\text{ROMBO}} = \dfrac{S_{\text{RECTÁNGULO}}}{2}$

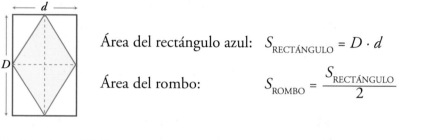

ROMBO DE LADO l
Y DIAGONALES D y d

ÁREA $S = \dfrac{D \cdot d}{2}$

PERÍMETRO $P = 4\,l$

El lado y las dos diagonales se pueden relacionar mediante el teorema de Pitágoras, pues el triángulo amarillo es rectángulo.

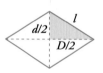

$$l^2 = \left(\dfrac{d}{2}\right)^2 + \left(\dfrac{D}{2}\right)^2$$

Esta relación permite calcular una de estas tres longitudes conocidas las otras dos.

EJEMPLO

Hallar el área y el perímetro de un rombo del cual se conoce el lado $l = 17$ cm y una diagonal $D = 30$ cm.

Empezamos obteniendo la otra diagonal. Calculamos el cateto x, del triángulo rectángulo amarillo:

$x^2 = 17^2 - 15^2 = 64 \rightarrow x = \sqrt{64} = 8$ cm

La segunda diagonal mide $d = 2 \cdot 8 = 16$ cm.

El área del rombo es $S = \dfrac{30 \cdot 16}{2} = 240$ cm².

El perímetro se puede calcular directamente: $P = 4 \cdot 17 = 68$ cm.

ACTIVIDADES

1 Halla el área y el perímetro de un rombo cuyas diagonales menor y mayor miden, respectivamente, 10 cm y 24 cm.

2 Calcula el área de un rombo sabiendo que su perímetro mide 40 m y su diagonal mayor, 16 m.

4 ÁREA DE UN TRIÁNGULO

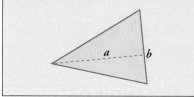

Tenemos un triángulo de base b y altura a. Le adosamos otro igual y se obtiene un paralelogramo.

$$S_{\text{TRIÁNGULO}} = \frac{S_{\text{PARALELOGRAMO}}}{2} = \frac{b \cdot a}{2}$$

■ ÁREA DE UN TRIÁNGULO RECTÁNGULO

En un triángulo rectángulo, los dos catetos son perpendiculares. Si uno de ellos lo tomamos como base, el otro es la altura. Por tanto, el área se puede calcular de dos maneras:

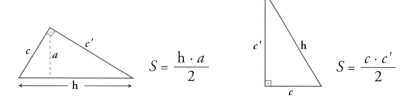

$$S = \frac{h \cdot a}{2} \qquad S = \frac{c \cdot c'}{2}$$

EJEMPLOS

1. Calcular el área de este triángulo.

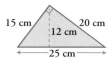

El área de este triángulo se puede calcular de dos formas:

① $S = \dfrac{25 \cdot 12}{2} = 150 \text{ cm}^2$

② El triángulo es rectángulo, pues $15^2 + 20^2 = 25^2$ (compruébalo).

Por tanto, su área es: $S = \dfrac{c \cdot c'}{2} = \dfrac{15 \cdot 20}{2} = 150 \text{ cm}^2$

2. Hallar el área de un triángulo equilátero de lado $l = 10$ cm.

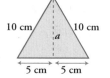

Empezamos por calcular su altura:

$a^2 = 10^2 - 5^2 = 75 \;\rightarrow\; a = \sqrt{75} = 8{,}66 \text{ cm}$

Por tanto: $S = \dfrac{10 \cdot 8{,}66}{2} = 43{,}3 \text{ cm}^2$

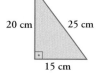

ACTIVIDADES

1 Halla el área de esta parcela triangular de la que conocemos un lado, 20 m, y su altura, 13 m.

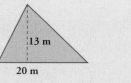

2 Halla el área de este triángulo. (Observa que es isósceles. ¿Cómo se calculará su altura?)

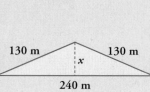

3 Halla el área de un triángulo equilátero de 40 m de lado.

4 De un triángulo rectángulo conocemos los dos catetos $c = 18$ cm y $c' = 24$ cm.

a) Calcula su área.

b) Halla su perímetro.

c) ¿Cuánto mide la altura sobre la hipotenusa?

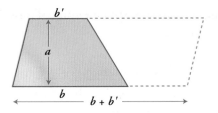

5 ÁREA DE UN TRAPECIO

A los lados paralelos de un trapecio se les llama **bases** (b base mayor, b' base menor). A la distancia entre las bases se le llama altura, a.

Si a un trapecio le adosamos otro igual, se obtiene un paralelogramo de base $b + b'$ y altura a.

$$S_{\text{TRAPECIO}} = \frac{S_{\text{PARALELOGRAMO}}}{2} = \frac{(b + b') \cdot a}{2}$$

■ RELACIONES EN LOS TRAPECIOS RECTÁNGULOS Y EN LOS TRAPECIOS ISÓSCELES

En ambos casos, el triángulo naranja es rectángulo y se puede aplicar el teorema de Pitágoras para relacionar sus lados.

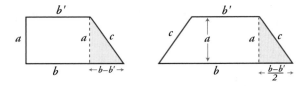

EJEMPLOS

1. De un trapecio rectángulo conocemos las dos bases, b = 20 cm, b' = 14 cm y el lado oblicuo, c = 10 cm. Hallar su altura, su área y su perímetro.

Para hallar a, aplicamos el teorema de Pitágoras al triángulo naranja:

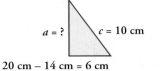

$a^2 = 10^2 - 6^2 = 64 \rightarrow a = \sqrt{64} = 8$ cm

Su área es: $S = \dfrac{(14 + 20) \cdot 8}{2} = 136$ cm^2

Su perímetro es: $P = 14 + 20 + 10 + 8 = 52$ cm

2. De un trapecio isósceles conocemos las bases, b = 36 dm, b' = 26 dm, y los lados iguales, c = 13 dm. Hallar su altura, su área y su perímetro.

Para hallar a, aplicamos el teorema de Pitágoras al triángulo naranja:

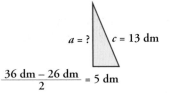

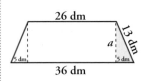

$a^2 = 13^2 - 5^2 = 144 \rightarrow a = \sqrt{144} = 12$ dm

Su área es: $S = \dfrac{(26 + 36) \cdot 12}{2} = 372$ dm^2

Su perímetro es: $P = 26 + 36 + 13 + 13 = 88$ dm

ACTIVIDADES

1 Halla el área de este trapecio:

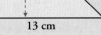

2 Halla el área de un trapecio cuyas bases miden 12 cm y 20 cm, y su altura, 10 cm.

3 Halla el área y el perímetro de un trapecio rectángulo de bases 16 cm y 11 cm y lado inclinado de 13 cm.

4 Halla el área y el perímetro de un trapecio isósceles cuyas bases miden 20 cm y 36 cm, y su altura, 15 cm.

6 MEDIDAS EN UN POLÍGONO

Para hallar el área de un polígono cualquiera, se descompone en triángulos y se calcula el área de cada uno de los triángulos.

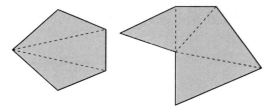

ÁREA DEL POLÍGONO =
Suma de las áreas de los triángulos.

Sin embargo, para los polígonos regulares se puede proceder de forma más sencilla.

▦ ÁREA Y PERÍMETRO DE UN POLÍGONO REGULAR

Si el polígono es regular, se puede descomponer en tantos triángulos iguales como lados tiene el polígono:

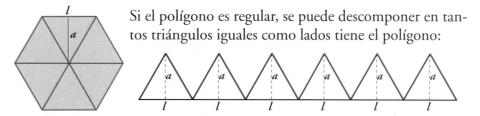

NOTACIÓN

a es la apotema del polígono regular.

$$S = n \text{ veces } \frac{l \cdot a}{2} = \frac{Perímetro \cdot a}{2}$$

n es el número de lados, y por tanto, $n \cdot l = Perímetro$

La apotema se puede calcular conociendo la longitud del lado y el radio de la circunferencia circunscrita, pues el triángulo naranja es rectángulo.

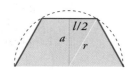

ACTIVIDADES

1 Copia este polígono, descomponlo en triángulos y toma en ellos las medidas necesarias para calcular sus áreas. Halla, así, el área total.

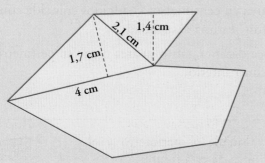

2 El lado de un octógono regular mide 6 cm, y el radio de su circunferencia circunscrita, 78,4 mm. Halla la longitud de la apotema y el área.

3 Recuerda que en el hexágono regular la longitud del lado es igual a la longitud del radio de la circunferencia circunscrita.

Dibuja un hexágono regular cuyo lado tenga una longitud $l = 4$ cm.

Halla su apotema.

Calcula su área.

4 Calcula el área de la siguiente figura:

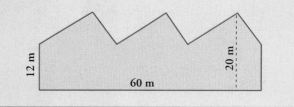

7 MEDIDAS EN EL CÍRCULO

$$l = \pi d = 2\pi r$$

El número π (pi) vale, aproximadamente, 3,14 ó 3,1416.

■ PERÍMETRO DEL CÍRCULO

El perímetro de un círculo es la longitud de su circunferencia. Sabemos que la longitud de una circunferencia es algo más de tres veces su diámetro.

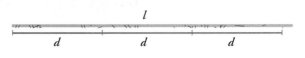

Longitud de la circunferencia = 3,14 veces su diámetro → $l = \pi d = 2\pi r$

■ SUPERFICIE DEL CÍRCULO

Descomponemos el círculo en muchos triángulos, como si fuera un polígono regular de muchos lados.

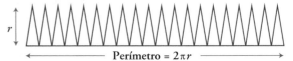

Si los sectores son muy finos, son prácticamente triángulos. Su altura es r.

La suma de todas sus bases es el perímetro del círculo, $2\pi r$.

$$S = \frac{2\pi r \cdot r}{2} = \pi r^2$$

CORONA CIRCULAR

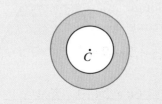

Estas dos circunferencias se llaman **concéntricas** porque tienen el mismo centro.

La región comprendida entre ellas se llama **corona circular**.

EJEMPLO

Hallar el área y el perímetro de los recintos coloreados:

I. El área es la diferencia de las áreas de los dos círculos:

$S = \pi \cdot 5^2 - \pi \cdot 3^2 = 16\pi = 50,26 \text{ cm}^2$

El perímetro del recinto es la suma de las longitudes de las dos circunferencias: $P = 2\pi \cdot 5 + 2\pi \cdot 3 = 16\pi = 50,26$ cm

Curiosamente su área en centímetros cuadrados coincide con su perímetro en centímetros. Es una casualidad.

II. Aunque la forma sea distinta, tanto su área como su perímetro coinciden con los del recinto anterior.

ACTIVIDADES

1 Halla la superficie y el perímetro de este recinto:

2 Calcula el perímetro y el área de esta figura:

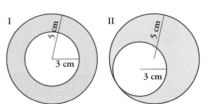

LONGITUD DE UN ARCO DE CIRCUNFERENCIA

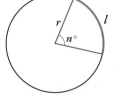

La circunferencia completa, cuya longitud es $2\pi r$, corresponde a un arco de 360°.

Así, a cada grado le corresponde una longitud de $\dfrac{2\pi r}{360}$. Por tanto:

> Un arco de n grados tiene una longitud de $l = \dfrac{2\pi r}{360} \cdot n$

SUPERFICIE DE UN SECTOR CIRCULAR

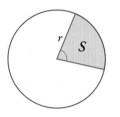

El círculo completo corresponde a un arco de 360°.

Así, a cada grado le corresponde una superficie de $\dfrac{\pi r^2}{360}$. Por tanto:

> Un sector de n grados tiene una superficie de $S = \dfrac{\pi r^2}{360} \cdot n$

EJEMPLO

Calcular el área y el perímetro de estos recintos:

Ⅰ

$$S = \frac{\pi \cdot 3^2}{360} \cdot 120 = 3\pi = 9{,}42 \text{ m}^2$$

$$P = \frac{2\pi \cdot 3}{360} \cdot 120 + 3 + 3 = 12{,}28 \text{ m}$$

Ⅱ

$$S = (\pi \cdot 10^2 - \pi \cdot 7^2) \cdot \frac{60}{360} = 26{,}69 \text{ m}^2$$

$$P = \frac{2\pi \cdot 10}{360} \cdot 60 + \frac{2\pi \cdot 7}{360} \cdot 60 + 2\,(10 - 7) =$$

$$= 10{,}46 + 7{,}33 + 6 = 23{,}79 \text{ m}$$

ACTIVIDADES

3 Halla la superficie y el perímetro de esta figura:

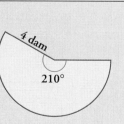

4 Halla la longitud de un arco de circunferencia de 10 cm de radio y 40° de amplitud.

5 Calcula la superficie y el perímetro de esta figura:

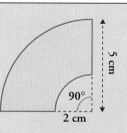

6 Calcula el área de un sector circular de 20 cm de radio y 30° de amplitud.

EJERCICIOS DE LA UNIDAD

▷ Áreas y perímetros de figuras sencillas

Halla el área y el perímetro de las figuras coloreadas de los siguientes ejercicios:

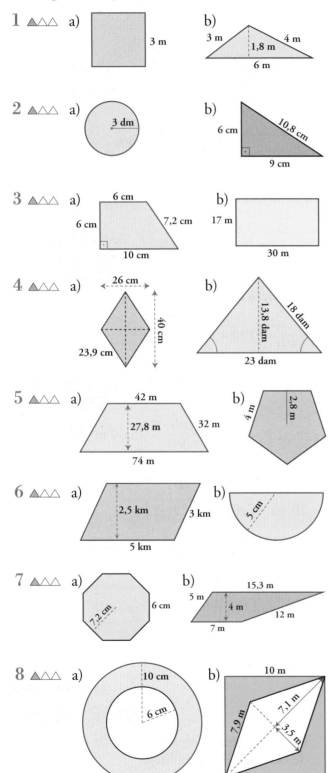

1 ▲△△ a) 3 m

b) 3 m 1,8 m 4 m 6 m

2 ▲△△ a) 3 dm

b) 6 cm 10,8 cm 9 cm

3 ▲△△ a) 6 cm 6 cm 7,2 cm 10 cm

b) 17 m 30 m

4 ▲△△ a) 26 cm 40 cm 23,9 cm

b) 13,8 dam 18 dam 23 dam

5 ▲△△ a) 42 m 27,8 m 32 m 74 m

b) 4 m 2,8 m

6 ▲△△ a) 2,5 km 3 km 5 km

b) 5 cm

7 ▲△△ a) 7,2 cm 6 cm

b) 15,3 m 5 m 4 m 12 m 7 m

8 ▲△△ a) 10 cm 6 cm

b) 10 m 7,9 m 7,1 m 3,5 m

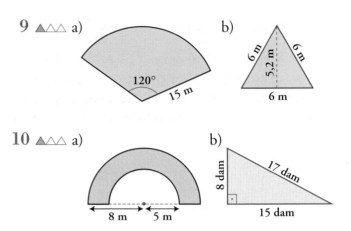

9 ▲△△ a) 120° 15 m

b) 6 m 5,2 m 6 m 6 m

10 ▲△△ a) 8 m 5 m

b) 8 dam 17 dam 15 dam

▷ Medir y calcular

En cada una de las siguientes figuras toma las medidas que creas necesarias y calcula su superficie y su perímetro.

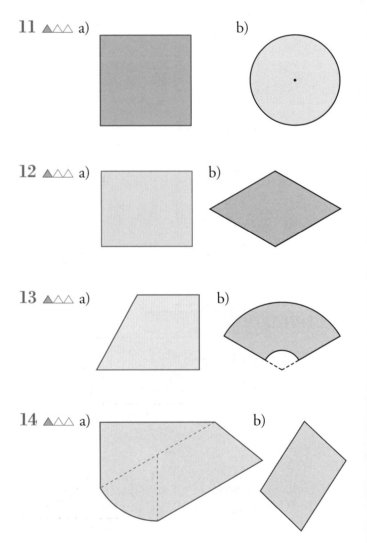

11 ▲△△ a) b)

12 ▲△△ a) b)

13 ▲△△ a) b)

14 ▲△△ a) b)

▷ Calcular el elemento que falta

En cada una de las siguientes figuras coloreadas halla su área y su perímetro. Para ello tendrás que calcular el valor de algún elemento (lado, diagonal, apotema, ángulo, …). Si no es exacto, halla una cifra decimal.

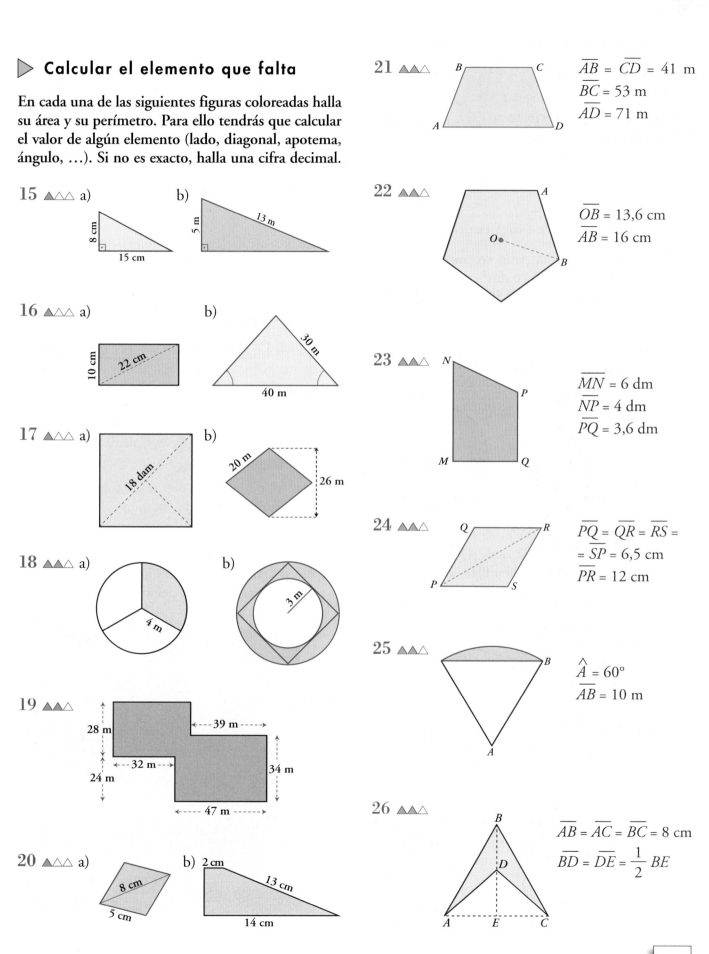

15 ▲△△ a)   b)

8 cm   15 cm   5 m   13 m

16 ▲△△ a)   b)

10 cm   22 cm   30 m   40 m

17 ▲△△ a)   b)

18 dam   20 m   26 m

18 ▲▲△ a)   b)

4 m   3 m

19 ▲▲△

28 m   39 m   32 m   24 m   34 m   47 m

20 ▲△△ a)   b) 2 cm

8 cm   5 cm   13 cm   14 cm

21 ▲▲△

$\overline{AB} = \overline{CD} = 41$ m

$\overline{BC} = 53$ m

$\overline{AD} = 71$ m

22 ▲▲△

$\overline{OB} = 13{,}6$ cm

$\overline{AB} = 16$ cm

23 ▲▲△

$\overline{MN} = 6$ dm

$\overline{NP} = 4$ dm

$\overline{PQ} = 3{,}6$ dm

24 ▲▲▲

$\overline{PQ} = \overline{QR} = \overline{RS} =$
$= \overline{SP} = 6{,}5$ cm

$\overline{PR} = 12$ cm

25 ▲▲▲

$\widehat{A} = 60°$

$\overline{AB} = 10$ m

26 ▲▲△

$\overline{AB} = \overline{AC} = \overline{BC} = 8$ cm

$\overline{BD} = \overline{DE} = \dfrac{1}{2} BE$

▷ **Problemas**

27 ▲▲△ Un hexágono regular está inscrito en una circunferencia de 6 cm de radio. Halla el área del recinto comprendido entre ambas figuras.

■ *El lado del hexágono regular es igual al radio de su circunferencia circunscrita.*

28 ▲▲△ Para cubrir un patio rectangular, se han usado 175 baldosas de 20 dm² cada una. ¿Cuántas baldosas cuadradas de 50 cm de lado serán necesarias para cubrir el patio, idéntico, de la casa vecina?

29 ▲▲△ El área de un rombo es 24 cm². Una de sus diagonales mide 8 cm. Halla su perímetro.

30 ▲▲△ Sabiendo que el lado del cuadrado mide 30 cm, calcula el radio del círculo inscrito y el radio del círculo circunscrito. Calcula el área de la zona coloreada.

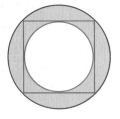

31 ▲▲△ Un cuadrado de 1 m de lado se divide en cuadraditos de 1 mm de lado. ¿Qué longitud se obtendría si colocáramos en fila todos esos cuadraditos?

32 ▲▲△ ¿Es regular este octógono?

Calcula su área y su perímetro.

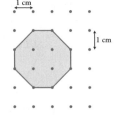

33 ▲▲△ Una habitación cuadrada tiene una superficie de 25 m². Hemos de embaldosarla con losetas cuadradas de 20 cm de lado (se llaman losetas de 20 × 20). ¿Cuántas losetas se necesitan?

34 ▲▲△ Calcula la superficie de la zona coloreada.

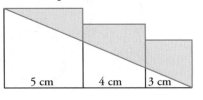

35 ▲▲△ La figura roja no es un rombo, pero tiene las diagonales perpendiculares. Justifica que también puedes calcular su área mediante la fórmula:

$$\frac{D \cdot d}{2}$$

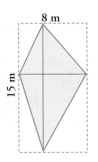

36 ▲▲△ Calcula las dimensiones y la superficie de las siguientes secciones de un cubo.

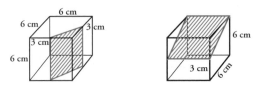

37 ▲▲△ Los lados de un triángulo miden: $a = 6$ cm, $b = 7$ cm y $c = 8$ cm. La altura correspondiente al lado a mide $h_a = 6,8$ cm. Calcula la longitud de las otras dos alturas.

Haz el dibujo con precisión, toma medidas y comprueba la solución obtenida.

38 ▲▲△ Halla la superficie de cada una de las piezas de este tangram. Después, súmalas y comprueba que equivalen al área del cuadrado que forman todas juntas:

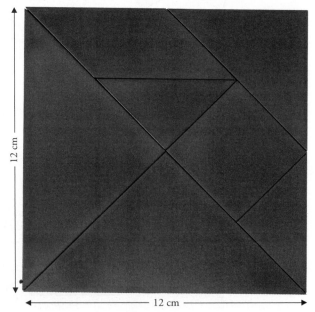

PROBLEMAS DE ESTRATEGIA

Las áreas o perímetros que se piden a continuación son, todos ellos, mucho más sencillos de lo que parecen. Se encuentran con algo de imaginación y muy pocos cálculos.

39 Todos los arcos con los que se ha trazado esta figura son iguales, pertenecen a circunferencias de radio 6 m. Calcula su área.

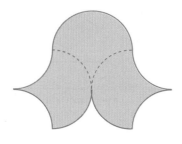

40 Halla el área de este dibujo de un jarro.

Todos los arcos están hechos con un radio, r = 8 cm.

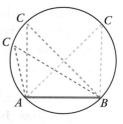

41 Halla el área y el perímetro de toda la figura.

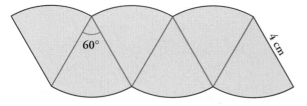

42 Halla la superficie de cada loseta de este embaldosado.

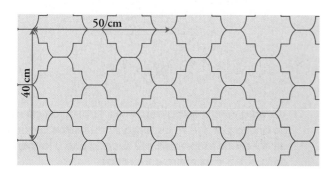

43 La base de este rectángulo mide 20 cm más que la altura. Su perímetro es de 100 cm.

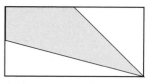

Calcula el área del cuadrilátero coloreado.

44 ¿Cuál de los tres triángulos tiene mayor área (azul, naranja o verde)? Justifica la respuesta.

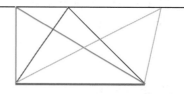

45 A y B son puntos fijos. El punto C puede estar situado en cualquier lugar de la circunferencia.

¿Dónde lo pondrás si quieres que el área del triángulo ABC sea la mayor posible?

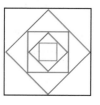

46 El perímetro del cuadrado rojo interior es de 32 cm. ¿Cuál es el perímetro del cuadrado negro exterior?

47 Halla el área de la parte coloreada sabiendo que el diámetro de la circunferencia grande es de 6 cm.

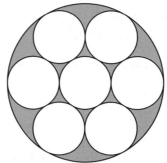

HAZ UN ESQUEMA

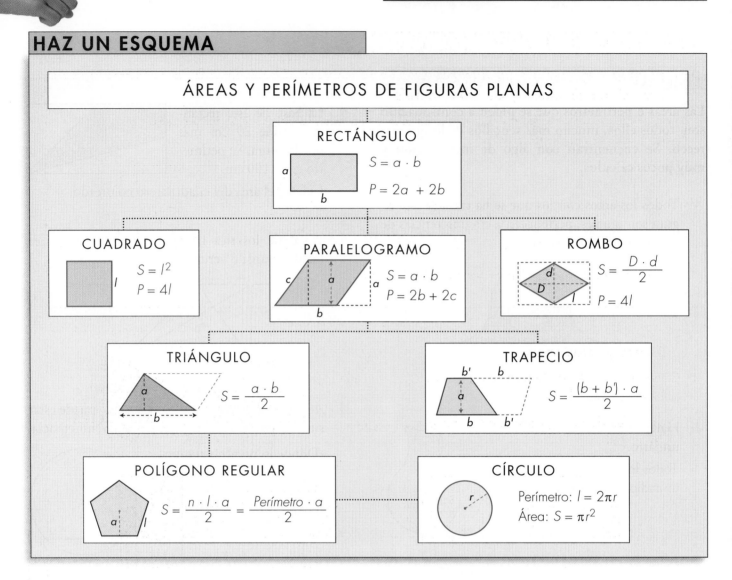

ÁREAS Y PERÍMETROS DE FIGURAS PLANAS

RECTÁNGULO

$S = a \cdot b$

$P = 2a + 2b$

CUADRADO

$S = l^2$

$P = 4l$

PARALELOGRAMO

$S = a \cdot b$

$P = 2b + 2c$

ROMBO

$S = \dfrac{D \cdot d}{2}$

$P = 4l$

TRIÁNGULO

$S = \dfrac{a \cdot b}{2}$

TRAPECIO

$S = \dfrac{(b + b') \cdot a}{2}$

POLÍGONO REGULAR

$S = \dfrac{n \cdot l \cdot a}{2} = \dfrac{\text{Perímetro} \cdot a}{2}$

CÍRCULO

Perímetro: $l = 2\pi r$

Área: $S = \pi r^2$

AUTOEVALUACIÓN

1 Halla el área y el perímetro de las siguientes figuras:

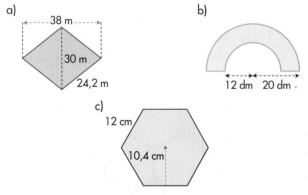

a) 38 m, 30 m, 24,2 m

b) 12 dm, 20 dm

c) 12 cm, 10,4 cm

2 Halla el área y el perímetro de estas figuras. Calcula previamente el elemento que falta, con una cifra decimal si no es exacto.

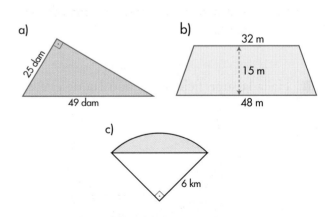

a) 25 dam, 49 dam

b) 32 m, 15 m, 48 m

c) 6 km

3 ¿Cuánto cuesta embaldosar una habitación de 3,2 m de ancho por 4,8 m de largo si las losetas cuadradas de 40 cm de lado valen 4,2 € cada una y la mano de obra, 11,3 € el metro cuadrado?

JUEGOS PARA PENSAR

■ De cinco en cinco y de seis en seis

Aquí puedes observar todas las figuras diferentes que se pueden formar uniendo por sus lados cinco triángulos equiláteros iguales:

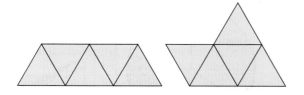

Busca todas las que se puedan formar con seis triángulos.

■ Cruz y cuadrado

Observa que cortando la pieza en forma de cruz se puede obtener un cuadrado.

¿Con cuáles de las siguientes particiones puedes lograr el mismo objetivo?

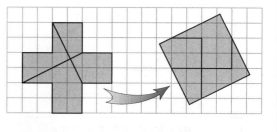

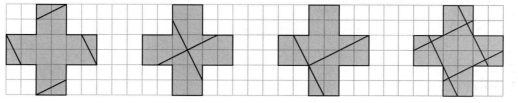

■ Área comprendida

¿Cuál es el área de la zona comprendida entre los dos cuadrados?

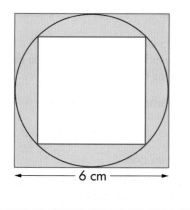

6 cm

■ La rueda

Coloca los números del 1 al 9, uno por casilla, de forma que todos los tríos alineados sumen lo mismo.

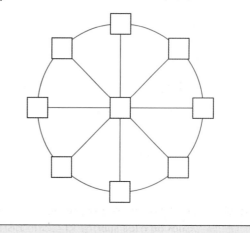

REFLEXIONA

Nº de libros prestados

Número de libros que se encuentran prestados en cada instante.

Tipo de libros prestados.

En el periódico mural de la Casa de la Cultura se encuentra esta información.
La primera gráfica señala la evolución del número de libros prestados en cada momento de un año. El primero de enero había 140 libros prestados. A principios de febrero, 200.

◼ ¿Cuántos libros había prestados a mediados de mayo? ¿Cuántos a final de año?

◼ ¿En qué época del año se prestan menos libros?

La segunda gráfica da el tipo de libros que se han prestado en un año.

◼ ¿Cuál es el tipo de libros que más se ha prestado?

◼ ¿Cuál de ellos supone la cuarta parte del total?

TE CONVIENE RECORDAR

CÓMO REPRESENTAR PUNTOS EN LA RECTA

Recordemos cómo se sitúan los números enteros sobre la recta:

−10 −9 −8 −7 −6 −5 −4 −3 −2 −1 0 1 2 3 4 5 6 7 8 9 10

Negativos ⟵ • ⟶ Positivos

También los números no enteros (fraccionarios) se pueden situar sobre la recta.

1 Sitúa sobre la recta, de forma exacta o aproximada, los siguientes números:

    a) 1,5   b) 2,8   c) 7,75   d) −3,5   e) 0,2   f) −2,2

CÓMO REPRESENTAR PUNTOS EN EL PLANO

Para representar los puntos en el plano, necesitamos dos rectas perpendiculares (**ejes cartesianos** o **ejes de coordenadas**): el eje horizontal y el eje vertical.

Cada punto tiene dos coordenadas. Por ejemplo, las coordenadas del punto A son 3 y 2. Se pone $A(3, 2)$ (A: 3 a la derecha, 2 arriba).

Primero se pone la coordenada correspondiente al eje horizontal y, a continuación, la coordenada correspondiente al eje vertical.

Análogamente $E(−2, −3) \rightarrow$ 2 a la izquierda, 3 hacia abajo.

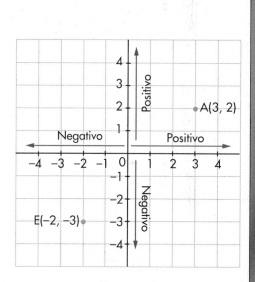

2 Sitúa los siguientes puntos a partir de sus coordenadas:

    $M(4, 2)$, $N(1, −1)$, $P(−3, 2)$ y $Q(−1, −4)$.

EN QUÉ CONSISTE EL PROCESO ESTADÍSTICO

Las gráficas estadísticas son el resultado final de un largo proceso:

- Primero, hay que decidir lo que queremos saber, de qué hemos de enterarnos.
- Para ello se ha de elaborar una encuesta u otro instrumento para recoger datos.
- A continuación, se recogen los datos y se organizan.
- Con esos datos hay que elaborar una tabla de resultados.
- Y, por último, confeccionar las gráficas.

3 Para la confección de la segunda gráfica de la página anterior, ¿cuáles crees que son los pasos que se han seguido?

1 COORDENADAS CARTESIANAS

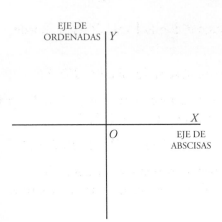

EJE DE ORDENADAS

EJE DE ABSCISAS

En los ejes cartesianos:

- El eje horizontal se llama eje X o **eje de abscisas**.

- El eje vertical se llama eje Y o **eje de ordenadas**.

- El punto O, donde se cortan los dos ejes, es el **origen de coordenadas**.

Cada punto del plano se designa por sus dos coordenadas:

- La primera coordenada se llama "x del punto" o **abscisa**.

- La segunda coordenada se llama "y del punto" u **ordenada**.

EJEMPLO

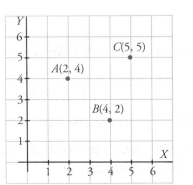

Determinar la abscisa y la ordenada de los siguientes puntos:

- **$A(2, 4)$**
  — La "x del punto es 2", es decir, 2 es la abscisa del punto.
  — La "y del punto es 4", es decir, 4 es la ordenada del punto.

- **$B(4, 2)$**
  — La abscisa es 4.
  — La ordenada es 2.

- **$C(5, 5)$**
  — La abscisa de C es igual que su ordenada: $x = y = 5$.

ACTIVIDADES

1 Representa el punto $P(3, 5)$ y otro punto Q cuyas abscisa y ordenada sean las mismas de P pero cambiadas de orden.

2 a) Representa los puntos $P(1, 1)$, $Q(2, 2)$, $R(3, 3)$, $S(4, 4)$ y traza en azul la recta, r, que pasa por ellos.

b) Representa los puntos $A(1, 5)$, $B(1, 2)$, $C(3, 4)$ y $D(4, 6)$.

c) Representa los simétricos de A, B, C y D, respecto de r, llámalos, respectivamente, A', B', C' y D' y halla sus coordenadas.

d) Compara las coordenadas de cada punto con las de su simétrico respecto de r.

3 Representa los siguientes puntos. Une cada uno de ellos con el siguiente y el último con el primero:

$A(3, 1)$, $B(9, 1)$, $C(9, 5)$, $D(11, 5)$, $E(8, 7)$, $F(4, 7)$, $G(1, 5)$, $H(3, 5)$.

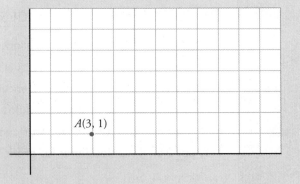

Dibújale a la casa una puerta rectangular y escribe las coordenadas de sus vértices.

2 COORDENADAS NEGATIVAS Y FRACCIONARIAS

Al origen de coordenadas se le suele designar con la letra O. Sus coordenadas son $(0, 0)$. Es decir, $O(0, 0)$.

Los puntos que están en el eje Y tienen su abscisa igual a 0: $A(0, 3)$.

Los que están a la derecha del eje Y tienen su abscisa positiva, $B(3, 2)$, y los que están a la izquierda tienen su abscisa negativa, $C(-3, 2)$.

La ordenada de los puntos que están en el eje X es 0: $D(-2, 0)$, $E(3, 0)$.

Los que están por encima del eje X tienen su ordenada positiva, $B(3, 2)$, $C(-3, 2)$, y los que están bajo el eje X tienen su ordenada negativa: $F(-2, -4)$, $G(4, -2)$.

De igual forma que sobre la recta numérica, se pueden representar sobre los ejes cartesianos puntos con coordenadas fraccionarias.

EJEMPLO

Dar las coordenadas de los puntos representados en los ejes de coordenadas de la izquierda:

$A(2,5; 0)$	$B(4,5; 3,5)$	$C(-2,2; 2)$
$D(0; -1,5)$	$E(3,5; -2,2)$, aproximadamente.	

Para no confundirnos con la coma decimal, cuando una o las dos coordenadas son números decimales las separamos mediante un ";".

A veces las coordenadas decimales de un punto se representan mediante fracciones. Por ejemplo:

$$A(2,5; 0) \quad \rightarrow A\left(\frac{5}{2}, 0\right)$$

$$B(4,5; 3,5) \rightarrow B\left(\frac{9}{2}, \frac{7}{2}\right)$$

ACTIVIDADES

1 a) Representa los puntos $A(2, 4)$, $B(3, 1)$ y $C(4, 5)$.

   b) Halla los simétricos, A', B', C', de A, B y C, respecto al eje X y compara sus coordenadas.

   c) Halla los simétricos, A'', B'', C'' de A, B y C respecto al eje Y, y compara sus coordenadas.

   d) Halla los simétricos de A', B' y C' respecto al eje Y y comprueba que coinciden con los simétricos de A'', B'' y C'' respecto al eje X.

2 Da las coordenadas de los siguientes puntos:

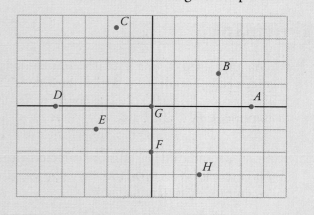

3 INFORMACIÓN MEDIANTE PUNTOS

Observa a los miembros de una familia.

ANTONIO   BERNARDO   CAROLINA   DAVID   EDELMIRA   FLORA

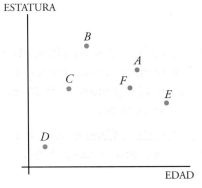

En el diagrama cartesiano que hay en el margen, cada uno de ellos está representado mediante un punto. Sus coordenadas son la EDAD y la ESTATURA.

Como el hijo mayor, Bernardo, es el más alto, está representado por un punto, el *B*, que es el que tiene mayor ordenada. Su edad, sin embargo, es la tercera (solo supera a *D* → David y, un poco, a *C* → Carolina).

Carolina y Flora tienen la misma estatura: los puntos *C* y *F* tienen la misma ordenada. Sin embargo, la edad de *F* (abscisa) es mucho mayor que la *C*.

David, el hijo pequeño, es el menor tanto en estatura como en edad. Por eso, su punto, el *D*, es el que está más cerca de los dos ejes.

> Para interpretar los puntos de un diagrama cartesiano en el que se refleja una situación real, es fundamental atender al significado de cada uno de los dos ejes coordenados.

ACTIVIDADES

1 Asigna una edad y una estatura, aproximadamente, a cada uno de los seis miembros de la familia anterior. Di cuáles son las coordenadas de los puntos *A*, *B*, *C*, *D*, *E* y *F*.

2 Realiza una gráfica de las mismas características, EDAD en el eje *X* y ESTATURA en el eje *Y*, con los miembros de tu familia.

3 Asigna un punto (*M*, *N*, *P* o *Q*) a cada uno de los coches (rojo, azul, gris y amarillo) siguientes:

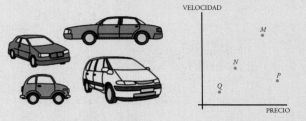

4 PUNTOS QUE SE RELACIONAN

Cada punto del siguiente diagrama es una llamada telefónica. La primera coordenada es la DURACIÓN (en minutos), la segunda, el COSTE (en €).

LECTURA DE GRÁFICAS

La llamada más costosa ha sido la *B*: 3 €.

La más larga la *G*: 16 minutos.

A y *G* han costado lo mismo: 1 €.

C y *E* han tardado lo mismo: 8 minutos.

La más corta, de solo 1 min, ha sido la *A*.

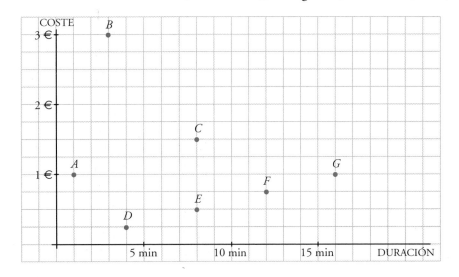

Las llamadas *A* y *B* tienen un cierto parecido:

$$A \rightarrow 1 \text{ minuto, } 1 €.$$

$$B \rightarrow 3 \text{ minutos, } 3 €.$$

Ambas se han realizado al mismo lugar (Buenos Aires). Así, una llamada a Buenos Aires de 2 minutos costará 2 €. Si situamos el punto correspondiente en la gráfica, vemos que este punto, junto a los puntos *A* y *B*, están sobre una recta que pasa por el origen de coordenadas.

Análogamente, las llamadas *D*, *E*, *F* y *G* son "locales". Cada minuto cuesta 1/16 €. (Observa que la llamada *G* dura 16 minutos y cuesta 1 €).

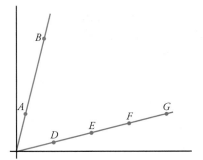

> Las llamadas *A* y *B* se pueden situar sobre una recta que pasa por el origen de coordenadas, pues entre sus coordenadas hay una relación de proporcionalidad: *A*(1, 1), *B*(3, 3).
>
> Lo mismo ocurre con las llamadas *D*, *E*, *F* y *G*.

ACTIVIDADES

1 En una tienda de frutos secos se exhiben los siguientes paquetes:

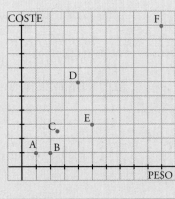

Localiza qué punto corresponde a cada paquete.

Observa que los puntos correspondientes a los tres paquetes de almendras están sobre una recta que pasa por el origen.

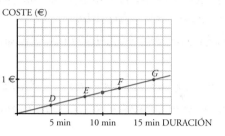

COSTE (€)

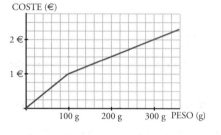

5 INTERPRETACIÓN DE GRÁFICAS

En la página anterior veíamos que el grupo de llamadas representadas por los cuatro puntos *D*, *E*, *F* y *G* están relacionadas, porque el coste es proporcional a la duración (todas ellas son llamadas locales). Por eso, como se puede ver en la gráfica de la izquierda, los cuatro puntos están sobre una misma recta.

También se pueden interpretar los demás puntos de la recta. Por ejemplo, el señalado en rojo significa:

"Una llamada de 10 minutos costaría 5/8 € = 62,5 céntimos".

La recta marcada en azul describe el valor de una llamada local **en función** del tiempo que dura.

EJEMPLO

En la tienda de frutos secos hay una promoción de piñones. Estudiar su precio según la cantidad que se compra. (Observa el gráfico en el margen).

Si se compran 100 g o menos, el precio es 1 € los 100 g. Pero lo que se compre por encima de 100 g vale la mitad. La línea verde nos da el coste de un paquete de piñones **en función** de su peso.

El peso de un paquete es **variable**. El coste también **varía**. La gráfica es una **función** que relaciona las dos **variables**.

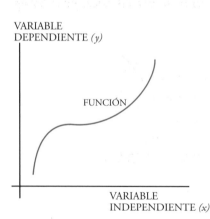

Las gráficas describen relaciones entre dos variables.

La variable que se representa en el eje horizontal se llama "variable *x*" o "variable **independiente**". La que se representa en el eje vertical, "variable *y*" o "variable **dependiente**".

La variable *y* **es función** de la variable *x*.

Para interpretar una gráfica, hemos de mirarla de izquierda a derecha, observando cómo varía la variable dependiente, *y*, al aumentar la variable independiente, *x*.

EJEMPLO

Identificar las variables dependiente e independiente en los ejemplos anteriores.

* En las llamadas telefónicas:

    Variable independiente: DURACIÓN
    Variable dependiente: COSTE
    } El coste de las llamadas **es función** de lo que duran.

* En las bolsas de piñones:

    Variable independiente: PESO
    Variable dependiente: COSTE
    } El coste de una bolsa de piñones **es función** de su peso.

EJEMPLOS

Representar gráficamente las siguientes funciones:

1. Álvaro va al colegio. Tarda 15 minutos en recorrer los 600 m que separan su casa del colegio. Pero el recorrido es muy irregular:

* *Tarda 2 min en llegar a casa de su amiga Eva, que está a 150 m de su casa.*

* *Espera a Eva durante 5 minutos.*

* *Se dirigen, paseando, al colegio, de modo que recorren 150 m en 7 min.*

* *Oyen la sirena. Corren y tardan 1 min en recorrer los 300 m que faltan.*

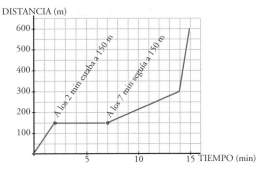

Variable independiente (x): el tiempo transcurrido desde que Álvaro sale de su casa.

Variable dependiente (y): distancia a la que se encuentra de su casa.

2. Luis ha ganado peso con la edad. A los 7 años pesaba 25 kg. Estuvo algo desmejorado y perdió algunos kilos, pero se recuperó pronto.

Desde los 10 hasta los 12 años pesaba 35 kg. Pero ahí dio el estirón...
Creció y aumentó rápidamente de peso. Ahora, con 14 años, pesa 60 kg.

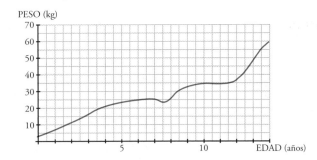

Variable independiente (x): la edad de Luis.
Variable dependiente (y): el peso de Luis.

ACTIVIDADES

1 Los recorridos de Sara y de Julia para ir de casa al colegio se ven en las gráficas de la derecha. Describe cada uno de ellos.

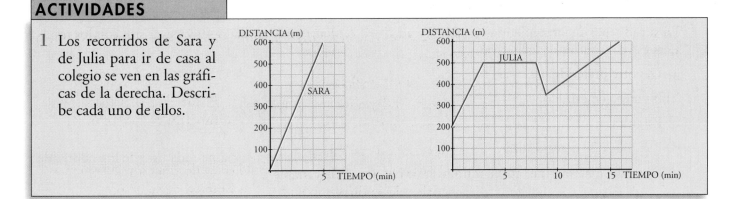

6 VARIABLES ESTADÍSTICAS. FRECUENCIA

Se ha realizado una encuesta a los 36 alumnos de un curso.

1ª PREGUNTA: *¿Cuántos hermanos o hermanas sois en casa?*

2ª PREGUNTA: *¿En qué estación del año es tu cumpleaños?*

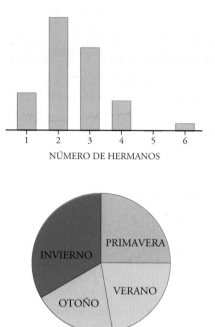

NÚMERO DE HERMANOS

ESTACIÓN EN LA QUE
ES EL CUMPLEAÑOS

RESULTADOS

Nº DE HERMANOS	FRECUENCIA
1	5
2	15
3	11
4	4
5	0
6	1

ESTACIÓN CUMPLEAÑOS	FRECUENCIA
PRIMAVERA	9
VERANO	8
OTOÑO	7
INVIERNO	12

El **número de hermanos** es una **variable estadística cuantitativa**, pues toma valores numéricos: 1, 2, 3, 4, 5 ó 6.

La **estación en que es el cumpleaños** es una **variable estadística cualitativa**, pues los valores que toma son no numéricos: PRIMAVERA, VERANO, OTOÑO e INVIERNO.

La **frecuencia** con la que se dan "3 hermanos" es 11. Lo expresamos así: $f(3) = 11$. Se lee así: "frecuencia del 3 es 11".

Análogamente, $f(4) = 4$, $f(\text{PRIMAVERA}) = 9$.

Una variable estadística se llama **cuantitativa** cuando toma valores numéricos y **cualitativa** cuando toma valores no numéricos.

El número de veces que se repite cada valor de la variable se llama **frecuencia** de ese valor.

ACTIVIDADES

1 Di si cada una de las siguientes variables estadísticas es cuantitativa o cualitativa:

a) Deporte preferido.

b) Número de calzado.

c) Estatura.

d) Estudios que desea realizar.

e) Nota de matemáticas en el último examen.

2 Lanzamos un dado 40 veces. Estos son los resultados:

3	5	1	2	5		5	3	4	6	2
4	3	6	4	1		6	4	2	6	1
4	3	5	6	2		1	5	6	6	2
4	2	3	2	6		5	4	1	6	1

Halla la frecuencia de cada uno de los valores de la variable.

7 CONFECCIÓN DE UNA TABLA DE FRECUENCIAS

Cuando se han recogido los datos correspondientes a una experiencia estadística hay que tabularlos, es decir, hay que confeccionar con ellos una tabla (**tabla de frecuencias**) en la que aparezcan ordenadamente:

- *Los valores de la variable* que se está estudiando.

- *El número de veces* que aparece cada valor, es decir, su *frecuencia*.

EJEMPLO

Elaborar una tabla de frecuencias a partir de estos datos.

NÚMERO DE HERMANOS (DATOS)					
2	1	3	3	2	2
3	1	2	4	3	2
2	2	2	3	1	3
3	2	3	4	1	4
3	2	2	1	2	3
4	2	3	2	2	6

NÚMERO DE HERMANOS (TABLA)		
1 卌	⟶	5
2 卌 卌 卌	⟶	15
3 卌 卌 l	⟶	11
4 llll	⟶	4
5	⟶	0
6 l	⟶	1

Para hacer el recuento, se leen los datos uno a uno y se marca una señal en el correspondiente valor. Si las señales se agrupan de cinco en cinco, es más fácil contarlas. (La señal horizontal se pone en último lugar y sirve para cerrar el manojo de cinco).

La **tabla de frecuencias** adopta, finalmente, el aspecto que se ve a la derecha. Cada valor tiene emparejada su frecuencia.

VALORES	FRECUENCIAS
1	5
2	15
3	11
4	4
5	0
6	1

ACTIVIDADES

1 Se pregunta a 40 chicas y chicos cuál de los siguientes deportes prefiere practicar:

baloncesto (B), balonvolea (V), fútbol (F),

tenis (T), ajedrez (A).

Estos son los resultados:

F F B F F   F A F B T
V F F F A   B B F F A
B F F F F   B F B B T
F T F F B   B F T T A

Haz la correspondiente tabla de frecuencias.

2 El número de asignaturas suspendidas por cada uno de los 50 estudiantes de un curso es el siguiente:

1 3 1 0 4   3 1 2 2 5
4 1 0 2 3   0 1 1 2 3
2 3 1 1 6   1 1 2 1 2
0 0 2 1 4   0 1 0 2 2
3 1 0 0 2   2 1 1 3 1

Haz una tabla de frecuencias con los resultados.

8 REPRESENTACIÓN GRÁFICA

Las representaciones gráficas sirven para captar, de un solo golpe de vista, las características más sobresalientes de una distribución de datos.

Hay muchos tipos de representaciones gráficas. Vamos a ver las de uso más frecuente.

■ DIAGRAMA DE BARRAS

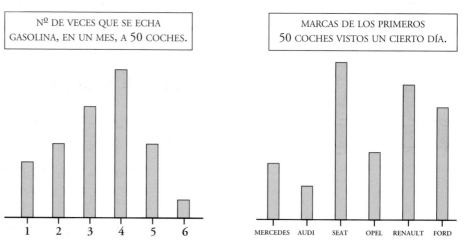

| Nº DE VECES QUE SE ECHA GASOLINA, EN UN MES, A 50 COCHES. |
| MARCAS DE LOS PRIMEROS 50 COCHES VISTOS UN CIERTO DÍA. |

El diagrama de barras está formado por barras finas. Sirve para representar tablas de frecuencias de variables cualitativas, o bien cuantitativas que tomen pocos valores. Las alturas de las barras son proporcionales a las frecuencias correspondientes.

■ HISTOGRAMA

| ESTATURAS DE LAS ALUMNAS Y LOS ALUMNOS DE UNA CLASE. |
| NÚMERO DE FALTAS DE ORTOGRAFÍA COMETIDAS POR LAS ALUMNAS Y LOS ALUMNOS EN UN DICTADO. |

Todos los alumnos cuyas alturas estén comprendidas entre 155 cm y 160 cm.

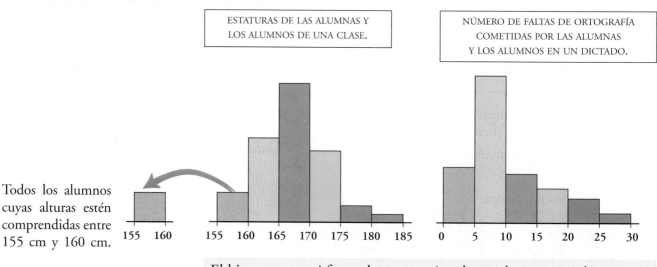

El histograma está formado por rectángulos anchos que se adosan unos a otros. Sirve para representar variables cuantitativas que tomen muchos valores diferentes.

◻ POLÍGONO DE FRECUENCIAS

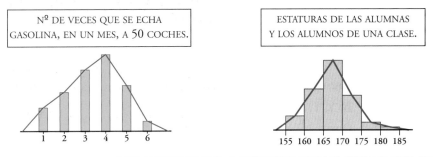

| Nº DE VECES QUE SE ECHA GASOLINA, EN UN MES, A 50 COCHES. | ESTATURAS DE LAS ALUMNAS Y LOS ALUMNOS DE UNA CLASE. |

El polígono de frecuencias se utiliza para representar variables cuantitativas. Se construye uniendo los extremos de las barras o los puntos medios de los rectángulos de un histograma.

◻ DIAGRAMA DE SECTORES

Las notas de los alumnos y las alumnas de un curso, en una cierta asignatura, durante las tres evaluaciones del año, han sido:

PRIMERA EVALUACIÓN SEGUNDA EVALUACIÓN TERCERA EVALUACIÓN

El diagrama de sectores sirve para representar variables de cualquier tipo. Cada sector representa un valor de la variable. El ángulo de cada sector es proporcional a la frecuencia correspondiente.

Los diagramas de sectores son muy útiles para ver, como en el ejemplo anterior, la evolución de una misma variable. Y vemos que, en la asignatura a la que se refieren estos gráficos, se ha ido progresando a lo largo del curso.

ACTIVIDADES

1 Los deportes preferidos por 40 chicas y chicos entrevistados son:

DEPORTE	FRECUENCIA
Baloncesto	10
Balonvolea	1
Fútbol	20
Tenis	5
Ajedrez	4

Para representar estos datos en un diagrama de sectores, repartimos los 360° del círculo entre 40.
A cada individuo le corresponden 9°.
Halla el ángulo del sector que corresponde a cada deporte y realiza el diagrama completo.

2 Representa en un diagrama de barras la distribución del número de asignaturas suspendidas por los alumnos y las alumnas de un curso:

Nº DE SUSPENSOS	FRECUENCIA
0	6
1	12
2	8
3	5
4	3
5	1
6	1

Complétalo con un polígono de frecuencias.

EJERCICIOS DE LA UNIDAD

▷ **Representación de puntos**

1 ▲△△ Representa los siguientes puntos:
$A(2, 3)$, $B(4, 1)$, $C(0, 4)$, $D(1, 5)$, $E(3, 3)$.

2 ▲△△ Representa los siguientes puntos:
$A(-2, 6)$, $B(0, -5)$, $C(-4, -6)$, $D(6, 0)$, $E(3, -1)$.

3 ▲△△ Representa los siguientes puntos:
$A(0; 2,5)$, $B(4; -1,5)$, $C(0, 0)$, $D(2,5; 2,5)$, $E(1, -4)$.

4 ▲△△ Dibuja la figura que se obtiene al unir cada punto con el siguiente:
$A(1, 0)$, $B(6, 10)$, $C(11, 0)$, $D(7, 0)$, $E(7, 4)$
$F(5, 4)$, $G(5, 0)$, $A(1, 0)$.

5 ▲△△ Di las coordenadas de los siguientes puntos:

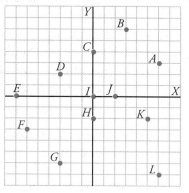

6 ▲▲△ Observa la siguiente gráfica y contesta:

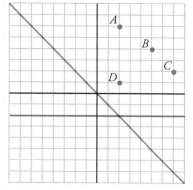

a) Escribe las coordenadas de A, B, C y D.
b) Representa los simétricos de A, B, C y D respecto de la recta azul y pon sus coordenadas.
c) Representa los simétricos de A, B, C y D respecto del eje Y y pon sus coordenadas.
d) Representa los simétricos de A, B, C y D respecto de la recta roja y pon sus coordenadas.

7 ▲△△ Lee el mensaje. Para ello representa los puntos y únelos.

a) $(1, 1)$, $(1, 5)$, $(2, 5)$, $(2, 4)$, $(3, 4)$ $(3, 5)$, $(4, 5)$, $(4,1)$, $(3, 1)$, $(3, 3)$, $(2, 3)$, $(2, 1)$ y $(1, 1)$.

b) $(6, 1)$, $(6, 5)$, $(9, 5)$, $(9, 1)$ y $(6, 1)$.
$(7, 2)$, $(7, 4)$, $(8, 4)$, $(8, 2)$ y $(7, 2)$.

c) $(11, 1)$ $(11, 5)$, $(12, 5)$, $(12, 2)$, $(14, 2)$, $(14, 1)$ y $(11, 1)$.

d) $(16, 1)$, $(16, 5)$, $(19, 5)$, $(19, 1)$, $(18, 1)$, $(18, 2)$, $(17, 2)$, $(17, 1)$ y $(16, 1)$.
$(17, 3)$, $(17, 4)$, $(18, 4)$, $(18, 3)$ y $(17, 3)$.

▷ **Interpretación de puntos**

8 ▲△△ Alfredo y Pedro son atletas. Alfredo es corredor de medio fondo y Pedro es lanzador de peso.

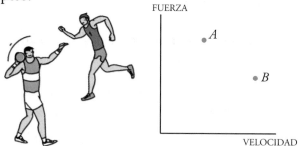

¿Qué punto corresponde a cada uno?

9 ▲▲△
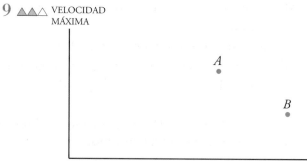

Los puntos A y B representan dos coches, uno de Ernesto y otro de Carla. Di cuál es de cada uno sabiendo que el coche de Ernesto es más caro que el de Carla, pero el de esta corre más.

Sitúa sobre el diagrama un punto, C, que represente el coche de Jaime, más barato y menos veloz que el de Ernesto y Carla. Y otro punto, D, para el de Tiburcio, el más veloz de todos y casi tan caro como el de Ernesto.

Interpretación de gráficas funcionales

10 ▲△△ Observa las carreras de dos velocistas:

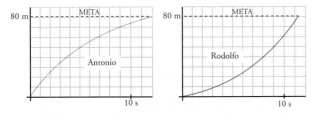

a) ¿Cuáles son las dos variables que se relacionan en estas funciones?

b) Uno de ellos va "cada vez más despacio" y el otro "cada vez más deprisa". ¿Quién es cada uno?

c) ¿Cuál de los dos ganará la carrera de 80 m?

■ *Para responder a esta pregunta, calca las dos gráficas sobre unos mismos ejes.*

11 ▲▲△ Describe el siguiente viaje en coche:

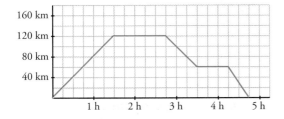

a) ¿Cuántos kilómetros recorre en la primera hora y media?

b) ¿Cuánto tiempo permanece parado?

c) ¿A qué distancia del punto de partida se encuentra el lugar de la segunda parada?

12 ▲▲△ Describe este otro viaje en coche al mismo lugar que el del ejercicio anterior.

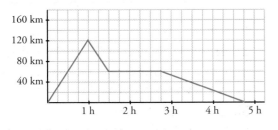

a) ¿A qué distancia da la vuelta?

b) ¿En qué lugar se para? ¿Cuánto duró la parada?

c) ¿Cuánto tiempo estuvo el coche en marcha?

13 ▲△△ Todos estos rectángulos tienen la misma área, 36 cuadraditos.

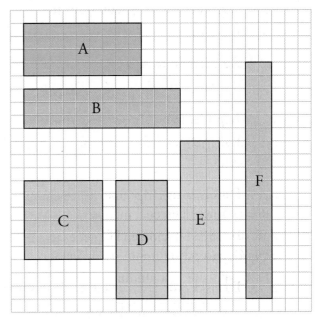

Asigna a cada uno su base y su altura, y tómalos como coordenadas de un punto. Por ejemplo:

A: base 9, altura 4 → *A*(9, 4)

De este modo obtendrás 6 puntos que has de representar en unos ejes cartesianos.

Une todos los puntos para obtener una curva, que es la gráfica de la función.

14 ▲△△ Una pequeña empresa vende cajas con productos navideños. Sus ingresos y sus gastos vienen dados por las siguientes gráficas:

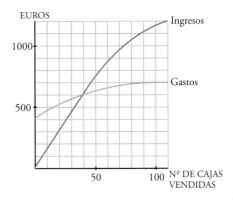

a) ¿A partir de qué número de cajas vendidas empieza a obtener beneficios?

b) ¿Cuánto pierde si solo vende 20 cajas?

c) ¿Cuánto gana si vende 80 cajas?

d) ¿Cuánto gana si vende 110 cajas?

▷ Tablas y gráficas estadísticas

15 ▲△△ Cumpleaños de los alumnos de una clase:

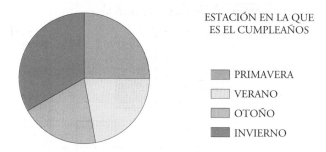

ESTACIÓN EN LA QUE
ES EL CUMPLEAÑOS

▨ PRIMAVERA
▨ VERANO
▨ OTOÑO
▨ INVIERNO

a) ¿En qué estación del año se celebrarán más cumpleaños? ¿En cuál menos?

b) ¿Hay alguna estación en la que, exactamente, la cuarta parte de alumnos cumplen años?

c) Sabiendo que los alumnos que cumplen años en cada estación son 7, 8, 9 y 12, ¿qué número corresponde a cada una de ellas?

16 ▲△△ A los 36 alumnos de una clase se les ha preguntado: *"¿Cuántos hermanos sois?"*. Estas son las respuestas sintetizadas en un diagrama de barras:

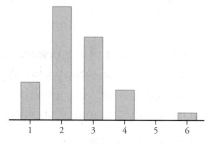

a) ¿Cuál es la variable estadística?

b) ¿Es cualitativa o cuantitativa?

c) En la clase hay un único alumno que pertenece a una familia con 6 hermanos. Midiendo las barras, di cuál es la frecuencia correspondiente a cada una de ellas y lo que significa.

17 ▲△△ Estas son las notas que un profesor ha puesto a sus alumnos y alumnas en el último examen:

1	5	8	6	2		2	7	8	4	9
4	6	5	4	5		7	2	3	6	8
9	3	2	5	3		10	6	10	1	10
6	8	7	8	4		5	5	6	10	5

a) Haz una tabla de frecuencias.

b) Representa en un diagrama de barras los resultados.

18 ▲△△ Comprueba que agrupando las notas anteriores obtenemos la tabla siguiente:

INSUFICIENTE (1, 2, 3, 4)	13
SUFICIENTE (5)	7
BIEN (6)	6
NOTABLE (7, 8)	8
SOBRESALIENTE (9, 10)	6

Haz una representación de estos resultados en un diagrama de sectores.

■ *Observa que a cada individuo le corresponde un ángulo de 9°, pues 360° : 40 = 9°.*

19 ▲△△ EJERCICIO RESUELTO

Hemos realizado una encuesta sobre el tipo de películas de cine que más gustan:

a) ¿Qué porcentaje de personas prefieren las películas de aventuras?

b) ¿Qué porcentaje prefieren las románticas? ¿Y las de terror?

	FRECUENCIA
AVENTURAS	39
ROMÁNTICAS	15
TERROR	21

Resolución

39 + 15 + 21 = 75 personas.

En total, hemos entrevistado a 75 personas.

a) 39 personas de las 75 entrevistadas prefieren las películas de aventuras. Por tanto:

$\dfrac{39}{75} \cdot 100 = 52\%$ prefieren las películas de aventuras.

b) $\dfrac{15}{75} \cdot 100 = 20\%$ prefieren las películas románticas.

$\dfrac{21}{75} \cdot 100 = 28\%$ prefieren las de terror.

20 ▲△△ En los datos de la tabla del ejercicio 18, halla el porcentaje de alumnos que superan el examen, y el porcentaje de los que consiguen sobresaliente.

21 ▲△△ El mapa de abajo nos da la distancia, en kilómetros, de cada tramo de carretera. La tabla resume la distancia, en kilómetros, entre cada dos pueblos de esa comarca.

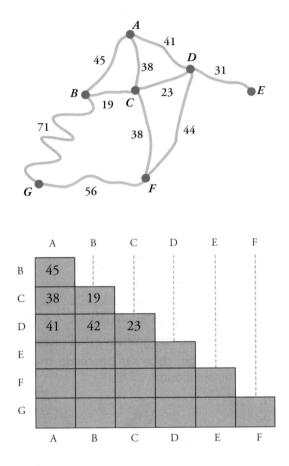

Comprueba que lo que hay es correcto y complétalo en tu cuaderno, de modo que en la tabla aparezca la menor de las distancias posibles entre cada dos localidades.

Una vez completada esta tabla, contesta las siguientes preguntas:

a) ¿Cuál es la distancia mínima entre dos localidades?

¿Y la máxima?

b) ¿Qué porcentaje de localidades está a menos de 45 km de la localidad D?

c) Un representante de una cierta marca comercial tiene que visitar los pueblos A, B, E y F. Si parte de A, ¿cuál será la distancia total mínima que tiene que recorrer?

22 ▲▲△ En un curso con 36 estudiantes se realiza una encuesta con la siguiente pregunta:

¿Qué prefieres ver por televisión, un partido de baloncesto (BC) o uno de fútbol (F)?

Los resultados vienen dados en la siguiente tabla:

	BC	F	TOTAL
CHICOS	3	13	
CHICAS	12	8	
TOTAL			36

Completa esta tabla en tu cuaderno y responde a las siguientes preguntas:

a) ¿Qué significa el 3 de la primera casilla?

b) ¿Qué significa el 8?

c) ¿Cuántos chicos hay en la clase? ¿Y chicas? ¿A cuántos estudiantes de esa clase les gusta ver el baloncesto y a cuántos ver el fútbol por televisión?

d) Averigua qué porcentaje de las chicas prefieren ver el fútbol.

e) ¿Qué porcentaje de los que les gusta el baloncesto son chicas?

23 ▲△△ Se han escogido 100 personas de más de 25 años y menos de 30 al azar, y se les ha preguntado:

• *¿Eres miope?*

• *¿Seguiste estudiando después de los 18 años?*

Estos son los resultados:

		ESTUDIOS		
		SÍ	NO	
MIOPE	SÍ	21	19	40
	NO	14	46	60
		35	65	100

a) ¿Cuántos miopes hay? ¿Qué porcentaje de miopes hay?

b) Entre los 35 que estudiaron más, ¿cuántos miopes hay?

c) ¿Qué porcentaje de miopes hay entre los que estudiaron más?

HAZ UN ESQUEMA

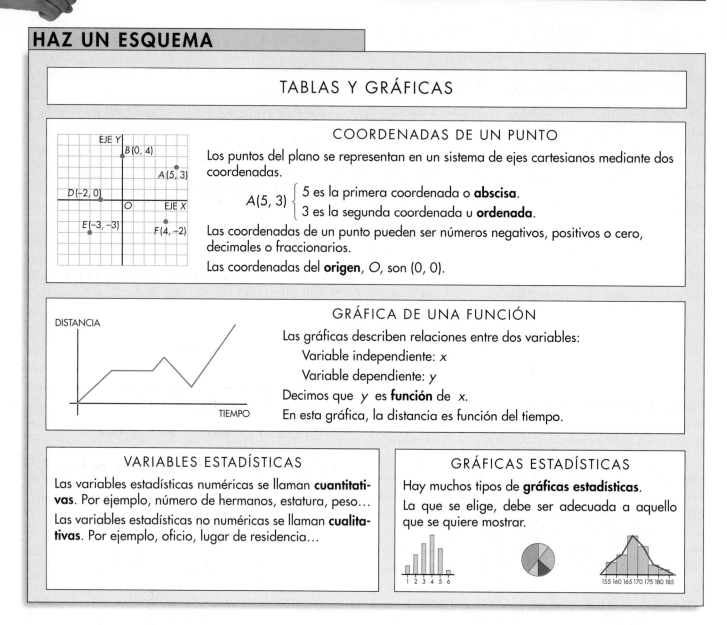

TABLAS Y GRÁFICAS

COORDENADAS DE UN PUNTO

EJE Y
B (0, 4)
A (5, 3)
D (−2, 0)
O   EJE X
E (−3, −3)   F (4, −2)

Los puntos del plano se representan en un sistema de ejes cartesianos mediante dos coordenadas.

$A(5, 3)$ $\begin{cases} \text{5 es la primera coordenada o } \textbf{abscisa.} \\ \text{3 es la segunda coordenada u } \textbf{ordenada.} \end{cases}$

Las coordenadas de un punto pueden ser números negativos, positivos o cero, decimales o fraccionarios.

Las coordenadas del **origen**, O, son (0, 0).

GRÁFICA DE UNA FUNCIÓN

DISTANCIA

TIEMPO

Las gráficas describen relaciones entre dos variables:

Variable independiente: x

Variable dependiente: y

Decimos que y es **función** de x.

En esta gráfica, la distancia es función del tiempo.

VARIABLES ESTADÍSTICAS

Las variables estadísticas numéricas se llaman **cuantitativas**. Por ejemplo, número de hermanos, estatura, peso…

Las variables estadísticas no numéricas se llaman **cualitativas**. Por ejemplo, oficio, lugar de residencia…

GRÁFICAS ESTADÍSTICAS

Hay muchos tipos de **gráficas estadísticas**.

La que se elige, debe ser adecuada a aquello que se quiere mostrar.

1 2 3 4 5 6

155 160 165 170 175 180 185

AUTOEVALUACIÓN

1 Une cada punto con el siguiente y lee el mensaje:

a) (−5, −1), (−5, 3), (−3, 3), (−3, 2), (−5, 1), (−3, 0), (−3, −1) y (−5, −1).

b) (−2, −1) y (−2, 3).

c) (1, −1), (−1, −1), (−1, 0), (1, 1) (−1, 2), (−1, 3) y (1, 3).

d) (2, −1), (2, 3), (4, −1) y (4, 3).

2 Lanzamos un dado 30 veces y obtenemos:

    2, 5, 6, 5, 1   6, 2, 3, 1, 5

    4, 2, 4, 4, 6   1, 4, 1, 2, 5

    4, 1, 2, 5, 3   5, 1, 4, 2, 6

a) Haz una tabla de frecuencias con los resultados.

b) Represéntalos en un diagrama de barras.

3 Ana estudia poco y saca malas notas.
Rafael estudia mucho, pero no le *luce*.
Alberto estudia poco, pero saca buenas notas.
María es la que más estudia y saca unas notas estupendas.
¿Qué punto representa a cada cuál?

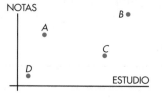

NOTAS
B
A
C
D
ESTUDIO

JUEGOS PARA PENSAR

Los barquitos, un juego con coordenadas

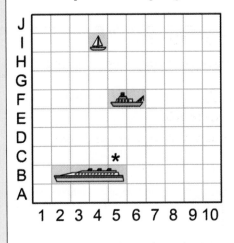

¿Has jugado alguna vez a los barquitos?

Para jugar a los barquitos, necesitas un papel cuadriculado de 10 cuadraditos de alto por 10 cuadraditos de ancho. A las filas se les designa con letras y a las columnas, mediante números. Es decir, se utiliza un sistema de coordenadas con números (abscisa) y letras (ordenada).

C – 5 (el 5º cuadradito de la fila C), significa un cuadradito y no un punto.

Expresa, en coordenadas, dónde está situado cada uno de los barcos que muestra el tablero.

Coordenadas para localizar

¿Cómo explicarías, mediante coordenadas, la localización del libro marcado con el número 36?

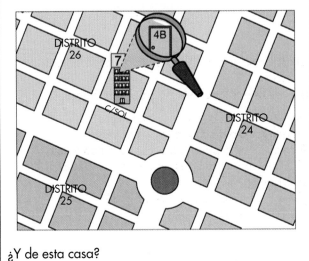

¿Y de esta casa?

Coordenadas geográficas

También usamos coordenadas para localizar puntos en la superficie de la Tierra.

Cada lugar en la superficie terrestre tiene una *longitud* y una *latitud*.

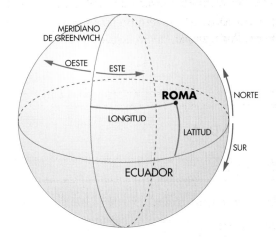

Aquí tienes las coordenadas geográficas de algunas ciudades:

París → 48° 52' Norte, 2° 20' Este

Roma → 41° 53' Norte, 12° 30' Este

Moscú → 55° 45' Norte, 37° 42' Este

Averigua las coordenadas geográficas de la localidad en la que vives.

▷ UNIDAD 1

1 10 000

2 a) Trunc.: 5 000 b) Trunc.: 56 000
   Red.: 6 000   Red.: 56 000

3 58

4 a) 12; b) 2

5 a) 17; b) 7; c) 0

6 5 € 80 céntimos

7 16 000 €

8 33 €

▷ UNIDAD 2

1 a) 32; b) 81; c) 1; d) 100 000   2 a) 10^4; b) 10^7

3 $3 \cdot 10^6 + 7 \cdot 10^5 + 2 \cdot 10^4 + 2 \cdot 10^2 + 8 \cdot 10 + 5$

4 $24 \cdot 10^8$

5 a) $10^5 = 100\,000$; b) $3^4 = 81$; c) $2^5 = 32$

6 a) a^7; b) x^3; c) m^8 7 a) 13; b) 56

8 a) 4; b) 10; c) 3; d) 2

▷ UNIDAD 3

1 Sí.   2 12; 24; 36 ; 48; 60

3 1; 2; 4 ; 5; 8; 10; 20; 40

4 23; 29; 31; 37

5 $120 = 2^3 \cdot 3 \cdot 5$, $180 = 2^2 \cdot 3^2 \cdot 5$

6 60   7 360   8 12 m

▷ UNIDAD 4

1 $-7 < -3 < -1 < 0 < +1 < +3 < +5 < +6$

```
 ─┼──┼──┼──┼──┼──┼──┼──┼──┼──┼──┼──┼──┼─
  -7        -3    -1 0 1    3    5 6
```

2 a) 6; b) 12; c) 8

3 a) − 8; b) − 5; c) 3; d) 12

4 2   5 a) 24; b) 8

6 a) − 36; b) 55; c) − 3

7 − 24   8 − 6 °C

▷ UNIDAD 5

1 A = 6,1   B = 6,25   C = 6,5

2 3,51; 3,52; 3,525

3 23,1   4 1,59

5 a) 1 628; b)0,1628   6 6,75

7 12,9   8 0,70 €

▷ UNIDAD 6

1 2 740,5 cm   2 2 hl 4 l 8 dl 6 cl

3 3 563 g   4 32 kg

5 32 508,57 m^2 6 5 147,25 ha

7 42 133,073 m^3 8 1 100 cm^3

▷ UNIDAD 7

1 a) 0,875; b) 3/2   2 1 75   3 1 0/15

4 1/6   5 a) 3/10; b) 2/5

6 2 250   7 50 kg   8 30 l

▷ UNIDAD 8

1 1 kg: 4 €. 5 kg: 20 €

2 Uno: 24 h. Tres: 8 h.

3 1,92 €   4 17 min.   5 83,2

6 Hombres: 48%. 3 840   7 275   8 25,5 €

▷ UNIDAD 9

1 a) $2n + 3$; b) $n + 1$ 2 a) $4a^2 + 3a$; b) $x + 5$

3 a) $6x^2$; b) $-3x^3$; c) x; d) $2/x$

4 a) $x = -1$; b) No tiene solución; c) $x = 7$

5 7, 8, 9

6 Bolígrafo: 50 cént. Rotulador: 1,30 €

▷ UNIDAD 10

1

2 Ver pagina 208.

3 $\hat{A} = \hat{B} = \hat{C} = 103° 20'$

4 a) 4° 47' 51''; b) 34° 11' 3''

5 a) ① = 90°; ② = 60°; ③ = 30°; ④ = 30°
   b) 5 = 120°

UNIDAD 11

1 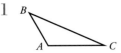 (La gráfica está hecha al 25% de su tamaño real).

2 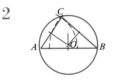 (La gráfica está hecha al 25% de su tamaño real).

3 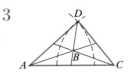 (La gráfica está hecha al 50% de su tamaño real).

4 a) $\overline{AC}$ = 6 cm   b) $\overline{AC}$ = 12 cm   c) x = 19 cm

UNIDAD 12

1 a) Rombo; b) Trapecio rectángulo; c) Rectángulo;
d) Cuadrado; e) Romboide; f) Trapezoide.
Son paradelogramos de las figuras: a), c), d) y e).

2 (La gráfica está hecha al 25% de su tamaño real).

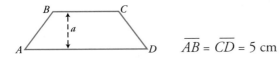

$\overline{AB}$ = $\overline{CD}$ = 5 cm

3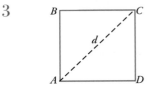
(La gráfica está hecha al 25% de su tamaño real).

$\overline{AB}$ = $\overline{CD}$ = 7,5 cm

4 (La gráfica está hecha al 25% de su tamaño real).

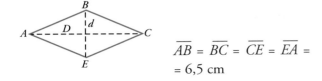

$\overline{AB}$ = $\overline{BC}$ = $\overline{CE}$ = $\overline{EA}$ =
= 6,5 cm

5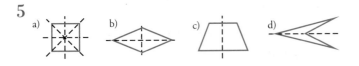

UNIDAD 13

1 a) Ángulo central = 45°, Ángulo interior = 135°

b) (La gráfica está hecha al 25% de su tamaño real).

2 (La gráfica está hecha al 25% de su tamaño real).

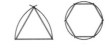

3 Apotema = 5,4 cm

4 $d\,(O, r)$ = 6,5 cm $d\,(O, s)$ = 6 cm

UNIDAD 14

1 a) S = 570 m²; P = 96,8 m; b) S = 402,12 dm²;
P = 116,53 dm; c) S = 374,4 cm²; P = 72 cm

2 a) Lado que falta = 42,1 dam; S = 526,2 dam²
b) Lado que falta = 17 m; S = 600 m²
c) S = 10,2 km²

3 El coste total es de 576,77 euros.

UNIDAD 15

1 El mensaje que se lee es: BIEN.

2 a)

VALORES	1	2	3	4	5	6
FRECUENCIAS	6	6	2	6	6	4

b)

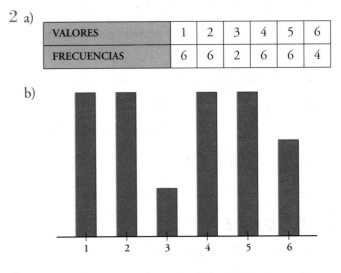

3 A (Alberto); B (María); C (Rafael); D (Ana).

AUTORES:

José Colera e Ignacio Gaztelu

COORDINACIÓN EDITORIAL:

Mercedes García-Prieto

EDICIÓN:

Carlos Vallejo

DISEÑO DE CUBIERTAS E INTERIORES:

Miguel Ángel Pacheco y Javier Serrano

TRATAMIENTO INFOGRÁFICO DEL DISEÑO:

José Alcalde y Alejandra Navarro

EQUIPO TÉCNICO:

Aurora Martín, Isabel Pérez y Teresa de Miguel

CORRECCIÓN:

Mª Teresa de la Fuente y Natalio Fernández

ILUSTRACIONES Y GRÁFICOS:

Marisa Fora, Óscar Sánchez, Miguel Ángel Díaz-Rullo y Departamento Gráfico de Anaya Educación

EDICIÓN GRÁFICA:

Antonio González y Nuria González

FOTOGRAFÍAS:

Archivo Anaya; Centro Español de Metrología (Madrid); Cordon Press; Chamero, J./Anaya;
European Southern Observatory; Instituto Monetario Europeo; Lacey, T./Anaya; López, A.I./Anaya;
Nasa; Marín, E./Anaya; Muñoz, J.C./Anaya; PDT, M./Anaya; Redondo, C./Anaya;
Sociedad Estatal de Transición al Euro.
Fotografía de cubierta: Encarna Marín/Anaya.
Agradecemos la colaboración de los niños Daniel Pérez Fernández y Asayumi Hentona Santa-Isabel.

Esta obra corresponde al primer curso de Educación Secundaria Obligatoria, área de Matemáticas, y ha sido elaborada conforme a las disposiciones legales vigentes.